Colección Narrativa

KARLA SUÁREZ

El hijo del héroe

Editorial Comba

Imagen de la portada:
Fotografía de Francesco Gattoni

Diagramación: Roger Castillejo Olán

c/ Muntaner, 178, 5º 2ª bis
08036 Barcelona

Autora representada por Silvia Bastos, S.L. Agencia Literaria

ISBN: 978-84-947203-3-8
Depósito Legal: B-21.757-2017

Índice

El problema no consiste en que la
gente olvide las cosas,
sino en que nunca olvida las mismas.
Paul Auster

Angola era para mí sólo un nombre extraño,
en la geografía de mis primeros años…
Frank Delgado

La selva oscura

A mi padre lo mataron una tarde que hacía mucho sol, aunque no lo supimos en ese momento. Él estaba del otro lado del mundo, en la selva oscura de Angola. Nosotros en la isla, donde la vida continuaba más o menos como de costumbre, bajo nuestro sol cotidiano.

Varios días después de su muerte y aún sin saber lo que había sucedido, yo corría por el bosque de La Habana siguiéndole los pasos al capitán Tormenta, que era la niña que me gustaba. Algunos metros delante corría Enrique de Lagardere, mi mejor amigo, que era mucho más rápido y más fuerte, y por eso me obligaba a impulsar mi cuerpo con una furia loca sin importarme los yerbajos que arañaban mis piernas. Yo era el Conde de Montecristo. A decir verdad, hubiera preferido ser el León de Damasco o hasta Lagardere, porque eso de andar cavando túneles para escapar del castillo de If no me parecía el mejor de los entretenimientos, pero como había sido Tormenta quien determinó nuestros nombres, entonces no me pareció tan mal. Y me acostumbré. De cualquier modo era un conde y eso provocaba que, de vez en cuando, ella bajara su cabeza en señal de reverencia hacia mí, manteniendo su mirada fija en mis ojos y una sonrisa que a los doce años comenzaba a parecerse más a una provocación femenina que a una simple miradita de niña.

Fue mi padre quien nos enseñó aquel rincón del bosque y, sin saberlo, nos convirtió en adictos. Nos regaló un pedacito de mundo donde nuestros personajes preferidos podían vivir sus aventuras lejos de la televisión, en nuestra propia carne. Él era de los pocos que tenían carro en el barrio y el único que no consideraba ese artefacto con ruedas como una reliquia o una marca de status social o una pieza de museo que hay que mantener lejos del alcance de todos para que no le hagan daño. No. Para mi padre el carro era un pedazo de lata que podía moverse y si lo tenía él, pues lo tenían todos. Por eso, algunos domingos, cuando salía a la calle con el cubo de agua y las esponjas para lavarlo, dejaba que los niños se acercaran y así, poco a poco, se fue convirtiendo en costumbre. Uno quería limpiar el parabrisas, el otro quería sentarse donde el conductor a simular que manejaba, el otro cambiaba el agua del cubo y juntos hacíamos la faena. El premio era que, al final, cuando ya la lata brillaba y la calle estaba llena de agua, mi padre nos montaba a todos y partíamos rumbo al bosque, a aquel rinconcito, cerca del río, donde había un pequeño puente en forma de arco que parecía sacado de un libro de cuentos. Justo allí, mi padre detenía el carro, abría las puertas y decía: en media hora deben estar de regreso. Y partíamos. A correr. A perdernos por el bosque donde se filmaban todas las aventuras que pasaban en la televisión y que podía ser Francia, Irlanda, España, África o cualquier lugar del mundo con aquellos árboles enormes llenos de enredaderas que bajaban como cortinas y que creaban formas, a veces eran gigantes, a veces cuevas, a veces simplemente el velo de una princesa, la capa de un rey o los muros del mismísimo castillo de If de donde yo tenía que escaparme.

Cuando mi padre se fue para Angola, terminaron nuestras visitas al bosque los domingos. Pero ya éramos adictos. Por eso, Enrique de Lagardere, el capitán Tormenta y yo comenzamos otra aventura. Muchas tardes al salir de la secundaria nos íbamos hasta el puente Almendares y bajábamos al parque que está junto al río. A mami no le importaba que fuéramos allí, lo que no le gustaba era que nos adentráramos en el vecino bosque. Decía que podía ser peligroso, una cosa era con papi, pero solos estaba prohibido. Fue por eso que nunca se lo dije. No le dije que en el parque casi todos los aparatos estaban rotos y el túnel apestaba a mierda que los borrachos hacían en la noche, y en la cafetería después del pan con queso crema y el yogur no quedaba más por hacer y en los bancos alrededor del río había parejitas apretujándose; y el río también olía a mierda, a residuos de las fábricas, y en el abandonado anfiteatro, luego de cantar y aplaudirnos por turnos, se nos acababa el espectáculo, porque ya éramos grandes. No le dije que un día nos adentramos en el bosque y, caminando despacio por el trillo que bordea la calle, llegamos al lugar mágico donde estaba el puentecito y así empezó la siguiente aventura. Ya no hubo más parque. Llegar al Almendares era sólo el preámbulo para bajar las escaleras de piedra y continuar hasta nuestra selva verde. Una vez creo que mami sospechó, porque llegué a casa con las piernas arañadas y quiso saber el motivo, pero dije cualquier cosa y ella hizo como que me creía. No preguntó nada más. Y yo seguí.

Seguí yendo con mis amigos. Por eso aquella tarde, cuando aún ni sospechaba lo que había pasado del otro lado del mundo, yo corría como un caballo desbocado tratando de alcanzar a Lagardere y Tormenta que iban delante. Tan agitado andaba que me enredé con unas matas y fui a dar con la cara al piso y, en la caída, una rama me arañó el brazo tan violentamente que hasta me sacó sangre. Tremendo dolor, pero no me importó demasiado. Había perdido de vista a los otros, lo importante era incorporarme y seguir corriendo. Eso hice. Seguí corriendo. Corrí, corrí, perdido en la maleza. Corrí. Y cuando ya no pude más empecé a llamarlos. Empecé a gritar. De repente me di cuenta de que estaba solo, pero yo era Edmundo Dantés, el Conde de Montecristo, no podía perderme. Así que seguí, ya caminando. Hasta que me detuve, alcé la vista, mi brazo sangraba y a unos metros de mí, Enrique de Lagardere acariciaba el rostro del capitán Tormenta.

Ese día terminó mi infancia. Por varias razones. La primera, sin dudas se debe a aquella especie de rabia interior que me sobrevino al ver a mi mejor amigo tocando la piel de la heroína de mis sueños. Me dieron ganas de tirármele encima para aplastarlo y aunque sabía de sobra que él era más fuerte que yo, no importaba. La rabia a veces ciega, pero también paraliza. Yo me quedé paralizado. Apenas el capitán Tormenta me vio se apartó del otro y en cuanto descubrió la sangre se acercó corriendo, me tomó el brazo, quiso saber qué había sucedido. Lagardere, que en aquel instante acababa de convertirse en el odioso y mierdero Lagardere, también se acercó preguntando por qué no lo había llamado. Dije que no era nada, una simple caída, nada que pudiera quebrar el espíritu del conde de Montecristo. Mi amigo hizo una mueca y se quitó la camisa para limpiar mi sangre diciendo que teníamos que irnos, quizá era un simple rasponazo, pero quizá no. Acepté su gentileza, porque fue el capitán Tormenta quien se ocupó de limpiar mi herida con una de las mangas de la camisa. Cuando terminó, pasó su brazo por encima de mi hombro y besó mi mejilla diciendo que al conde había que cuidarlo, un conde era un conde y su sangre azul no podía desperdiciarse. Lagardere se puso la camisa y echamos a andar, él al frente y ella a mi lado. Ésa es la segunda razón por la cual mi infancia terminó aquel día. De repente sentí que las aventuras saltaban de la televisión y podía ser posible que el bosque de La Habana estuviese encantado, porque mi mejilla estaba ardiendo después del beso del capitán Tormenta y sabía, perfectamente sabía, que detrás de su nombre había una mujer. Y eso me gustaba. Muchísimo.

El camino de regreso para mí fue confuso. Lagardere siempre al frente. Detrás el capitán Tormenta y yo, que me debatía entre la rabia y el deseo y trataba de apretarme lo más posible al cuerpo vecino usando como justificación ante mí mismo que íbamos por el trillo, podían pasar carros y yo debía protegerla. Llegados al parque, subimos las escaleras de piedra y ya estábamos en la acera de la avenida. Lagardere se puso junto a mí y yo, usando esta vez como justificación ante mí mismo que tres cuerpos ocupan mucho espacio, seguí apretándome lo más posible a mi vecina, que continuaba con su brazo encima de mis hombros. A esta altura del tiempo esa escena me produce una extraña ternura. Estaba feliz y rabioso. Ignoro en cuál de los dos sentimientos ponía más intensidad, sólo sé que estaba rabioso y feliz. Feliz y rabioso. Pero yo tenía doce años y aún quedaba una razón para que mi infancia terminara definitivamente.

Mi casa tenía un portal. Yo vivía con mis padres, mi hermana menor y nuestra abuela materna a quien llamábamos abuemama. En mi cuadra había muchos árboles y el mayor de todos estaba en la esquina, siempre lleno de gorriones que despertaban al vecindario con sus ruidos matutinos.

Aquel día, apenas pasamos el árbol de los gorriones, divisé a abuemama parada en el portal y un segundo después sentí que el brazo del capitán Tormenta se apartaba de mi hombro. Lagardere me dio un suave codazo susurrando que me esperaban, pero que no me preocupara, ninguno diría dónde habíamos estado. El rostro de mi abuela me pareció extraño y, a medida que nos acercábamos, me fue pareciendo todavía más extraño. Estaba como agitada, nerviosa, a tal punto que alzó su mano para saludarme y empezó a moverla como si yo estuviera lejísimo y no fuera evidente que ya la había visto. Tormenta me susurró que diríamos que me había caído en el parque, porque ella me había empujado. OK, le respondí.

Creo que no hice más que poner un pie en el portal y ya abuemama se estaba abalanzando sobre mí para abrazarme fuerte, muy fuerte y apenas descubrió la herida y los restos de sangre en mi brazo, preguntó qué había sucedido, le gritó a mi madre que yo estaba de regreso y, sin dejar de abrazarme, me condujo al interior de la casa. Mis amigos se quedaron en el portal. Yo traté de zafarme, me daba vergüenza que me trataran como a un niño delante de Tormenta, pero era imposible liberarme de los brazos de mi abuela. La voz de mi madre entró en la sala con un grito seco: ¿dónde tú estabas metido, chico?, y al ver el brazo, siguió con un: ¿pero qué te pasó? Me caí en el parque, estábamos jugando y el capitán Tormenta me empujó sin querer, fue lo que dije, mientras mi abuela se alejaba en busca de alcohol y algodones para limpiar la herida y mami se agachaba junto a mí para inspeccionarme el brazo diciendo, con un tono bastante molesto, que me tenía dicho que no le gustaba que anduviera con esa chiquilla, que era una mataperros, siempre andaba con varones. Por supuesto que ella no sabía que los otros aún estaban en el portal, pero yo sí, por eso cuando se incorporó para agarrar los algodones que le tendía abuemama, ya de regreso, miré hacia atrás y vi que Enrique de Lagardere tenía tomada la mano del capitán Tormenta, que estaban pegados uno al otro, muy pegados, y que ella me miraba seria, demasiado seria. Aparté la vista y tuve ganas de llorar, de tirar al piso el alcohol y los algodones, pero me quedé paralizado. Mami acercó una silla y se sentó frente a mí para limpiarme. Respiré hondo, me llené de valor y aparté el brazo. Es mentira que estaba en el parque, afirmé enérgico. Mi madre también respiró hondo y, apoyando sus manos sobre las rodillas, se echó hacia atrás para mirarme. Sé que es mentira, dijo con un tono como de resignación, porque fui a buscarte y allí no había nadie. Volví a mirar afuera, pero allí tampoco había nadie, ni el capitán Tormenta ni Enrique de Lagardere. Nadie había presenciado el acto de valor del conde de Montecristo. Estaban en el bosque, ¿no es cierto? La pregunta de mami me obligó a volver a mirarla y asentí con la cabeza. No importa, dijo, ya tú eres grande, déjame limpiar esa herida, anda.

Mientras me aguantaba con una mueca el ardor que provocaba en mi piel el roce de los algodones bañados en alcohol caí en la cuenta de que el rostro de mi madre también estaba extraño, como el de mi abuela, muy extraño. Tenía los ojos un poco hinchados y un gesto que no podía ser provocado simplemente por mi amistad con Tormenta o mis visitas al bosque. También me pareció raro que hubiera ido al parque Almendares. Cierto que era una madre preocupada, pero no era de las que andaban siempre detrás de uno. A mami le pasaba algo. ¿Y por qué fuiste a buscarme?, pregunté. Ella terminó su tarea, dijo que se trataba de un simple rasguño, no era grave. Me dio un beso en el brazo y otro en la mejilla.

Agregó, muy bajito, que necesitaba hablar conmigo, por eso había ido a buscarme, porque necesitaba hablar con el hombre de la casa, porque yo ya era un hombre. Entonces le pidió de favor a abuemama que cerrara la puerta de casa, ella y yo teníamos que conversar de cosas muy importantes. Mi abuela fue corriendo a cerrar la puerta y dijo que prepararía un tilo. Cuando pasó junto a mí tuve la impresión de que sus ojos brillaban.

Yo me acomodé en el sofá, como pidió mami, y ella se sentó conmigo. Lo que tenía que decirme era muy serio y también muy triste, pero yo era grande, dijo, y ella confiaba en mí. Agregó algunas frases sobre la vida y cosas que no recuerdo, palabras de ésas que se pronuncian y uno escucha en las películas y piensa que son frases muy profundas porque dicen muchas cosas, aunque al final no dicen nada. Simplemente tratan de engordar un prólogo, a veces necesario, seguramente muchas veces. Mami habló durante un rato y cuando el prólogo ya no daba más, entonces me tomó de las manos: tu padre… es el hombre más maravilloso del mundo… dijo y se le rajó la voz, pero continuó… tu padre ha luchado por una causa justa… tuvo que interrumpirse porque se le volvió a rajar la voz, pero a tal punto que se quedó mirándome sin palabras y yo no entendía qué estaba diciendo, de repente su rostro se transformó y se mantuvo como una estatua de cera, sin gestos, con la expresión congelada hasta que concluyó: tu padre ha muerto en la guerra.

Sentí sus brazos en mi espalda y empezamos a balancearnos. No sé por cuánto tiempo. Pero ahí estuvimos. Yo estaba como en shock, con un susto enorme, perdido en alguna parte del universo que nunca logré definir y ella, no sé, también por ahí, viajando. Cuando logró regresar se apartó de mi cuerpo y me tomó por los hombros. Sus ojos estaban rojos, pero era como si ya hubieran agotado las lágrimas. Se pasó una mano por la nariz sopländose los mocos y pidió que no le dijera nada a mi hermanita cuando regresara del colegio, ella se encargaría. ¿Y yo qué iba a decirle a mi hermana? ¿Cómo explicarle lo que aún no lograba entender? Abuemama se acercó con dos tazas de tilo y unas pastillas que no sé qué eran, pero que engullí, junto con la infusión, como si yo fuera parte de un espectáculo en el que nadie me había explicado mi papel. Estaba paralizado. Mami bebió y echó un suspiro. Entonces reiteró algo que yo no debía olvidar nunca y que nunca he podido olvidar: mi padre era un héroe de la patria, yo era el hijo de un héroe.

Cuando mi madre fue a darse una ducha y arreglarse un poco porque se acercaba la hora de ir a buscar a mi hermana al colegio, abuemama se sentó conmigo en el sofá. Mami había dicho que podíamos ir juntos, que teníamos que estar siempre juntos, los tres, pero mi abuela susurró algo a su oído y entonces ella concluyó que mejor la esperaba en casa. Abuemama me abrazó contra su pecho. Yo seguía confundido, paralizado, sin saber qué decir. Sin saber ni siquiera si había que decir algo y así estuvimos largo rato. Sólo el ruido de la ducha rompía el silencio que se instaló en la casa.

Mi madre reapareció en la sala, un poco más compuesta, y vino a darme un beso. Dijo que mejor me acostaba un rato, que ella regresaba enseguida. Besó también a abuemama y se dirigió a la puerta. Yo la seguí con la vista. La vi salir y entonces algo dentro de mí se rompió. Sentí miedo. Un miedo extraño y grande. Un miedo desconocido por mí. Creo que fue en aquel momento cuando comprendí de veras lo que había sucedido. Un día mi padre había salido por aquella misma puerta y nunca más volvería. Porque estaba muerto. Mientras continuaba con la mirada fija en la puerta por donde mis padres se había marchado, me entraron unas ganas enormes de llorar y sé que, por fin, mis ojos se aguaron y mi respiración comenzó a agitarse, porque mi abuela puso su mano dulcemente sobre mi mejilla y giró mi rostro hacia ella.

—Ahora eres el hombre de la casa —dijo—, ya no eres un niño. Y los hombres no lloran, acuérdate.

Fue quizá por eso que nunca lloré. Aquella noche mi hermana y yo dormimos abrazados a mami, ellas lloraban, pero yo no. Y en los días sucesivos, cuando sentía los sollozos de mi hermanita y los pasos de mi madre acercándose a su cuarto, me apretaba a la almohada repitiéndome que los hombres no lloran, los hombres no lloran. No lloré cuando Lagardere me abrazó diciendo que seríamos hermanos toda la vida. Ni cuando me contó lo mal que se habían sentido Tormenta escuchando a mi madre. Ni al saber que eran novios. Tampoco lloré cuando en la escuela me dedicaron el matutino a mí, al hijo del héroe, y la directora soltó aquel emotivo discurso. Ni el día que Tormenta se acercó para decirme que le tenía mucho cariño a mi padre y quería que volviéramos a ser amigos como antes y vernos, aunque quizá no en mi casa.

No lloré por mi decisión de no regresar más al bosque. Ni cuando mami recibió las primeras flores que le mandó el gobierno, ni cuando dejó de recibirlas. Ni la noche que mi hermanita preguntó por qué nuestro padre se había ido a la guerra. Ni años después, cuando el país retiró sus tropas de todos los conflictos africanos y por fin los muertos regresaron a casa. Y hubo aquella ceremonia, el entierro colectivo, la cajita sellada con su foto y la bandera. Ni cada vez que me cruzaba en el barrio con el capitán Tormenta convertida en una madre, ama de casa, gordita y no teníamos nada qué decirnos.

Tampoco lloré cuando la guerra dejó de mencionarse y sobre ella se echó el sutil velo del olvido. Ni cuando conocí a Renata y dijo que, aunque no quisiera hablarle de mi padre, ella estaba conmigo. Ni cuando dejamos La Habana por Berlín y luego Berlín por Lisboa. Ni la noche que anunció que quería el divorcio. Ni cuando nos separamos. No lloré hasta hace muy poco, porque los hombres sí lloran, coño, a veces. Cuando les hace falta.

Han pasado más de treinta años del día en que murió mi padre. Ahora acabo de llegar al aeropuerto. Pago al taxista y me bajo. En Lisboa es de noche y hay un poco de frío aunque, sobre todo, es este viento tan fuerte que a veces parece que va arrancarnos del piso para llevarnos lejos. Cuando Renata y yo llegamos era primavera y quedamos impresionados con la luz y el cielo, porque suele ser tan azul como en La Habana, distinto del que nos había cobijado en nuestros años berlineses. Ciertas noches yo me ponía a enseñarle las estrellas, una vieja costumbre que me enseñó mi padre y que a ella le encantaba. Renata decía que esperaba que Lisboa me devolviera la calma que el invierno de Berlín había sepultado. Pero no fue el invierno y ella lo sabía. Fue un viejo amigo que encontré, las discusiones con mi clan de Berlín y aquella noticia en el periódico. Todo eso activó el detonante.

Ninguno podía sospechar que justo en Lisboa yo conocería a Berto, el extraño hombrecito como ella lo tiene bautizado, y entonces la bomba acabaría por estallar definitivamente, porque Berto ha sido la única persona capaz de arrancarme esa rabia que yo tenía dentro. Ahora no sé si lo odio o lo aprecio. Tampoco sé qué hubiera sucedido de no calmarme aquel día. Sé que fue un poco irracional, que cuando lo vi aparecer caminando junto al río, más que levantarme, salté de mi asiento, me dirigí hacia él andando rápido y de repente: pum. Lo empujé con tan violencia que por poco lo tumbo, fue casi como si una piedra ardiente se estuviera desprendiendo de mi interior y, a punto estuve de caerle encima para partirle la cara, pero ahí me paré. Así, de improviso, aparté mis brazos y metí las manos en mis bolsillos. Mi padre siempre decía que los hombres tenían que saber usar el músculo del cerebro. Eso era pensar y eso hice yo aquel día frente a un Berto desconcertado: aparté mis manos para usar el músculo de mi cerebro. Entonces vino lo peor.

Aunque han pasado unos meses y a estas alturas casi preferiría no estar tan molesto con él, no puedo evitar estarlo, porque creí que se había convertido en una de mis mejores amistades, sin embargo me equivocaba. Berto no es amigo mío. Es el extraño hombrecito que se mueve despacio sobre el tablero de ajedrez. Pero yo soy el peón que por una vez se escapó de su juego y tomó una decisión. Tengo que dejar de ser aquel niño asustado que corre por el bosque. Estoy harto. A mi padre lo mataron en un sitio que nunca pude tocar ni ver ni oler. Que era como un fantasma. Como el eco en una gruta: la guerra, la guerraaa, la guerraaaaa. Sólo podré salir de la selva oscura volviendo a ella y por eso estoy aquí. Me voy a Angola.

Primera memoria

¿Cómo llegamos hasta aquí? Coloco el sombrero en mi cabeza, me pongo los audífonos y Paulo Flores empieza a cantar. Nada mejor que un angolano como compañía en este viaje. Tengo mucho tiempo para pensar.

Mis padres se conocieron en los sesenta cortando caña en uno de esos masivos trabajos voluntarios que comenzaron a organizarse en los primeros tiempos de la Revolución y que acabaron por convertirse en rutina. Mami contaba que papi solía presumir de la tremenda suerte que había tenido de que esa criollita se fijara en él, porque ella era eso: una perfecta criollita. De las que paraban el tráfico. Blanca de piel tostadita, de pelo negro y largo, cejas espesas, caderas anchas y curvas bien formadas. Mientras que él era un tipo flaco, blanco de mucho pelo en el pecho, nariz larga y huesos pronunciados. Dicen que yo me le parezco, sobre todo en la cara y en la nariz, aunque ya no soy tan flaco a pesar de que corro y me castigo haciendo abdominales. Según mi madre aquel muchacho tenía una extraña ternura en la mirada que le resultó atractiva. Por eso, en lugar de hacerle caso a los otros que levantaban enérgicos el machete y se apuraban en alcanzarle un poco de agua cuando ella se pasaba la mano por la frente para limpiarse el sudor, se fijó en él, que no tendría muchos músculos, pero sí tremendo entusiasmo y, sobre todo, recalcaba, una sonrisa linda, una mirada tierna y unos comentarios sutiles. El músculo no hace al hombre, decía él, o al menos, no el músculo del brazo. Una breve pausa antes de concluir: es el músculo del cerebro, no sean mal pensados.

El corte de caña duró varios días. Tiempo suficiente para que la muchacha, que luego sería mi madre, pudiera reír a gusto con los chistes del que luego sería mi padre. Ya de regreso, sin embargo, cuando él la invitó al cine, ella lo rechazó. Dice que fue como si en algún sitio de su cabeza estuviera escrito que una mujer no acepta a la primera. Pero eran los sesenta y mami pertenecía a una nueva generación que no quería repetir viejos comportamientos. Así pues, antes de que él acabara de digerir el no, ella se había inventado que en realidad pensaba ir con una amiga a la cinemateca y que, bueno, si él estaba por ahí, quizá podían caminar los tres un rato.

Ella llegó tempranísimo al cine y se quedó afuera, como quien no quiere la cosa, esperando que él llegara para comunicarle que, al final, su amiga no había podido ir. A la hora del inicio de la sesión, tuvo que entrar. En la película actuaba Marcello Mastroianni, pero a pesar de que a mami le encantaba, no pudo concentrarse en la historia porque estaba furiosa, no le cabía en la cabeza que el otro no hubiera llegado a tiempo. Lo peor fue que a la salida tampoco lo vio. Había decidido apartarse en una esquina para esperar, pero cuando ya no quedaba nadie, no le quedó más remedio que irse, echando chispas, claro. ¡Cómo se le ocurría dejarla plantada!

Días después él fue a visitarla a su trabajo. Quería saber si había ido al cine y, en caso afirmativo, disculparse, porque lo habían "movilizado". Ésa es una palabra que también se puso de moda en aquellos tiempos. Mi padre, como tantos, pertenecía a la Reserva Militar y después de la invasión de Bahía de Cochinos y de la crisis de los misiles y después y después y después, las personas eran llamadas a hacer ejercicios militares que las preparaban para la defensa de la isla. A eso se llamaba "movilizar".

Aunque mi padre siempre mantuvo como real su versión de los hechos e, incluso, le gustaba adornarlos con anécdotas donde a él se le veía arrastrándose por el fango con un fusil a cuestas, mientras pensaba en ella; mami sospechaba que aquello no había sido más que una treta del flaco para conquistar a la criollita que, efectivamente, no pudo resistir mucho. Unos días más tarde fueron juntos a la cinemateca, aunque tampoco esa vez la que sería mi madre pudo concentrarse en la película, porque a poco de comenzada ya se estaban besando por primera vez. Era eso, justamente, lo que mi padre llamaba "tener un buen músculo en el cerebro". Sí señor.

Después de comenzada su historia, mis padres fueron descubriendo que tenían muchas cosas en común. Demasiadas, solía decir mami con una sonrisa triste.

Ambos disfrutaban yendo al cine y reuniéndose con amigos. A él le gustaba hacer chistes y a ella reírse. Compartían ideales políticos y estaban convencidos de ser parte del proceso de construcción de una nueva sociedad, incluso de un nuevo mundo, y de lo importante que era participar en lo que fuera necesario: un corte de caña, un entrenamiento militar, una guardia nocturna o una caminata en saludo a cualquier fecha histórica, daba igual, lo importante era construir el futuro país donde crecerían sus hijos.

Una noche, cuando Renata y yo aún vivíamos en Berlín, me puse a buscar en Internet información sobre los años sesenta y las independencias africanas. A ella le resultó tan interesante que se sentó conmigo y estuvimos un buen rato leyendo. El día que me aparecí en casa con los primeros libros de historia me miró con cierto recelo preguntando si pensaba volverme un especialista, luego me regalaron aquellos viejos recortes de periódico y afirmó que empezaban a no gustarle tanto mis nuevas amistades, aunque no todas eran nuevas. Cuando creé mi blog sobre la presencia de los cubanos en África ya le pareció excesivo. Yo quería hacerme daño, dijo, me iba a enfermar de "obsesión con el pasado" como lo llamaba. Renata no quería entender. No sé si será porque es peruana, pero siempre le ha costado entender que en mi país comimos, almorzamos y desayunamos con la Historia, que la Historia se metió en nuestras camas, en las familias, en nuestros juegos infantiles, que se nos pegó a la piel. Y que me hizo crecer huérfano. Por eso yo necesitaba entender. Al menos algo.

Cuando mis padres se besaron por primera vez, ya Cuba había sido expulsada de la OEA, tenía el embargo de Estados Unidos y comenzaba a destacarse como líder dentro del entonces llamado tercer mundo. Era la guerra fría. Unos meses antes de aquel beso en la cinemateca, Ernesto Che Guevara había pronunciado en Naciones Unidas un discurso que se hizo muy famoso, ése donde la humanidad decía basta y echaba a andar. De ahí él echó a andar en un largo viaje que incluyó ciudades africanas donde tuvo encuentros con dirigentes de los movimientos de liberación de los países aún colonizados. Por supuesto que mis padres no conocían personalmente al Che Guevara, pero ya eran novios cuando, a su regreso del viaje, declaró que dejaba la vida política cubana para dedicarse a cortar caña. Era 1965. A partir de ese momento parecía que al Che se lo había tragado la tierra.

Un día de ese mismo año anunciaron que un golpe de estado había derrocado a Ben Bella, el primer presidente que tuvo Argelia después de su independencia. Pocos años antes de que mis padres se conocieran, él había visitado Cuba y mami contaba que ella y sus amigas se habían quedado encantadas al ver por televisión a los guardaespaldas que traía, unos jóvenes altísimos y preciosos que parecían artistas de cine. Cuál no fue su sorpresa, tiempo después, cuando mi padre le había contado que un día, estando él con un amigo en el comedor de la universidad, vio aparecer a Fidel Castro, Ben Bella y toda una comitiva y se acercó con otros jóvenes para saludarlos.

—Tu padre le dio la mano a un presidente —decía mami orgullosa.

Después del golpe de estado, Castro recordó en un discurso aquella visita de Ben Bella y la amistad que unía a los dos países. Fue así como mis padres y todos los demás se enteraron de que Cuba había ayudado a la Argelia independiente enviándole equipamiento y personal médico pero, además, armas e instructores militares. Aún ninguno podía imaginar que un día también mi padre llegaría a África, porque Argelia fue la puerta al llamado "internacionalismo proletario" que en los años sucesivos iría tomando fuerza hasta convertirse en otra práctica rutinaria.

En sus primeros tiempos de noviazgo, la que sería mi madre estaba terminando arquitectura. El que sería mi padre trabajaba de dibujante, y en las noches seguía estudios de ingeniería civil de la que, años más tarde, se graduó. Mi padre siempre estaba construyendo cosas. Los papalotes que me hacía cuando yo era niño eran los más lindos del barrio. Y mami aún conserva alguno de sus mensajes de amor. Contaba que a veces sonaba el timbre de la puerta y al abrir veía en el piso una casita o un puente hechos de cartón con pequeñas lengüetas que podían moverse para, por ejemplo, abrir una ventana y dejar visibles frases del tipo: "dicen que los caballeros las prefieren rubias y es porque no te han visto a ti, my fair lady", "llévame al este del edén a vivir la dolce vita, eres mi vértigo, mi ángel exterminador". Mi padre no era un poeta, pero le encantaban las películas.

También yo me gradué de ingeniería civil. La única diferencia es que a mí no me gustaba. Hubiera preferido estudiar otra cosa. Letras o historia del arte, por ejemplo.

Incluso, alguna vez, hasta soñé con ser escritor. Y escribí poemas, garabateé cuartillas, soñé y soñé. Puros sueños vanos. A mí me tocó ser ingeniero civil como el héroe de la casa. Y eso fue lo que hice.

Una vez Renata me dijo que, cuando nos conocimos, enseguida yo quise ver a mis padres en nosotros y eso me dio gracia porque algo de razón tenía. A Renata la conocí en La Habana de mediados de los noventa. Yo andaba en una especie de delirio. Cansado de que mis novias terminaran dejándome, había optado por el sexo sin compromiso, hasta que una noche fui a un concierto en la Casa de las Américas y de ahí a la fiesta donde conocí a Renata. Y algo ocurrió. De aquella mujer me gustó todo: su cara y su pelo negro, su cuerpo y la manera en que sus ojos brillaban. Sus labios. Su manera de hablar, Renata llevaba tiempo viviendo en Cuba y su acento era ya una mezcla cubano-peruana. Le gustaban los libros, el cine y la música de U2. Para terminar: era dos años menor que yo y estudiaba arquitectura. Ingeniero civil y arquitecta, dos años de diferencia, justo como mis padres. Me pareció tan perfecta que en lugar de lanzarme a la conquista, no pude hacer más que mirarla mientras hablaba. Luego la acompañé a su casa como buen caballero, nos dimos los teléfonos. Y nada más.

Mucho tiempo después, cuando ya éramos novios, estábamos una tarde sentados en la Plaza de la Catedral y, en un ataque de alarde, le dije haber leído tanto que para mantener una conversación interesante me bastaba con tomar apenas los títulos de los libros y enlazarlos con pocas palabras. Ella me miró alzando las cejas y yo sonreí.

—Esta es una importante conversación en la catedral —comencé diciendo—. Cuando perdí la edad de la inocencia me convertí en un Don Juan Tenorio. No sabes la vorágine que viví, sexus, plexus, nexus, ya ni me sentía en el reino de este mundo, hasta que te conocí. Ahora ando en busca del tiempo perdido, quiero vivir contigo las mil y una noches.

Cuando terminé, ella me miró con una expresión cómica. Y así habló Zaratustra, concluyó sonriendo. Esa tarde yo inventé el juego de los títulos que luego nos acompañó durante años. O pretendí inventarlo. A mi padre le gustaban las películas. A mí los libros. Uno suele repetir ciertos modelos, aunque prefiero pensar que es una simple coincidencia. Que tanto él como yo nos inventamos un juego para enamorar a nuestras muchachas.

Cuando mis padres empezaron su noviazgo, mami vivía con mis abuelos en la casa donde yo crecí. Y sé que, desde el principio, el viejo se llevó bien con el que iba a ser mi padre, sobre todo porque a ambos les gustaba el ajedrez. Una noche, mi futuro padre se quedó para echar una partida con su suegro y por eso estaban todos juntos escuchando la radio, cuando Fidel Castro leyó en público la carta de despedida escrita por el Che Guevara. Aquélla que empezaba diciendo que se habían conocido en casa de María Antonia y terminaba con que otras tierras del mundo reclamaban el concurso de sus modestos esfuerzos. Yo la carta me la sé casi de memoria, porque en la escuela teníamos que leerla todos los años. Ésa y otras tantas y algún que otro poema y fragmentos de discursos políticos. En la memoria de mi generación está grabada buena parte de la bibliografía revolucionaria.

En la memoria de mis padres, sin embargo, quedó grabado aquel día, porque fue un momento de extrañas emociones. Después de escuchar la lectura, todos en casa se quedaron sin palabras. Hacía meses que no se sabía dónde estaba metido el Che y de repente aparecía una carta con la que renunciaba a sus cargos de dirigente político en Cuba, porque quería seguir luchando en otros sitios. El Che no andaba cortando ninguna caña como anunció antes de irse, estaba intentando organizar una guerrilla en el Congo, aunque nadie podía imaginarlo, porque todo era secreto, ssshhh.

Mis padres fueron novios alrededor de dos años en un tiempo en que el mundo estaba cambiando. Ella se maquilló los ojos y recortó sus vestidos. Él se cortó el pelo bajito y dejó que creciera su bigote. Por las afinidades que existían entre ambos, en 1967 decidieron casarse y como luna de miel les bastó un fin de semana en la playa y los conciertos del encuentro de la Canción Protesta que se hizo en la Casa de las Américas.

Años más tarde, luego de un concierto en ese mismo sitio yo había conocido a Renata y habíamos empezado a salir. Vivía alquilada en un cuarto de un apartamento del Vedado y lo mejor, según dijo, era que tenía salida independiente, así que los propietarios no se enteraban de quién iba a visitarla. Yo demoré un poco en conocer su cuarto. En las primeras salidas sólo hablamos, luego la acompañaba a su edificio y me iba. A mí cuando una mujer de veras me gusta no sé qué decirle ni cómo hacerlo. A ella, aunque lo supe luego, cuando le gusta un hombre le da por hablar.

Renata es hija de peruana y alemán y si quiso estudiar en La Habana fue porque allí sus padres se habían conocido de casualidad y de ahí había partido juntos a Lima donde ella nació y donde, poco después, terminó el idilio. El padre regresó a Berlín y la niña lo visitaba en las vacaciones. Una noche me contó que, antes de su partida a Cuba, su madre le había dicho que no hiciera como ella, nada de irse al Caribe para terminar con un alemán, porque los cubanos debían ser mejores. Ahí llegamos a la entrada de su edificio. Me detuve frente a ella con las manos metidas en los bolsillos del pantalón y, sonriendo como un idiota, le pregunté si había encontrado a algún alemán. Ella también sonrió. No, dijo, es que busco a un cubano, pero de los buenos, no de los que te quieren caer encima en la primera salida, a ésos ya los conozco. Quise saber entonces cuántas veces habíamos salido nosotros. Renata cruzó los brazos: seis veces, dijo como si hablara con mayúsculas. Y como no se me ocurría qué responder, saqué mis manos de los bolsillos, las puse sobre sus hombros y la miré: tú me gustas mucho, ¿sabes? Ella suspiró. Coño, dijo con un acento perfectamente cubano, pensé que iba a tener que decírtelo yo, sube, anda. Así empezó nuestra historia.

Un día se le ocurrió llamarme "el hombre detenido". Dijo que mis movimientos y reacciones eran tan lentos que, de no ser por ella, no estaríamos juntos. Aquello nos dio risa. Yo traté de defenderme: no era detenido sino demorado, porque nací el último día de una década. Y eso nos dio más risa todavía. Luego, después, el "hombre detenido" pasó de ser una broma a un reproche y ya lo del cierre de la década no le hacía tanta gracia, pero es cierto, yo nací el 31 de diciembre de 1969.

Mis padres se habían quedado a vivir en casa de mami después del matrimonio. Poco después murió mi abuelo. Dicen que el viejo tocaba bien la guitarra y abuemama decidió regalársela a papi, que estaba interesado en aprender, pero por más intentos que hizo este, acabó desistiendo. Entonces la guitarra fue guardada encima del armario del cuarto de mis padres donde permanecía esperando las fiestas porque aquella casa se había convertido en el punto de reuniones familiares. Mami es hija única, pero por el lado paterno eran siete varones, "la banda de la M" les decían: Melquiades, Mayito, Martín, mi padre Miguel Ángel, Marino, Manolito y Miguelito. Aunque a todos les gustaba la cantadera, los músicos oficiales eran dos. Manolito, el afinado, cuyo repertorio no pasaba de temas románticos de los Formula V o de Juan y Junior, que en los sesenta se hicieron famosos en la radio nacional porque estaba prohibido poner música en inglés. Y Miguelito que, también por eso, había empezado a escuchar a escondidas a los Beatles y, mientras destrozaba sus canciones, ya que siempre ha cantado mal, soñaba con poder verlos algún día. Una vez me dijo que el año en que nací se habían roto sus sueños: su primera novia lo había dejado y los Beatles tocaron juntos por última vez. También ese año fue el festival de Woodstock, se creó la orquesta cubana Los

Van Van y en Europa Serge Gainsbourg y Jane Birkin causaron furor y escándalo con su *Je t'aime, moi non plus*. No sé si a mis tíos les interesaba esa canción, si sé que a Manolito siempre le gustaron Los Van Van y que Miguelito la hubiera pasado bien en Woodstock.

Era 1969. En Cuba ya era costumbre poner nombre a los años, y aquél fue "el año del esfuerzo decisivo" que nada tenía que ver con el movimiento provocado por el ritmo de Los Van Van y mucho menos con los gemidos de Jane Birkin en la famosa canción francesa, sino con la llamada "zafra de los diez millones", una nueva etapa de trabajo colectivo que puso a media isla a cortar caña para alcanzar los diez millones de toneladas de azúcar anunciados por el Comandante. En diciembre la zafra estaba en su apogeo y había que concentrarse en el trabajo, así pues, el gobierno aplazó las fiestas al verano. Y aunque, al final, la zafra resultó un fracaso, las Navidades tampoco volvieron. Mi madre no estuvo en la zafra por razones obvias, pero mi padre sí y cortó caña con el entusiasmo de quien está construyendo algo grande y, además, acaba de ser padre, porque su primer hijo, yo, había llegado el último día de ese año y me nombraron Ernesto. Igual que tantos cubanos nacidos a raíz de su muerte, me llamo como el Che Guevara, Ernesto. Como el guerrillero heroico, Ernesto. Como el que fue a hacer revoluciones en las selvas lejanas, Ernesto.

Renata dirá que estoy obsesionado, no entiende que llevo la Historia pegada a la piel, que me toca todo el tiempo. Nací y en casa festejaron durante días. Mis dos abuelas cocinaban, mientras los hombres jugaban dominó. Cuando mi padre llegó junto a mami, conmigo en brazos, todos querían conocerme. Yo era el primer bebé, la felicidad de la familia. Pero estábamos en plena Guerra Fría. Las guerras son un extraño animal que muta y se extiende tanteando nuevos territorios donde encontrar oxígeno para sobrevivir. África tenía oxígeno, por eso allí empezó a instalarse, fríamente y despacito, el monstruo que luego iría a explorar manchándolo todo hasta llegar a nuestras puertas, hasta la mismísima puerta de mi casa.

Otra vuelta de tuerca

—Oigo… sí, ya lo hice… todavía falta cantidad, es que llegué muy temprano… cuando vaya a subir… ya sé, la blanquita, no me confundo, no te preocupes… sí… bueno… Renata… nada que… gracias… sí, chao.

Renata no tenía que haberme dejado nunca. Casi veinte años juntos tirados a la basura y suena a mal chiste, pero últimamente parece que es mi madre. Ahora está llamando, que si hice el check-in, que si estoy bien. Creo que después de haberme visto empujar al extraño hombrecito, me cree capaz de cualquier cosa y hasta me ha dado pastillas para relajarme durante el viaje. Si yo hubiera tenido ese sexto sentido que tuvo ella, quizá todo se hubiera desencadenado más rápido porque a ella Berto le resultó extraño desde la primera vez que lo vimos, aunque nunca ha sabido exactamente por qué. Fue así, un presentimiento, un sexto sentido del que yo carezco.

Cuando llegamos a Lisboa ya Renata tenía trabajo asegurado. A mí me tocó empezar a enviar currículos a todas partes y esperar, esperar. Por eso los primeros tiempos me la pasaba vagando. Subía y bajaba cuestas, corría junto al río y tomaba café en distintos lugares. Había descubierto que en Lisboa lo preparan muy bien, y como es un vicio que tengo desde muy joven, me propuse encontrar el que más me gustara en toda la ciudad.

Fue así como un día entré al azar en un cafecito cerca de Cais do Sodré. El señor que estaba tras la barra me sirvió muy amablemente y luego continuó leyendo su periódico, pero mientras yo bebía, noté que, disimuladamente, él asomaba los ojos tras el periódico para mirarme, hasta que evidentemente no pudo más, se acercó y me hizo una pregunta. Yo no estaba muy seguro de haberlo comprendido, apenas entendía el idioma y eso le dije. Él se echó a reír. ¡Español! Exclamó antes de afirmar que nosotros los españoles nunca sabíamos hablar portugués, pero que para él no era un problema, entonces procedió a hablarme en lo que consideraba que era español, una graciosa mezcla entre los dos idiomas de la que preferí no quejarme porque, al menos, sirvió para comunicarnos.

Cuando me vio entrar, explicó, me había encontrado tal parecido con Jorge Palma, un cantante portugués que yo no conocía en ese momento, que se preguntó si seríamos familia, porque teníamos la nariz igualita. Es la historia de mi vida, cuando la gente ve a un narizón enseguida le encuentra parecido con una nariz famosa. Sonreí diciendo que ni conocía al cantante, ni era de España y apenas dije de dónde era, afirmó que él tenía un amigo cubano, un tipo simpático que vivía en Porto, pero viajaba a Lisboa con frecuencia y siempre pasaba por allí, por tanto, si coincidíamos me lo iba a presentar.

Porque a mi café puedes volver siempre, yo soy João, concluyó extendiéndome la mano.

A mí me interesaba más conocer portugueses que connacionales, pero no se lo dije, claro. Agradecí su gesto y al día siguiente volví. Y al otro y al otro y el caso es que ir a aquel lugar se convirtió en una de mis primeras rutinas, no sólo por el cafecito, que era bueno, sino por las conversaciones. João ronda los setenta, tira a lo gordo, tiene una de las sonrisas más familiares que he conocido y con ella abre las puertas para que uno se sienta bien. En su café la gente conversaba sobre fútbol, política, cualquier cosa. Yo estaba interesado en conocer el país y por eso, poco a poco, fui relacionándome con los habituales, escuchaba, hacía preguntas. A veces no lograba entender todo lo que decían, me quedaba con una idea o algún nombre que había logrado hacerme escribir en una servilleta y entonces llegaba a casa lleno de medias historias que tenía que completar buscando en Internet.

Un día João me contó que de joven había hecho el servicio militar en Guinea-Bissau cuando era colonia portuguesa y aquello me interesó muchísimo. Ya de vuelta a mi apartamento, recuerdo que se le comenté a Renata y ella me dedicó una de las miradas de resignación que me regalaba cada vez que yo decía algo relacionado con "mi tema", como solía llamarlo ella. Luego suspiró.

—Bissau —dijo—, sé que es un país de África.

Para ella era sólo eso. En cuanto a mí, cierto que la historia me interesaba y de hecho luego busqué información para escribir una entrada en el blog. Pero lo mío no se limitaba a eso. El problema es que escuchar el nombre del país ya me trae recuerdos personales.

En enero de 1973, cuando yo tenía tres años, Amílcar Cabral fue asesinado en Guinea. Poco después de escuchada la noticia, una tía mía se puso de parto. Al niño lo llamaron Amílcar y, aunque mucha gente cree que su nombre viene del conocido general cartaginés que luchó contra Roma, en realidad es del joven africano que tan buena impresión les había causado a mis tíos en su viaje a La Habana. Amílcar Cabral era el fundador del partido independentista de Guinea-Bissau y de Cabo Verde, uno de los líderes más lúcidos y carismáticos del momento. Mis tíos no lo conocieron, por supuesto, pero lo habían visto por televisión. Según ella, el hombre tenía una sonrisa limpia y cara de bueno. Según él, era lo que se dice un "pico de oro". Tanto les gustó el tipo y tanta pena les provocó saber que su asesinato había quedado sin resolverse, que decidieron ponerle su nombre a mi primo. Cuando se lo conté a João esa historia le resultó muy graciosa porque, además, había provocado que mis tíos se interesaran por seguir de cerca la suerte de Guinea-Bissau. Poco después del nacimiento de mi primo y del asesinato de Cabral, su partido autoproclamó la independencia del país y hasta en Naciones Unidas hubo una condena a la ocupación colonialista. Las cosas empezaron a ponerse muy feas para los portugueses.

Claro, cuando aquello, ya hacía rato que João había regresado a Lisboa, su servicio militar fue a inicios de los sesenta. Y ni él ni nadie podían adivinar lo que iba a suceder poco después. El mundo, me dijo un día, es como una ruleta que gira y gira y así, de repente, se detiene en un número y la ruleta empieza a girar de nuevo.

—O da otra vuelta de tuerca —afirmé yo.

A João le gustó mi frase. Suele reírse con lo que digo porque, según él, soy muy gracioso. Es de las poquísimas personas que me ha calificado así. También Renata, en nuestros primeros años, decía que yo tenía una vena de humor, pero no es cierto. Soy serio, aunque parece que João no se ha dado cuenta. Quizá sea que mi acento le resulta gracioso. Yo qué sé.

El caso es que João ya estaba en Lisboa cuando en Guinea-Bissau la situación se calentaba y, mientras en África la ruleta o la tuerca del mundo seguía dando vueltas, del lado de nosotros los días continuaban serenos. Mi primo Amílcar daba sus primeros pasos, mis padres decidían que yo no sería hijo único y papi lograba, finalmente, reparar el viejo carro de su suegro.

Mi abuelo materno tenía un oldsmobile de los años cincuenta que había dejado de usar tiempo antes de morir. Mami no sabía si era porque no veía bien o porque, simplemente, se le habían quitado las ganas de manejar. El caso es que el carro permaneció durante años en el garaje y, al morir el viejo, quizá abuemama hasta había olvidado su existencia porque ahí seguía guardado junto a otro montón de tarecos. Mami ni sabía, ni le interesaba manejar, pero consideraba que tener un carro era útil. Mi padre tampoco sabía, pero podría aprender, porque lo consideraba importante. Decidieron esperar unos meses para que abuemama no pensara que estaban intentando despojarla de todo lo que había pertenecido a su esposo. Primero la guitarra, luego el carro. Cuando al fin, y con mucho respeto, mi padre decidió conversar con su suegra sobre la posibilidad de sacar el viejo auto del garaje, ella le había dedicado una mirada de duda. Le falta una pieza, dijo, ya no se encuentran piezas para esos trastos, pero si crees que puede funcionar, no tengo nada en contra. Ahí empezó la odisea del carro.

Cierto que ya no se encontraban piezas, pero mi padre tenía hermanos y amigos y entre todos se pusieron a inventar. El año que yo nací, habían logrado por primera vez revivir al muerto y ésa fue la oportunidad que aprovechó mi padre. Su amigo Antonio se lo llevaba a hacer prácticas de conducción y en esta empresa le fue mejor que con la guitarra.

Antonio siempre fue su mejor amigo. Estaba estudiando no sé qué en la Unión Soviética cuando mis padres se conocieron pero, a su regreso, fue el testigo de la boda. Eran inseparables, juntos estaban el famoso día de Ben Bella en el comedor universitario y juntos hicieron muchas cosas. Contaba Antonio que a inicios de los sesenta él le había abierto a mi padre las puertas de la parranda, porque lo llevó a frecuentar los bares y clubes de La Habana e incluso hasta le había presentado a alguna que otra cantante de boleros. Antonio es un mulato alto y de sonrisa fácil que ahora está mayor, pero de joven le gustaba autodenominarse "un gozador de la vida". Decía que mi padre resultaba atractivo porque era muy flaquito y eso a las mujeres les daba pena. Él, sin embargo, era feo pero tenía escondida una gran virtud, muy grande, remarcaba, y de ahí su éxito en el mundo femenino. Tanta sintonía existía entre los dos, que incluso habían estado saliendo con una misma muchacha, aunque ambos juraban que no había ocurrido a la misma vez. Según Antonio, aunque mi padre fuera un hombre serio y bien casado, no había que olvidar los tiempos mozos, por eso se la pasaba repitiendo las mismas historias. Su don era hacerlas siempre divertidas, incluso para mami que nunca parecía molestarse. Habría que preguntarle a aquella muchacha, comentaba burlona, porque quizá fue ella quien decidió probar a los dos amigos sin que ninguno se enterara. Los tres se morían de la risa y Antonio continuaba con sus historias, siempre las mismas, pero siempre distintas.

Antonio no sólo enseñó a mi padre a manejar, también a reparar el carro, porque era más el tiempo que el oldsmobile pasaba roto que funcionando. Por eso la casa de mi primera infancia parecía los domingos un taller de mecánicos. Finalmente, cuando ya a mi madre se le notaba la barriga de la que iba a ser mi hermana, pusieron el cacharro a funcionar y ésa fue la vez definitiva. El oldsmobile siguió con achaques, pero nunca más volvió a estar parado durante meses.

Así, mientras mi padre se llenaba las manos de grasa reparando el viejo auto y mi madre preparaba la canastilla de la futura bebé, llegó abril de 1974 y Portugal sorprendió al mundo con la Revolución de los Claveles, quizá el golpe más pacífico de la historia, que provocó la renuncia del gobierno. A João se le iluminaron los ojos cuando me contó, porque él estaba en Lisboa y dice que fueron días de locura, de una hermosa locura, que ni él ni sus amigos ni la mitad de la gente entendían bien lo que estaba sucediendo, pero que era como cuando para de llover y sale el sol y es una fiesta. Cuando João habla, con frecuencia las cosas son "como algo". Eso me gusta.

Antes de conocerlo Renata se preguntaba qué tanto interés tenía yo en este hombre y era eso: los cuentos que me hacía sobre lo que estaba sucediendo en este lado del mundo mientras mi familia estaba del otro, ajena a la ola que estaba a punto de alcanzarnos, porque con el sol y la fiesta de la que hablaba João, Portugal empezó a cambiar. Ese mismo año reconoció por fin la independencia de Guinea-Bissau y anunció que Mozambique la tendría al año siguiente. Con Angola la situación era un poco más compleja. Era la colonia más grande y más rica por su petróleo, gas, maderas, diamantes y otras piedras preciosas. Además, allí existían tres grupos independentistas que no sólo se enfrentaban a los portugueses sino también entre ellos mismos. Por último, aunque separados físicamente, Angola estaba unida a Cabinda, una pequeña región que tiene grandes yacimientos de petróleo, controlados entonces por empresas estadounidenses y donde luchaba otro grupo independentista. Sin duda, en Angola la situación era compleja. Portugal empezó entonces a pactar ceses al fuego y a preparar la futura negociación.

Un día mis padres leyeron una noticia que les llamó mucho la atención. El periódico Granma decía que un capitán cubano continuaba preso en Portugal. A ellos esto los sorprendió mucho, porque "continuar" es un verbo que tiene antecedentes, pero la prensa nunca antes había hablado de un cubano preso en ningún sitio. Poco después anunciaron su liberación y el periódico dedicó columnas a su regreso al país y a su experiencia en la cárcel. Fue así como la gente en Cuba se enteró de que el capitán había caído herido combatiendo en Guinea-Bissau y que llevaba tiempo preso, justo desde el año en que yo nací.

Varios días después, a mami se la tuvieron que llevar corriendo al hospital. No por causa de las noticias, por supuesto, sino porque mi hermana había decidido llegar al mundo. Todos pensaron que el carro se había vuelto a romper, pero es que mi padre estaba tan nervioso que no conseguía arrancarlo. Por suerte era domingo y no estaban solos. Antonio se puso al timón. Mi madre llegó sana y salva al hospital y siempre dice que su hija se parió sola, porque cuando entraron al salón, ya casi estaba fuera.

Mi hermana suele bromear con que tuvo suerte de que a mis padres no se les ocurriera llamarla Clavel en honor de la Revolución portuguesa. Pero la verdad es que en esa época ellos ni imaginaban que, de algún modo, lo que acababa de ocurrir en Portugal iba a ser otra vuelta de tuerca en nuestras vidas. La Historia, la maldita Historia, como una ruleta, nos pasaba cerca pero aún no nos tocaba. Prefirieron dejar en su hija la marca del año en que se casaron. Porque mi hermana también lleva su marca. Se llama Tania, como Tania "la guerrillera", que murió en Bolivia junto al Che.

Aquel día, después de que mi padre conociera a su hija, abuemama se quedó de acompañante en el hospital y él regresó con Antonio. En casa lo esperaban los hombres de la familia: mis tíos, mi abuelo y yo que era el más pequeño. De la fiesta que hicimos, por supuesto que no me acuerdo, pero algo quedó de ese día. Por ahí tengo una foto donde estoy de pie en medio de la sala vestido con un short y con un gorro ruso de largas lengüetas para proteger las orejas del frío, que me tapaba casi toda la cabeza. Esa chapca Antonio se la había comprado en la Unión Soviética y, aunque no la usaba en Cuba, por el calor, dicen que solía llevarla a las fiestas y dejarla encima de cualquier mueble. Las horas pasaban, los licores se iban consumiendo hasta que, de repente, Antonio se ponía la chapca y comenzaba a hacer cuentos de su estancia en Moscú que dejaban a todos fascinados. Parece que una noche a alguien se le ocurrió esconder el gorro y pedirle que contara una historia. Él miró a su alrededor. Se sirvió un trago. Y se acomodó en el sofá afirmando que sin sombrero no se acordaba de nada. Entonces la chapca se convirtió en un objeto especial y cada vez que alguien quería contar algo importante tenía que ponérsela. En realidad, de no ser por la foto del día que nació mi hermana, yo no me acordaría de la chapca, tampoco tengo claro por qué me la puse ni cuánto les duró a ellos el juego. Sólo sé que aquello se quedó grabado de tal forma en mi mente infantil que de pequeño siempre imaginé que existían gorros mágicos que podían esconder historias y que uno podía vivirlas si se los ponía.

A Renata le encantaba esa anécdota y fue por eso que una vez quiso comprarme una chapca que encontramos en un mercadillo en Berlín, pero me negué, mágica era la de Antonio, no cualquier chapca. Renata se quedó con tal cara de tristeza que me dio pena. Entonces vi este sombrero que llevo puesto y me lo probé. ¿Me parezco a Humphrey Bogart?, pregunté y ella sonrió antes de regalármelo. Así, sin darme cuenta, este sombrero fue convirtiéndose también en un objeto especial. Debajo de él es como si yo fuera otro, no Bogart, desde luego, pero otro. Por eso me lo pongo cuando algo va mal, como todos estos meses, como ahora. Como el día del empujón, claro, ahí lo llevaba. Y creo que a partir de ese día cada vez que Berto me ha visto lo he tenido puesto, aunque se ha reservado la curiosidad de preguntarme por qué me dio por usar sombreros. Es que con él me protejo, es la estúpida manera que encontré para esconderme, Berto, Bertico.

Cuando por fin encontré trabajo en Lisboa, pasé de ser el turista en pantaloneta a convertirme en uno de esos seres que usan trajes parecidos, almuerzan en la esquina de la empresa, llevan maletitas con computadoras y salen a correr los fines de semana para olvidar que no les gusta su trabajo, aunque no les queda otra que hacerlo. Entonces, tuve que cambiar mis visitas al café de João para los sábados.

Salía en la mañana para desayunar allí, luego me iba a correr junto al río por el carril de ciclistas y ya casi llegando el mediodía me sentaba en uno de los barcitos que están junto a la estación de Cais do Sodré, pegados al agua, pedía una cerveza y me ponía a leer o a hacer anotaciones en mi agenda. Enseguida aquel rincón quedó bautizado como "mi Habana" porque me recuerda a un punto exacto de mi ciudad. Hay dos orillas. El Tejo es tan grande que ahí se me parece a la entrada de la Bahía de la Habana. Del lado de allá está el Cristo y, aunque en ambas ciudades son distintos, Cristos son. Además, la lancha que atraviesa el río es parecida a la lanchita de Regla que cruza la bahía. Ésa es mi Habana y allí pasaba un rato leyendo y escribiendo como si fuera adolescente y todavía soñara con ser escritor. Luego recogía mis cosas y regresaba al café de João, que ya estaba lleno, entre los que iban a almorzar y los habituales que tomaban el aperitivo. Bebía mi segunda cerveza y conversaba un rato antes de regresar a casa.

Un día Renata fue conmigo. Para ambos mis paseos en solitario eran importantes porque decíamos que cada uno debía encontrar su espacio en la ciudad, pero aquel sábado ella decidió acompañarme. Primero la llevé a conocer la Habana que me había inventado en un rincón de Lisboa y le pareció buenísimo, aquella imagen le resultaba conocida: la bahía, la lancha y el Cristo. Sólo le falta la música escandalosa, me dijo, y tener un túnel bajo el agua en lugar de un puente.

De ahí nos fuimos al café, porque quería que le presentara al João del que tanto le hablaba. El sitio ya estaba concurrido. João me recibió con su gran sonrisa y al ver a mi mujer abrió los brazos para dar la bienvenida a la cubanita, así dijo. Ella sonrió mirándome. Entonces me apresuré en aclarar que no era cubana sino peruana. En realidad, creo que nunca había hablado mucho de ella con João, pero el caso es que él, desde detrás de la barra, tomó la mano de Renata para comunicarle que era bienvenida, viniera de dónde viniera. Ahí me miró y, sin soltar la mano de ella, levantó la otra hacia el extremo de la barra, mientras hacía un gesto y anunciaba que tenía que presentarnos a un amigo. Del otro lado empezó a acercarse, cerveza en mano, un señor flaquito, de bigote y espejuelos. João le dijo que yo era el compatriota de quien le había hablado y, soltando por fin la mano de Renata, se dirigió a mí para confirmarme que el otro era su amigo cubano. Cuando el hombre estuvo junto a nosotros me miró.

—Te me pareces a alguien —dijo.

João se echó a reír. Se parece, se parece. ¿Viste que te pareces?, me dijo antes de servir cervezas para nosotros. Renata ya conocía la historia de cuando João me creyó familiar del tal Jorge Palma, así que brindamos con el recién conocido por ese músico que nosotros desconocíamos y que tenía una nariz como la mía. Ese día las conversaciones fueron vagas, era hora de cervezas, había mucha gente y todos saltábamos de un tema a otro, en portugués porque, a diferencia de nosotros, el cubano hablaba en un perfecto portugués. De él supimos su nombre: Berto Tejera Rodríguez, así se presentó. Y que llevaba más de veinte años en Portugal; ahora en

Porto, pero antes en Lisboa donde vivía su hija a quien él visitaba regularmente.

Cuando nos fuimos Renata estaba entusiasmada. Con las presiones del nuevo trabajo se daba cuenta de que no había tenido mucho tiempo para compartir con desconocidos. João era genial, dijo, y los otros, gente amable. Sólo el cubano le había parecido extraño y se echó a reír antes de sentenciar que sí, era un "extraño hombrecito". Quise saber por qué y respondió que no sabía. Quizá eran las cervezas que ella no acostumbraba a beber a esa hora, pero primero le había resultado cómico, y hasta un poco ridículo, que se presentara con nombre y apellidos. Luego, algo en él le había resultado extraño. El hombre no me había preguntado nada sobre Cuba, ni sobre mí. No había dado la más mínima muestra de estar interesado en conocer a un cubano, lo cual, según Renata, era raro porque nosotros siempre estábamos hablando de nuestro país. Pero el tipo vivía en Portugal hacía mucho tiempo, repliqué y ella dijo que sí, que de acuerdo, no obstante le parecía raro, el hombre tenía algo en su manera de mirar, no podía decir exactamente qué cosa, pero algo que le parecía extraño. Yo simulé que cantaba: Berto, Bertico, el extraño hombrecito. Y ambos nos echamos a reír.

De no haber entrado un día por casualidad al cafetín de João quizá yo no hubiera conocido a Berto. Pero tengo el vicio del café. Ya he bebido tres desde que estoy aquí. Uno nunca sabe dónde va a tomar el café que le cambiará la vida.

El jorobado o Enrique de Lagardere

Lagardere decía que el café era afrodisíaco, por tanto, había que beberlo en adecuada compañía. Las feas se la pasan invitando a cualquiera a beber cafecito, ¿ no te has fijado, bróder?, decía él y yo me moría de la risa.

A Enrique de Lagardere lo conocí en preescolar, cuando aún faltaba tiempo para que fuera bautizado con ese nombre. Al principio no tuvimos mucha relación, pero apenas entramos a primer grado empezó a caerme mal, porque yo a veces me paraba encorvando la espalda y él solía burlarse. Por ahí fue creciendo una antipatía que acabó por estallar justo el día de la iniciación de los pioneros.

En primer grado, los niños entrábamos en la organización de pioneros José Martí. En octubre, para conmemorar la fecha de la muerte del Che, teníamos el acto de iniciación donde se decían palabras lindas, se cantaban canciones, luego nuestros padres nos ponían al cuello las pañoletas de pioneros y todos saludábamos la bandera, cantábamos el himno nacional y decíamos por primera vez el lema que luego repetiríamos cada día hasta el fin de la secundaria: Pioneros por el Comunismo, seremos como el Che. A Renata eso le hacía gracia, era como su primera comunión, decía, ni ella ni yo habíamos elegido, pero ambos participamos en el ritual que nos tocaba.

El día de mi iniciación, cuando estábamos formados y, mientras la directora de la escuela andaba diciendo sus palabras lindas, parece que yo había vuelto a encorvar la espalda y entonces escuché a Lagardere con una vocecita fina y baja diciendo: jorobado, jorobado. Ahí me viré de repente, le di un empujón y nos caímos a piñazos. Pum, pam, pom, toma. Las niñas empezaron a gritar y se apartaron de la fila, mientras los varones hacían un corro y dale, sí. Tremendo lío que se formó, hasta que dos maestras lograron separarnos. En ese momento el acto había sido interrumpido y la gente nos miraba. Todos los padres estaban juntos detrás de nuestras filas y también nos miraban. Finalmente una maestra se colocó junto a mí, otra junto a Lagardere y la directora pudo continuar. Qué vergüenza Ernestico, me dijo mami cuando ya le tocó acercarse a mí para ponerme la pañoleta y mientras intentaba arreglarme un poco el uniforme.

De regreso íbamos los tres en silencio, mami, papi y yo. Ella me llevaba de la mano y caminaba rápido, porque en casa nos esperaba abuemama con Tanita, que tendría como un año. Yo no podía ni hablar. Sabía que había hecho algo que no debía hacerse. Cuando uno es niño no tiene completamente clara la noción de lo incorrecto, pero por alguna extraña razón sospecha el momento en que se acercan los regaños y entonces la tierra se vuelve como movediza. Cuando llegamos a la esquina de casa, papi se detuvo junto al árbol de los gorriones que tanto le gustaba.

—Sigue tú —le dijo a mami—, Ernestico y yo tenemos que conversar.

Ella lo miró. Mis padres tenían una forma de mirarse que convertía el espacio que yo estaba pisando en el sitio más seguro del mundo. Ella estuvo de acuerdo, pidió que no demoráramos y se inclinó para darme un beso antes de seguir su camino. Papi y yo la vimos alejarse hacia casa y luego él me hizo un gesto de cabeza para que lo siguiera.

Caminamos un ratico. Él empezó a hablar, dijo que el acto había sido muy lindo, aunque la directora de la escuela hablaba demasiado, pero bueno, para eso era la directora, los directores siempre hablaban mucho, lo más importante era lo bonita que me quedaba la pañoleta, que mira para eso, el otro día yo era un bebé y ya estaba en la escuela y empezaba a tener una vida independiente, porque con la escuela empezaba mi vida independiente y, mira para eso, ya me le estaba haciendo un hombre. ¿Y qué fue lo que pasó con ese muchacho, mijo? Terminó sus palabras con aquella pregunta, pero siguió caminando, como si no fuera tan importante. Entonces le expliqué todo, lo del jorobado y lo mal que me caía Lagardere por esas cosas. Papi movió la cabeza de un lado a otro. Dijo que le parecía bien. Que como hombre yo no debía permitir las faltas de respeto, eso le parecía muy bien, pero… Ahí fue cuando se detuvo y se puso en cuclillas delante de mí. Y mientras me arreglaba la pañoleta como se arregla el nudo de una corbata, me explicó que yo debía defenderme, pero las cosas no había que resolverlas a piñazos, los golpes no eran más que golpes y al final no resolvían nada. Entonces me dijo por primera vez aquella frase.

—El músculo, mijo, es mejor tenerlo en el cerebro. Son los animales los que se fajan porque no pueden hacer otra cosa, los hombres tenemos que pensar.

Papi puso un dedo encima de mi sien y reiteró que era ahí donde estaba el mejor músculo de todos. Me dio un beso, se incorporó y afirmó que de verdad me quedaba bonita la pañoleta y que había que irse a casa corriendo para que mi abuela la viera. Los dos sonreímos y aquella imagen se quedó grabada en mi cabeza.

Ésa fue la única vez en mi vida que me fajé a los piñazos, aunque a veces no me han faltado ganas de volver a hacerlo. A Berto tuve ganas de romperlo. Sí. De repente me salió de adentro aquella extraña necesidad de reventarlo a piñazos. ¿Pero para qué? Al final, no soy así y quizá Berto tampoco se lo merezca. Yo qué sé. Que se joda Berto y que se jodan todos. Yo ahora tengo que usar el músculo del cerebro.

El día después de la iniciación, papi y el padre de Lagardere nos invitaron a darnos la mano como buenos compañeros. Luego la maestra tuvo la idea de cambiar los puestos en el aula y sentarnos juntos. Al que no quiere caldo, le dan dos tazas. Así fue como, entre el echa el codo pa'llá y el préstame la goma, empezamos a hacernos amigos. Era octubre de 1975.

Lagardere vivía y vive aún al doblar de mi casa, por eso nuestras madres habían decidido alternarse para ir a buscarnos al colegio, lo cual era bueno, porque luego nos quedábamos jugando ya fuera en su casa o en la mía. Su mamá era muy cariñosa, pero hablaba que parecía una ametralladora. Cada vez que iba a buscarlo a casa, nos sentábamos en la sala, él en el sofá junto a ella y yo con mami, enfrente. Ahí la ametralladora empezaba a disparar. Sus palabras recorrían el espacio, subían por las paredes, algunas se asomaban a la ventana y hasta salían. Abuemama servía un café y qué rico, decía ella, antes de continuar hablando. Y las palabras daban vueltas en medio del salón, las que habían salido por la ventana regresaban para enredarse con las otras y casi ni quedaba espacio para nosotros, porque todo, absolutamente todo, estaba inundado de palabras. A mi padre, de eso me acuerdo bien, le gustaba ponerse detrás de una puerta de manera que sólo mami y yo pudiéramos verlo. Desde allí empezaba a hacer gestos y a mover la boca tratando de imitar a nuestra vecina. Mami no sabía cómo aguantar la risa, mientras que yo alternaba la vista entre mi padre y mi amigo para que este no se diera cuenta de las burlas de papi. Una vez por poco lo descubre, pero por suerte fue en el momento en que abuemama entraba con el café. Qué rico, dijo su madre y él cambió la vista hacia el humito que salía de la taza y luego a las nuevas palabras que ya estaban desparramándose por todas partes.

Además de sus padres, Lagardere vivía con sus hermanas que son gemelas, dos años mayores que nosotros y, de forma muy original, se llaman Tania y Tamara. Nuestra generación es así, en mis grupos de escuela siempre hubo varios Ernestos y en un curso llegamos a tener seis Tanias. Yo nunca logré distinguir bien cuál era cuál de las gemelas. Las dos eran gorditas y antipáticas, aunque una me empezó a caer particularmente mal después de la fiesta que a mi padre se le ocurrió hacer cuando terminamos la Primaria, pero eso sucedió después. De pequeñas las dos eran iguales: gordas y feas. Además, Lagardere y yo teníamos un gran problema con ellas. En la esquina frente al colegio vivía una señora que vendía durofríos de mantecado y de fresa. A mami no le gustaba que los comiera porque decía que no sabía de dónde la vieja sacaba los sabores y, además, que seguramente usaba agua de la pila que estaba llena de bichos. Papi, sin embargo, afirmaba que su hijo —yo— necesitaba anticuerpos, "lo que no mata engorda", concluía. El caso es que para los niños los durofríos eran una delicia, venían sobre unos papelitos pequeños que dejaban la mano congelada, pero qué rico. El único problema era que la vendedora vivía frente al colegio y, de chiquitos, ni a Lagardere ni a mí nos dejaban cruzar la calle solos. Pero las gemelas eran mayores, así que mientras esperábamos a que nos vinieran a buscar, cruzaban y compraban durofríos. Unas veces decían que nos habíamos portado bien y nos daban uno a cada uno, pero otras, la mayoría, se quedaban del otro lado de la calle enseñándonos cómo comían. Lagardere les gritaba que se lo diría a su mamá. Yo, que se pondrían más gordas y más feas. Y los dos salivábamos muertos de envidia.

En aquella época, mi amigo y yo compartíamos la idea de que tener hermanas era una pesadilla, porque las nuestras no sólo se llamaban igual, sino que eran insoportables. Por un lado, la mía siempre detrás de mí, incapaz de pronunciar bien mi nombre. Y por el otro, las gemelas queriendo estar por encima de nosotros. La antipatía hacia las hermanas debe de haber sido una de las primeras cosas en que nos sentimos identificados.

En aquel momento, siendo niños, me pareció que demoramos en hacernos amigos, pero ahora que lo pienso me doy cuenta de que no. En octubre nos estábamos cayendo a piñazos, pero poco más de un mes después ya éramos compinches. Sí, calculando fechas, habrán pasado máximo unos dos meses, lo sé, por algo que nunca he podido olvidar.

En la madrugada del once de noviembre de 1975, en Luanda, Agostinho Neto, leyó ante los micrófonos: "en nombre del pueblo angolano, el comité central del Movimiento Popular de Liberación de Angola, proclama solemnemente ante África y el mundo la independencia de Angola". Al otro día la noticia estaba en los periódicos cubanos y en la calle la gente lo comentaba.

Para mí la palabra Angola no significaba mucho, era simplemente un país hermano de África donde se cantaban canciones tristes. La que más recuerdo era aquélla que decía: "Valódia tombou, em defesa do povo angolano… A luta continua até à vitória final". Yo no entendía el portugués pero en aquella canción había algo que me resultaba extraño. Valódia era un nombre ruso, eso lo sabía gracias a todos los dibujos animados soviéticos que veíamos. Qué pintaba el tal Valódia en una canción africana yo no lograba entenderlo, pero estaba seguro de que era algo triste, porque aquella música daba hasta ganas de llorar.

Un domingo sucedió algo que mucho tiempo después me di cuenta de que tenía relación con la palabra Angola, aunque en su momento lo que me impresionó fue otra cosa. Por eso lo recuerdo, porque me impresionó mucho. Ese día Lagardere y yo estábamos en el portal de mi casa. Las mujeres preparaban el almuerzo. En la sala, algunos tíos jugaban dominó, Manolito, el de las canciones románticas, daba un concierto para dos de mis tías que estaban embarazadas, mientras que mi hermanita y mi primo Amílcar jugaban en el piso. En la calle frente a casa, papi y Antonio arreglaban el carro.

Cuando tío Miguelito llegó, papi y Antonio tuvieron que sacar el cuerpo, que casi tenían metido completo dentro del motor del oldsmobile, para poder saludarlo y ahí se pusieron a conversar. En ese momento mi hermana se apareció en el portal, detrás de ella mi primo y detrás una de mis tías embarazadas. Como nos habían invadido el espacio y el garaje estaba abierto, le hice un guiño a Lagardere y corrimos hacia allí. Ya dentro, empezamos a registrar lo que había detrás de unos tarecos y en eso estábamos cuando entraron Miguelito, Antonio con las manos llenas de grasa y papi que se estaba limpiando las suyas con un trapo. Sin pensarlo, Lagardere y yo nos agachamos a la vez para escondernos y eso nos dio tremenda risa, pero yo puse un dedo encima de mi boca para indicarle que no hiciera ruido. Mi tío estaba extraño, caminaba de un lado a otro y murmuraba frases, pero en un tono tan bajo que ni Lagardere ni yo podíamos escuchar. Antonio parecía querer calmarlo y en un momento extendió su mano llena de grasa como para tocarlo por el hombro, pero aunque no lo tocó, mi tío Miguelito hizo un gesto brusco y, abriendo los brazos, gritó: ¡pero si lo está diciendo toel mundo, cojones! Lagardere y yo nos tapamos la boca con la mano para aguantar la risa. Mi padre nunca decía malas palabras, pero mis tíos sí y eso me daba mucha risa, aunque las ganas de reír se me quitaron enseguida, cuando vi que Antonio alargaba su mano y entonces sí que le daba un pequeño empujón a mi tío diciendo algo así como: a mí no me faltes el respeto, el cojones te lo tragas. Esa escena me impactó. Enseguida mi padre tiró el trapo al piso y se metió en medio de los otros pidiendo que se calmaran. Mi tío Miguelito miró la marca de grasa de la mano de Antonio en su pulóver blanco, hizo un mohín con los labios y salió del garaje. Cuando se fue, Antonio suspiró y le pidió disculpas a papi, que movió los hombros como diciendo "no importa". Antonio recogió el trapo del piso y, mientras se limpiaba las manos, agregó que de todos modos mi tío tenía algo de razón.

—Esto no ha hecho más que empezar, Miguel Ángel —dijo.

En ese momento Lagardere tropezó con algo, hizo ruido y papi se acercó de prisa. ¿Pero qué hacen ustedes ahí? Nos agarró por los brazos y por más que yo intentaba explicarle, él no quiso escuchar. Nos llevó para casa, nos sentó en la sala y dijo que se había acabado el juego, los niños no podíamos andar escuchando las conversaciones de los mayores, estábamos castigados. Mi tío Manolito dejó un momento de tocar guitarra para preguntar si Miguelito no estaba por allá afuera, pero como papi le respondió que se había ido, entonces nos miró a Lagardere y a mí y quiso saber si nos gustaba la canción *Anduriña*. Y mientras mi tío cantaba preguntándose dónde estaba la tal Anduriña, yo seguía preguntándome qué cosa sería lo que no había hecho más que empezar.

Tuvo que pasar mucho tiempo para que lo comprendiera. A principios de ese año, Portugal y los tres grupos independentistas angolanos habían firmado el tratado de Alvor que establecía la fecha y las condiciones de la independencia. Pero el gobierno de transición establecido nunca llegó a reafirmarse, los portugueses estaban saliendo en desbandada del país y los tres grupos nacionales empezaron a consolidar sus alianzas externas para asegurar sus áreas tradicionales y tener el control de Luanda el día de la independencia. Como si de un juego se tratara, cada cual hizo sus apuestas. Miles de hormigas empezaron a moverse hacia la capital y así, poco a poco, se fue creando el último escenario de la guerra fría. El FNLA avanzaba por el norte apoyado por Estados Unidos, China y Zaire. Por el suroeste venía UNITA con ayuda de Estados Unidos y Sudáfrica que, de paso, aprovechó para avanzar con una columna suya. El MPLA tenía una mejor posición con respecto de Luanda y el apoyo de la Unión Soviética, pero necesitaba instructores militares y, para eso, Agostinho Neto se dirigió a los cubanos. Fue ahí donde entraron nuestras tropas, aunque ni tío Miguelito, ni Antonio, ni mi padre, ni nadie tenían aún certeza de ello. Nuestra realidad era una especie de rompecabezas que se iba formando con la historia oficial, los chismes y los relatos extraoficiales que alguien contaba a alguien que le contaba a alguien. La certeza de lo que les preocupaba aquella tarde sólo la tuvieron a fines de año, cuando en el Congreso del Partido se habló por primera vez oficialmente de la participación de nuestras tropas en la guerra que había tenido lugar durante esos meses en Angola.

Si tengo un recuerdo tan nítido de aquel domingo no fue por lo que vine a entender mucho después, por supuesto, ni a Lagardere ni a mí aquello nos interesaba, pero la escena que vimos en el garaje de mi casa fue como una película que de tan fuerte que nos pareció empezamos a reproducir. Cuando nos encerrábamos en mi cuarto a jugar, solíamos inventarnos personajes. A veces yo me ponía una capa y un antifaz y apuntándole con una espada decía: a mí no me faltes el respeto. Él agarraba firmemente su espada y respondía: esto no ha hecho más que empezar. Y nos batíamos. Otras veces, nos parábamos junto a la cama agarrándonos de los brazos y al grito de: esto no ha hecho más que empezar, teníamos que empujarnos a ver quién lograba primero tumbar al otro. Así, aquella frase fue convirtiéndose en la contraseña de nuestros juegos y sé que nos duró años. Quizá hasta el día en que mi padre ya no estuvo más y, sin necesidad de ponernos de acuerdo, ni Lagardere ni yo volvimos a repetirla.

Aquella frase sólo volvió a nuestras vidas hace poco, cuando estuve en Cuba y conversamos tanto. El día de mi regreso a Lisboa fue él quien me llevó al aeropuerto en el oldsmobile, porque mi hermana heredó de mami sus pocas ganas de manejar. Cuando Lagardere y yo nos abrazamos para despedirnos, le dije al oído, de modo que ni mami ni Tania pudieran escucharme: esto no ha hecho más que empezar. Y él me abrazó más fuerte todavía. No dijo nada y tampoco hacía falta.

El capitán Tormenta

Un día Antonio dejó de visitarnos, no recuerdo cuándo exactamente, pero sí el momento en que noté su ausencia. Estábamos en casa frente al televisor viendo *Diecisiete instantes de una primavera*, que era una serie soviética donde el espía ruso Stirlitz se movía por la Alemania Nazi de la Segunda Guerra Mundial. A mami le encantaba Stirlitz o, mejor, el actor que lo interpretaba. Tanto decía que le gustaba que papi y yo, por bromear, le habíamos regalado un recorte de periódico con su foto para que la pusiera en su mesita de noche. Y ella, por darnos en la cabeza, la puso, efectivamente, bajo el cristal de su mesita. Cada vez que pasaban la serie por televisión, que pueden haber sido más de diecisiete veces, ahí estábamos todos presentes. Aquella noche, alguien salió en pantalla con una chapca y eso me hizo recordar a Antonio. Entonces, cuando empezó la música del final que solíamos tararear a coro, le pregunté a papi por él, porque hacía rato que no venía a casa. Mami miró a papi. Él primero la miró a ella y luego a mí: Antonio está movilizado, mijo, anda haciendo trabajo voluntario por alguna parte. A mí su explicación me pareció convincente, aunque no supe la verdad hasta un poco después.

Ya por ese tiempo, Lagardere y yo andábamos mataperreando por el barrio. La calle era para los varones. Las niñas jugaban en casa. O al menos eso dijeron siempre los adultos que me rodearon. Yo ya podía cruzar las calles, subirme a los árboles, incluso al grande de los gorriones, regresar solo de la escuela y comprar todos los durofríos que me diera la gana en la esquina frente al colegio. Claro, en esos momentos, una vez liberado de la dependencia de las gemelas Lagardere, el problema era otro. Y es que tenía que engullir los durofríos antes de que alguno de mis amigos declarara la "guerra fría", un juego inventado por nosotros que consistía en tirarnos durofríos unos a otros. Después de varias protestas, habíamos establecido el "piotay pal primero", o sea, "pido time" con lo cual el primer durofrío podíamos comerlo tranquilamente. Pero, como en las guerras reales, todo dependía de la velocidad del adversario. Quien terminaba más rápido, que casi siempre era Lagardere, procedía a comprar y, echándose a correr, abría fuego hacia los otros a quienes no nos quedaba otra que lanzarnos como fuera a la compra de municiones para alegría de la vendedora, que siempre nos esperaba con varias cubetas listas y su eterno comentario de: váyanse a jugar pa'allá, muchachos, que me van a embarcar. Seguramente no tenía licencia para vender durofríos, pero eso a nadie le importaba. Nuestro problema era enfrentar al enemigo y una vez terminadas las municiones que teníamos en mano, tocaba recuperar las que iban quedando por el piso. Así yo llegaba a casa lleno de manchas rojas, amarillas y hasta de tierra, para molestia de abuemama que se ponía a quitarme el uniforme preguntándole al techo cómo iba ella a poder sacarle todo aquel churre a mi camisa blanca.

Una tarde, al salir de la escuela, estábamos corriendo en plena guerra fría y en una de ésas yo tiré, pero en lugar de darle a alguno de los varones, alcancé a una niña del aula que vivía frente a mi casa y que en esos momentos caminaba hablando con otra. Ella se detuvo en seco, dio la vuelta y me miró gritando: estúpido. Con la misma se agachó, agarró lo que quedaba del proyectil y me lo lanzó con tremenda rabia. El pedazo de durofrío golpeó en mi pecho y dejó una mancha roja encima de mi corazón. Yo quedé petrificado. Y sé que fue ahí, sin saberlo, cuando empecé a enamorarme de ella, aunque todavía no le decíamos el Capitán Tormenta.

En mi cuadra casi todos éramos varones. Niñas había sólo cuatro: Tania, dos hermanas medio burguesitas y poco sociables y Tormenta que vivía en un garaje que había sido convertido en casa. De niño nunca logré entender por qué Tormenta no le caía bien a mami, de grande comprendí que, en realidad, sus reticencias eran con la madre. La familia que vivía en la casa de enfrente había sido muy amiga de la familia de mi madre, pero se habían ido del país en los sesenta. La casa permaneció vacía un tiempo hasta que se mudó otra familia y, finalmente, había llegado la madre de Tormenta con su bebita a instalarse en lo que era el garaje. Mami y abuemama sostenían que nuestra vecina debía de haber sido la amante de algún dirigente que la había puesto a vivir allí, porque antes de la Revolución, ese barrio era de clase media-alta, pero luego había empezado a llegar gente de todo tipo. Según abuemama, la madre de Tormenta era "ligera de cascos", según mami era "emocionalmente inestable". El caso es que a cada rato cambiaba de marido y que éstos eran, además, "puras joyas". En eso abuemama y mami usaban el mismo calificativo. Una vez, mi padre había tenido que intervenir en una disputa, porque el marido de turno llegó borracho y como ella no lo había dejado entrar, el tipo le emprendió a patadas contra la puerta y a gritos contra ella. El asunto pudo resolverse con la intervención de mi padre quien, a partir de ese día, se convirtió en el "protector" de la mamá de Tormenta. No sé qué opinaron sobre eso mami y abuemama, pero el caso es que ambas acabaron por convertirse en las amables vecinas que le daban azúcar, sal, un poquito de aceite o cualquier cosa, cada vez que la mamá de Tormenta lo necesitaba.

Antes de frecuentarnos, Tormenta pasaba las tardes sentada en el portalito de su casa viendo a los varones en la calle, ya fuera jugando pelota, montando chivichana, bañándonos en el aguacero, cualquier cosa que hiciéramos, ella nos miraba. Era evidente que la pobre se aburría. Hasta un día. Un domingo Lagardere y yo ayudamos a mi padre a limpiar el carro y, al final, papi dijo que habíamos ganado un premio: nos llevaría al bosque encantado de las aventuras, pero antes Lagardere tenía que pedir permiso a sus padres. Cuando mi amigo se fue, papi me sugirió que invitara también a la vecina, ella había estado todo el tiempo mirándonos desde su portal y como él iba a llevar a Tanita, así eran dos niñas. A mí los colores se me subieron a la cara, pero parece que él se dio cuenta porque me pasó la mano por la cabeza sonriendo y se fue a hablar, primero con ella, y luego con su madre.

Ése fue el primer día que estuvimos en nuestra selva verde. En mi memoria, el bosque de La Habana siempre será un lugar encantado con muchas enredaderas y una extraña luz que ilumina sus árboles. Con el sonido del río como fondo. El sitio donde lucharon y amaron los héroes de mi infancia. Un bosque es un lugar sin tiempo. Un bosque es un lugar adonde tu papá te lleva para que nunca te olvides de inventar historias y de creer en ellas.

Con el tiempo se fueron sumando más vecinitos a nuestros viajes, pero al primero fuimos nosotros tres: Lagardere, Tormenta y yo. Papi detuvo el carro al llegar al puentecito junto al río, dijo que se quedaría allí con Tanita y que nosotros teníamos un rato para jugar solos. Los tres nos internamos en el bosque caminando. En un momento ella se detuvo, vamos a hacer un juego: tú serás Enrique de Lagardere, dijo señalando a mi amigo; tú el Conde de Montecristo, señalándome a mí y yo el Capitán Tormenta. En la televisión el Capitán Tormenta era Cristina Obín, una actriz que me encantaba, y mi vecina hasta se le parecía con su pelo y sus ojos negros. Dijo que echaríamos a correr, pero como todos sabíamos que Tormenta era una mujer disfrazada, ella merecía una ventaja, así que nosotros debíamos contar hasta veinte antes de salir corriendo. Estuvimos de acuerdo. Ella agarró un palo y, alzándolo como una espada, cerró los ojos invitándonos con su gesto a hacer lo mismo. La seguimos. Buscamos otros palos y nos colocamos los tres en círculo con los ojos cerrados y las puntas de las espadas tocándose en un punto central, arriba. Ella empezó a cantar: *el capitán Tormenta al enemigo se enfrenta, es libre como el viento, veloz como una liebre…* Me di cuenta de que ella había echado a correr y empecé a contar. Escuché que Lagardere se saltaba los números y protesté, un juego es un juego, tiene reglas y las reglas se cumplen, de lo contrario no se juega. Pero también mi amigo había echado a correr tras Tormenta que, aunque ninguno se atrevió a confesarlo, acababa de convertirse en la mujer de nuestros sueños.

El Capitán Tormenta fue una de las historias preferidas de mi infancia y casi estaba seguro de que era verdadera. No sé si a otras personas les pase igual, pero de niño no me interesaban los autores, tan sólo lo que contaban. A mí me gustaban Tormenta y el León de Damasco, Salgari no existía mi cabeza. A decir verdad, de mi infancia sólo recuerdo el nombre de un autor, pero no porque lo leía sino porque lo odiaba. Renata podrá decir lo que quiera, que estoy enfermo u obsesionado, da igual, pero es cierto lo que yo llamo: la presencia de la Historia dentro de mi vida.

Cuando conocí a Renata, ambos estábamos leyendo a García Márquez y nos encantaba, ella lo había descubierto de jovencita, pero yo lo había hecho de niño y lo peor era que recordaba exactamente cuándo. La primera vez que escuché hablar de García Márquez fue una tarde de 1977 en que mis padres estaban comentando un artículo que él había escrito sobre la Operación Carlota. Ese nombre se me quedó grabado porque lo asocié con la película *La telaraña de Carlota* y, en su momento, quise leer el artículo, pero mis padres lo impidieron. Me hablaron de García Márquez y me explicaron que aquélla no era lectura para niños. Sospeché que mis padres no querían que yo supiera lo que él decía sobre las películas infantiles y así el colombiano entró en mi vida como un escritor al que no le gustaban las películas para niños y se dedicaba a escribir mal sobre ellas.

Hasta mucho después del día en que mis padres leyeron el artículo, yo detesté a García Márquez. Luego crecí y se convirtió en uno de mis autores preferidos y, aunque ya comprendía el error de mi infancia, nunca pude evitar que su nombre siguiera asociado con aquel momento histórico. Carlota fue una esclava que en el siglo diecinueve había dirigido una sublevación en un ingenio cubano y fue en honor a ella que se dio nombre a la operación militar que inició Cuba en Angola en 1975: Operación Carlota.

Cuando García Márquez publicó su artículo, hacía casi dos años que el MPLA, al que Cuba apoyaba, presidía el gobierno y los otros dos grupos nacionales que se le oponían estaban bastante debilitados. Sudáfrica había retirado sus tropas de Angola hacia Namibia y Naciones Unidas había condenado su invasión. Aquel artículo era una especie de resumen, una conclusión de misión cumplida. La guerra había terminado y los cubanos ya se estaban retirando. Pero, de repente, se detuvo el mecanismo. O peor, volvió a activarse. La frase de Antonio que a Lagardere y a mí se nos había quedado tan marcada fue cierta: aquello no había hecho más que empezar. El MPLA tuvo una división interna, los cubanos apoyaron a una parte. Hubo revueltas y muchos muertos. Sudáfrica volvió a entrar y hubo muertos, más muertos. Ninguno de los países se alejó del todo. Cuba, finalmente, decidió detener su retirada y el final de nuestra guerra comenzó a alejarse.

Fue por eso que un día Antonio había dejado de visitarnos, aunque eso lo supe después, claro, porque la mitad de las cosas seguían siendo secretas. África continuaba presente en nuestra vida. En la música, en los reportajes de televisión y en las personas. Había muchos africanos en la isla. De una parte, los estudiantes a quienes Cuba daba becas. Lagardere y yo nos sabíamos de memoria los nombres de casi todos los países africanos porque los mencionaban siempre en televisión. De otra, estaban los presidentes. A cada rato nos visitaba uno de los llamados países hermanos y las calles se llenaban de gente que saludaba al cortejo presidencial desde que salía del aeropuerto. A nosotros nos sacaban de la escuela y nos formaban en la acera de la avenida 41, un poco antes del puente Almendares. Cada uno llevaba una banderita cubana de papel pegada a un palito que debíamos agitar con fuerza saludando al compañero presidente del país hermano. Las banderitas eran muy buenas para jugar a los espadachines y como nunca se sabía cuándo pasaría el dichoso cortejo frente a nosotros, pues lo más normal era que nos pusiéramos a jugar hasta que la maestra gritaba que ya venía, que se acercaba, que estaba ahí. Y cuando el carro pasaba con el compañero presidente del país hermano acompañado por Fidel Castro, a nosotros no nos quedaban más que unos tristes palitos sin bandera, pero igual los agitábamos con fuerza dando la bienvenida. ¿Ante cuántos habré agitado palitos? Agostinho Neto, Marien Ngouabi, ¿quién se acuerda de todos?

El día que Antonio volvió a aparecer en casa se quedó asociado en mi memoria con aquellos recibimientos. Fue un domingo. Yo estaba en la sala con papi y mis tíos. Mi padre, Mayito y Miguelito eran los bromistas, Manolito, el romántico, y Melquiades, Martín y Marino, los serios. Me acuerdo que mi padre hizo un chiste callejero sobre el recibimiento de los presidentes africanos y ahí los bromistas se pusieron a cantar una conga que decía: *Nyerere, Nyerere, venimos a recibirte sin saber quiénere*. Era tan cómico que yo también me sumé a la conga, pero de repente, uno de los tíos serios, no sé cual, dijo que aquello era una falta de respeto al compañero presidente de Tanzania. Lo que parecía tan gracioso comenzó a cambiar de tono y estuvo a punto de desencadenar una buena bronca entre hermanos de no ser porque, de repente, Antonio apareció en el umbral de la puerta. De sólo verlo, mi padre se levantó y le fue para arriba con los brazos abiertos gritando: mi hermano. Tan alto gritó que mami apareció en la sala y al ver a Antonio se le acercó con una gran sonrisa y otro abrazo. Abuemama también salió de la cocina limpiándose las manos en el delantal y más abrazos. Y mis tíos, abrazos van y vienen. El menos efusivo fue Miguelito, porque después del día en el garaje ya no se llevaba muy bien con Antonio, pero incluso él también le dio su abrazo. Aquello parecía, no sé, el recibimiento del presidente de un país hermano. Cuando ya Antonio había abierto la botella de ron que traía y abuemama había preparado unos tostones, todos nos acomodamos a escucharlo. Esa tarde me enteré de que el trabajo voluntario donde estaba el amigo de mi padre era la guerra. Antonio era un combatiente internacionalista y aquello me pareció extraordinario.

A partir de aquel día, cada vez que Antonio venía a casa contaba de combates donde había minas que por muy poco no había pisado y balas que casi le daban y moscas verdes que ponían sus huevos en las medias que él había estado a punto de ponerse. Todos lo escuchábamos con admiración y algunos hasta con envidia. Luego, en la escuela, Lagardere y yo contábamos fascinados en un medio susurro que conocíamos a alguien que había estado en la guerra y eso nos hacía parecer muy importantes.

Hay algo que siempre me ha resultado curioso, quizá sea una percepción mía, no sé, pero tengo la impresión de que a muchos hombres se les pone un extraño brillo en la mirada cuando cuentan historias de la guerra. Una mezcla explosiva de adrenalina y testosterona, diría Renata. A mí no se me olvidan las caras de Antonio cuando narraba sus primeras hazañas, pero no era un problema suyo o una deformación de mi memoria. No. Luego he notado lo mismo en muchos hombres cuando rememoraban combates. Creo que al único que no le noté ese brillo en la mirada fue a Berto y justo por eso terminé asumiendo el apodo con que Renata lo había bautizado: "el extraño hombrecito". Sí, ahora que lo pienso, el día que empezamos de veras a conversar, me llamó enormemente la atención que su mirada no tuviera aquel raro brillo cuando mencionó la guerra. Después se lo conté a Renata y ella sonrió. ¿Viste que yo tenía razón?, ese hombre tiene algo extraño, terminó diciendo.

Habrían pasado semanas o incluso meses desde que João nos había presentado cuando volví a encontrar a Berto en el café. Aquel día yo estaba solo pero, además, todavía no habían empezado a llegar los habituales que tanto hablaban, así que me senté junto a él en la barra a tomar una cerveza y conversar. Más que extraño, en principio me pareció que el tipo tenía uno de esos físicos que parecen sacados de un cómic: sesentón de complexión menuda y estatura baja, parecía que todo el pelo que le faltaba en la cabeza se le había caído al bigote, porque ése sí que era abundante, aunque entrecano, llevaba unos espejuelos de armadura amplia de plástico y, para terminar, tenía los dientes amarillos típicos de los fumadores y un cigarro sin encender que olía de vez en cuando. Según me contó, su hija había pasado años pidiéndole que dejara de fumar, pero bastó una frase de su nieto para que él se decidiera, finalmente, a dejar el vicio, que sustituyó por el pequeño placer de oler la nicotina. Eso tampoco le gustaba a su hija, pero con algo tenía que quedarse, afirmó, en definitiva ya el médico le había dicho que para limpiar del todo sus pulmones necesitaba muchos más años de los que podría vivir.

En principio el tipo me pareció buena gente. Quiso saber algo de mí. Él también era de La Habana, aunque hacía mucho tiempo que no iba a Cuba, sin embargo, mira, me enseñó el paquete de cigarros que llevaba en el bolsillo donde guardaba su único ejemplar para oler. Estaba hecho con tabaco cubano. Recuerdo que le dije algo como que aquello tenía que ver con la nostalgia y él me respondió rapidísimo.

—No —dijo—, tiene que ver con la costumbre.

Yo ya estaba a punto de creer que Renata se había equivocado en su primera apreciación, porque el hombre no parecía tener ningún reparo en socializar con un compatriota, pero con su respuesta me sentí un poco estúpido y con la continuación vine a confirmar que algo de razón llevaba mi mujer. Berto dejó a un lado cualquier alusión a nuestro país y procedió a explicarme las diferencias entre algunas marcas de cigarros, dónde compraba los suyos cuando era fumador y por ahí una serie de cosas sobre su antiguo vicio que hicieron que, ante mis ojos, acabara de convertirse en ese auténtico personaje de cómic que me había parecido al principio. A mí me daba un poco de gracia escucharlo, si la primera vez que nos vimos me había impresionado lo bien que hablaba portugués, esa segunda ocasión noté que su español estaba totalmente contaminado de muletillas y palabras portuguesas. Los muchos años que llevaba en

Portugal se le notaban bastante. Visto que el tabaco no era mi tema de conversación preferido, decidí cambiarlo preguntándole cómo y por qué había llegado él a estas tierras. ¿Cómo? En avión, dijo sonriendo. ¿Por qué? Ahí hizo una pausa antes de continuar: es una historia larga, yo estaba en Angola.

Angola. Cuando pronunció la palabra sé que algo dentro mí hizo clac o clic o no sé, el caso es que algo se movió y entonces empecé a hablar. Le dije que me interesaba mucho la relación entre Cuba y Angola y conocer a un cubano de su generación que había estado allí era un privilegio. ¿Por qué?, preguntó. Respondí que seguramente él tendría muchas historias que contar, a mí me interesaba entender aquellos años, pero sobre esa guerra no se habían publicado muchas cosas y quizá era por eso, dije "quizá", eso lo recuerdo, que yo había creado un blog donde intentaba recopilar los hechos y, sobre todo, trataba de organizar la historia para entenderla, porque en Cuba, agregué, después que salimos de la guerra pasaron años sin que volviera a mencionarse, y fuera de Cuba mucha gente ni sabía que los cubanos habíamos estado allí. Mi interés, repetí, no era explicar nada a nadie, yo simplemente quería entender, por eso tenía el blog. Sé que hablé con un poco de prisa. Él me escuchó tranquilamente y no abrió su boca hasta que yo no cerré la mía.

—Lo único que tú tienes que entender —dijo por fin—, es que la guerra es una mierda.

Nos quedamos mirándonos durante unos segundos en silencio. Fue ahí donde noté que no había ningún brillo en su mirada. Pero tampoco había otra cosa, ni rabia, ni oscuridad. Nada. Era una mirada hueca, vacía, que no miraba a ninguna parte, que no buscaba recuerdos. No sé. Fue muy extraño. Yo no sabía qué decirle, sentí una leve tensión en el ambiente, en el espacio que existía entre nuestros cuerpos, pero de repente me vi abriendo otra vez la boca para afirmar: eso ya lo sospechaba. Él medio sonrió y sentí que la tensión comenzaba a bajar. Entonces olió su cigarrito y le gritó a João que en aquel sitio no atendían a los clientes, había dos cubanos muertos de sed y con dos vasos vacíos. El portugués hizo una broma y se acercó con nuevas cervezas. Después de beber un sorbo, Berto me miró. Quizá se dio cuenta de que su anterior frase había sido un poco brusca, no sé, el caso es que me miró y volvió a sonreír.

—Tú eras muy chiquito, pero ¿te acuerdas de cuando Tamayo fue al cosmos?

Yo me acordaba perfectamente. En 1980 el cubano Arnaldo Tamayo Méndez se había convertido en el primer latinoamericano en llegar al cosmos a bordo de una Soyuz tripulada por él y por Yuri Romanenko, un ruso que después de aquello se hizo famosísimo entre nosotros. Yo tenía una foto de los dos pegada en la pared de mi cuarto y, como Lagardere y muchos otros, soñaba con ser cosmonauta, aunque yo, secretamente, agregaba a mi fantasía un aterrizaje de mi nave en el bosque de La Habana donde Tormenta me estaba esperando para partir juntos a las guerras espaciales. Claro que me acuerdo, le respondí a Berto.

—Pues Tamayo se fue pal cosmos y yo pa Angola —agregó él—, tres años después aterricé en Portugal, pero eso es una historia demasiado larga y aburrida que a ti seguro no te interesa escuchar.

Terminó sus palabras y, con una sonrisa, chocó su vaso contra el mío como anunciando que el tema quedaba cerrado, no habría tensiones, pero tampoco más datos. Me quedé inquieto. Ese hombre me interesaba mucho, aunque no quería incomodarlo nuevamente con mis preguntas. Nuestra conversación continuó con boberías, sólo un ratico más, porque empezaron a aparecer los habituales y el café se fue llenando de gente, de palabras en portugués y de chistes. Cuando me despedí, Berto tenía un papel donde yo le había anotado la dirección de mi blog. Él había prometido mirarlo y que seguiríamos hablando, teníamos tiempo. Yo asentí agradeciendo, aunque sinceramente me pareció que no eran más que cumplidos, que él no tenía ningunos deseos de hablar de la guerra y que estaría deseoso de preguntarle a João para qué le había hecho conocer a este cubano tan pesado. Todo eso me daba mucha pena, porque si en principio me había interesado por el solo hecho de haber estado en Angola, apenas mencionó fechas me interesó todavía más. Sabía que Angola era un territorio vasto, pero aquel hombre había estado en la guerra en el mismo tiempo que mi padre.

La guerra de los mundos

Cuando era niño en el barrio teníamos un juego. En la calle se pintaba un círculo de tiza, dividido en parcelas que representaban países diferentes. Cada uno ponía el pie encima de su país y al que le tocaba empezar, decía, por ejemplo: "Perú declara la guerra en nombre y en contra de..." silencio, hasta que gritaba el nombre de un país. Todos se alejaban corriendo y el nombrado tenía que saltar al medio del círculo para detener así las carreras de los otros. Sé que era importante quedar lo más lejos posible del centro del círculo, pero no recuerdo cómo seguía el juego. Lo que sí sé es que quien era Estados Unidos siempre estaba atento porque muchos querían declararle la guerra, mientras que la Unión Soviética estaba más confiado.

Una vez estábamos jugando frente a casa, mientras mi padre y Antonio tomaban unos tragos en el portal. En un momento de pausa, aprovechando que mi padre había entrado, Antonio me llamó, echa pa' ca, campeón, dijo, y cuando me acerqué me hizo una sugerencia al oído. En la siguiente ronda del juego yo era Checoslovaquia y Lagardere, Estados Unidos, pero le declaré la guerra a mi primo Amílcar. Así dije: Checoslovaquia declara la guerra en nombre y en contra de… Unión Soviética. Se armó tremendo lío. Amílcar, súper confiado había echado a correr antes de que yo terminara y apenas todos me escucharon se quedaron tiesos. Amílcar también se detuvo y gritó que Checoslovaquia no le podía declarar la guerra a la Unión Soviética, que el malo era Estados Unidos, o sea Lagardere. Yo afirmé que sí podía. Y él que no. Y yo que sí. Hasta que se puso bravísimo, dijo que no jugaba más pero, sobre todo, que no quería ser más primo mío porque yo quería a Lagardere más que a él, y se fue enfurruñado mientras, desde el portal, Antonio se moría de la risa. A veces me pregunto cuál será el orden de las cosas: ¿son los niños quienes reproducen los juegos de los adultos o es al revés?

También de manera absurda, alguna vez Renata sintió celos de mi amistad con Lagardere. Cuando se conocieron enseguida se llevaron bien. Mi amigo decía que ella era perfecta para mí. Y Renata, que él y yo éramos dos caras de la misma moneda, lo cual hasta le hacía sentir una sana envidia porque ella no tenía ninguna amistad de toda la vida. Eso lo dijo en La Habana. Años después, en Lisboa, ya no era tan así. Yo seguía siendo, según me dijo una noche, el muchacho cerrado de los primeros tiempos, aquél incapaz de contarle a la mujer que tenía al lado las cosas importantes de su vida, porque yo no confiaba en ella, nunca había confiado en ella porque para mí el amor no era una cofradía, contaba más la amistad que el amor. Fue entonces cuando se le ocurrió compararse con Lagardere y decir que le hubiera gustado poder ser también una amiga para mí, que envidiaba ese derecho a la amistad del que ella había sido privada. Pero ¿cómo vas a ser mi amiga si eres mi mujer? Le pregunté esa noche y ella me miró con una sonrisa triste. No dijo nada, tan sólo suspiró, salió del cuarto, se encerró en el baño y durante un buen rato estuve escuchando el agua correr.

Qué tontería, Renata, qué ganas de complicar las cosas. Ahora, sin embargo, casi parecemos buenos amigos. Ayer, antes de despedirse, tomó mi mano, como no había vuelto a hacer en tanto tiempo, y la llevó hasta su corazón, mientras me susurraba: estoy contigo. Y ahora me acaba de enviar un mensaje para decirme que está leyendo mi blog. En estos momentos, frente a su computadora, Renata lee lo que durante tanto tiempo fue, según ella, la peor idea que se me podía haber ocurrido. Sé lo que quiere encontrar y sé que lo hace para ayudarme. Y aunque no creo que eso sirva para algo, tan sólo sentirla cerca, me hace bien.

Fue en Berlín donde empecé a acumular información, pero no sólo sobre Angola, ése fue el inicio, por supuesto, luego seguí metiéndome y metiéndome, porque la Historia no comienza un día. Lo que ocurre hoy es la consecuencia del día anterior y del anterior y así. Mientras más leía más tenía que ir a buscar los porqués un poco más atrás. Mi biblioteca y mi computadora estaban tan llenas de documentos sobre la participación de los cubanos en diferentes guerras que apenas si lograba entender nada: los dos Congo, Cabinda, Guinea Bissau,

Sierra Leona, Guinea ecuatorial, Yemen del sur, Siria, Somalia, Etiopía, Angola. Me perdía. Entonces, poco después de llegar a Lisboa, como aún no tenía trabajo, se me ocurrió hacer un blog para ocupar mi tiempo. En un blog se comparte con desconocidos algunas cosas que uno sabe, pero el hecho de compartirlas implica una gran dosis de seriedad. Al menos yo lo veo así. No es lo mismo tener una libreta donde anotar hechos. No. Con un blog estoy obligado a ser coherente y a redactar bien. Mi idea era poner un tema quincenal y alimentarlo con artículos relacionados, porque no pretendía convertirme en un bloguero famoso ni tener la verdad absoluta, simplemente quería escribir una especie de cronología de un tiempo. Y es que el único modo que conozco de comprender algo, aunque también el más difícil, es intentar explicarlo.

¿Quién iba a decirnos lo que traería todo esto? Ahora hace un tiempo que no escribo, porque no puedo. He vuelto a leer cada entrada casi con lupa, pero no quiero escribir. Me asusta. Quizá vuelva a hacerlo más adelante. Lo que de veras importa es que no estaba tan equivocado, Renata, porque para algo ha servido todo esto.

La sola idea de crear el blog me valió un desencuentro con ella. Una noche, estábamos en la cocina, ella terminaba de preparar la cena y yo ponía la mesa cuando le comuniqué lo que se me había ocurrido. Un blog, me dijo. Asentí y continué con mi entusiasmo contándole la idea. Para intentar explicar y así comprender, dijo repitiendo mis últimas palabras. Volví a asentir y continué, claro, porque uno es producto de su historia y si no conocemos la historia, pues seguimos naciendo cada día y cada día nace una generación que repite los mismos errores de la precedente y es como si no hubiéramos aprendido nada y lo peor, como no sabemos, pues nos desayunamos cada día y estamos a merced de quienes nos narren el cuento más bonito. Un blog para hablar de cosas que pasaron cuando ni tú ni yo habíamos nacido o éramos niños, replicó y contesté que sí. Ahí Renata apagó el fuego y, sosteniendo aún en mano una cuchara de madera, se dio la vuelta para mirarme.

—¿Y a quién le importan los cubanos en África, Ernesto? —dijo muy seria. Cuando estaba molesta yo dejaba de ser Ernes, para convertirme en Ernesto—. Angola marcó tu vida, pero siempre nos queda el futuro, lo decía tu padre, ¿cierto? —Tiró la cuchara de madera al fregadero, me dio la espalda y se alejó murmurando—: ¿A estas alturas a quién coño le importan África y los cubanos?

A mí, respondí bajito. A mí, repetí, aunque sabía que ya no me escuchaba, porque me había dejado solo en la cocina, junto a una cena que se iría enfriando poco a poco y a una noche que acababa de romperse como nuestra relación, que se agrietaba despacito y sin remedio.

Renata conocía por mí aquella frase de mi padre: después de cada cosa siempre nos queda el futuro. Era otra de sus grandes frases. Pero esa noche oírla en boca de mi mujer me pareció un golpe bajo, porque aunque yo me empeñara en repetirla de vez en cuando, sé que no me funcionaba mucho. De niño, sin embargo, era distinto. Cada vez que algo me salía mal o cuando vivía una experiencia como si fuera el fin del mundo, mi padre me decía aquello y era como si todo volviera a empezar. Como también había tenido que hacer él el primer día que lo recuerdo diciéndola.

Papi solía llamar a mi hermana "la princesa de casa", a mí "su machito". Yo era el asistente que le alcanzaba las herramientas mientras arreglaba el carro. Y era el aprendiz cuando se empeñó en enseñarme a jugar ajedrez, porque según él, a diferencia del dominó, ése era un juego de gente inteligente, aunque eso yo no debía decírselo a mis tíos. Al final, ni soy ajedrecista ni jugador de dominó pero no importa, estábamos juntos y eso era lo que contaba. Yo trataba de imitarlo en todo, en el modo de andar, en la manera de hablar, en sus costumbres.

Mis padres no eran lectores compulsivos como luego lo fui yo, pero leían regularmente y por ahí empezó mi vicio de la lectura. Él solía hacerlo antes de dormir y tenía una costumbre que me encantaba. Cuando terminaba, en lugar de dejar el libro en la mesita de noche como hacía mami, lo ponía en el piso, junto a la cama y a sus chancletas. A mí me hacía mucha gracia entrar en el cuarto de ellos durante el día, porque ahí estaban el libro y las chancletas como si estuvieran enfrascados en una gran conversación. Y como eso me parecía tan gracioso, quise imitarlo. Apenas mis padres descubrieron que me gustaba leer, empezaron a regalarme libros y entonces yo los iba colocando en una pila junto a mi cama y, por supuesto, junto a mis chancletas. Cada libro presidía la columna mientras duraba su lectura pero, una vez terminada, este pasaba al librero de mi cuarto junto con los ya leídos. Entonces, para que la pila nunca estuviera vacía, mi padre me compraba más y más. Creo que lo primero que me gustó de los libros fue que eran como ventanas que podía abrir para salir corriendo a través de ellas y tener experiencias distintas y luego volver y seguir estando con la gente que más quería y contarle de las historias que había vivido mientras estaba leyendo.

Yo andaría por los ocho o nueve años cuando murió mi abuela paterna. Mi hermana y yo no fuimos al entierro, a nosotros nos dejaron en casa con abuemama, pero en la noche, ya de regreso, mi padre se sentó en el portal y hay algo que no se me olvida: más que de la muerte, aquélla fue la primera vez que tuve conciencia de la tristeza. Sí, es exactamente eso. Aquélla fue la vez en que le vi a mi padre la cara más triste del mundo, la que no le había visto nunca, la que no sabía que se podía tener. Tan mala cara tenía que yo me acerqué en silencio con la intensión de ayudarlo y entonces no se me ocurrió otra cosa que empezar a contarle la historia del libro que estaba leyendo. Mientras hablaba lo miraba, claro, pero él no parecía estarme escuchando, seguía serio, como observando un punto fijo. Continué, pero parece que en algún momento me dio reparos estar haciendo cuentos sin que él me escuchara y preferí callarme. De repente dejé de hablar. Entonces él me miró. Dijo que era una historia muy bonita, que por favor siguiera, que le estaba haciendo mucho bien. Y yo seguí. Cuando terminé, mi padre sonrió dándome las gracias y entonces, quizá más para sí que para mí, dijo aquella frase.

—Después de cada cosa siempre nos queda el futuro...

Agregó que eso no había que olvidarlo nunca, que por muy triste que uno estuviera, la vida continuaba y eso yo se lo había hecho comprender bien aquella noche. Ahí me abrazó y terminamos sonriendo. A partir de ese día se volvió una costumbre lo de contarle historias. Cada vez que estaba ayudándolo en algo me entretenía haciéndole el cuento del libro que andaba leyendo. Muchas historias él las conocía, claro, pero me hacía preguntas y ponía tal atención en mis respuestas que parecía ser la primera vez que escuchaba hablar de aquello. Nunca he podido recordar cuál fue el libro que le conté el día de la muerte de mi abuela, pero sé que terminamos con una sonrisa y eso es lo importante. Que el día que mi padre tenía la cara más triste del mundo, yo logré hacerlo sonreír contándole una historia.

Después de aquella discusión con Renata donde me recordó la frase de mi padre y, a pesar de sus reticencias, cuando por fin tuve el blog en línea, ella se sentó a leerlo. Dijo que no iba a hacer como si no existiera, aunque mantenía su opinión de que escribirlo acabaría por lastimarme, porque era parte de la obsesión por el pasado que me impedía ver el presente. Yo no estuve de acuerdo, pero no dije nada.

Renata siguió mi blog en sus primeros tiempos. A veces, en la noche, mientras yo estaba trabajando en una entrada, se acercaba para hablarme de otras cosas y al ver que no le hacía caso murmuraba: Cuba declara la guerra en nombre y en contra de Perú. Era una broma que teníamos a partir de aquel juego de mi infancia. Yo le sonreía y seguía trabajando. Renata estuvo leyendo mi blog hasta que, poco a poco, dejó de hacerlo. Simplemente se aburrió de "mi tema", aunque ya para ese entonces no dijo nada. Y eso es lo peor, que era como si Perú le hubiera declarado la guerra a Cuba.

Yo sé que, en el fondo, en todos estos años hay algo que Renata nunca llegó a digerir del todo. Algo antiguo que, aunque al principio de nuestra relación no pareció tener mucha importancia, luego se volvió contra mí, contra el muchacho cerrado que era y que sigo siendo. Renata vino a saber lo que le sucedió a mi padre casi por casualidad, pero no fui yo quien le contó, porque no quise, no era un tema del que solía hablar.

Llevaríamos ya unos meses juntos, cuando una noche fuimos a un concierto de Frank Delgado. Estábamos a mitad de los noventa, la guerra había concluido para los cubanos y de ella ya se hablaba poco o nada, aunque las heridas seguían abiertas. Lagardere estaba con su novia de turno, yo con Renata. El teatro estaba llenísimo y el concierto andaba de maravilla, pero en un momento el trovador que, entre canción y canción hacía comentarios chistosos sobre la situación del país, se puso serio y tocó un acorde en la guitarra. Ahí cantó: *Angola era para mí sólo un nombre extraño, en la geografía de mis primeros años*. Se hizo un silencio y la gente empezó a encender fosforeras. Frank Delgado continuó cantando y cada vez se encendían más lucecitas en la sala. Cuando llegó el estribillo él dejó de tocar la guitarra y, a capela, acompañado por el público que también cantaba, continuó: *Angola, mi madre en realidad se quedó sola buscándome en un mapa rotulado en portugués por tus ciudades sucias y sonoras*. Ahí no pude más. Se me había hecho un nudo en la garganta, no sé, no quería escuchar más y entonces me levanté y salí pidiendo permiso mientras la gente canturreaba con los rostros sombríos: *Angola, mi novia procuró calor humano, mi perro un nuevo dueño y hasta puede suceder que algún día me llamen veterano*. Las últimas palabras me las sé, la canción entera me la sé, porque es la más hermosa que se ha escrito sobre ese tema, pero también sé que aquel día no terminé de escucharla porque salí del teatro y, ya en la acera, me di cuenta de que detrás de mí venía Renata y detrás Lagardere y detrás la novia de él.

—¿Qué te pasa Ernes? —preguntó Renata.

Yo dije, nada, y me alejé caminando. Lagardere se acercó a ella. Un rato después volví y los tres estaban esperándome sentados en la escalera del teatro. Mi amigo me miró y entendí perfectamente lo que quería comunicarme: le había contado. Renata dijo, vamos, y la seguí. Caminamos en silencio. Ella vivía cerca y yo solía quedarme en su casa. Cuando llegamos a la entrada del edificio, se paró frente a mí, tomó mi mano y la llevó hasta su corazón. Fue la primera vez que hizo ese gesto.

—Yo estoy contigo —dijo—, siento mucho lo de tu padre, si quieres hablar, subimos; si no quieres no importa, pero yo estoy contigo —repitió.

Ayer Renata volvió a hacer el mismo gesto, con la diferencia de que ayer tan sólo nos quedaba pasado. Aquella noche nos esperaba el futuro, por eso cuando escuché sus palabras sentí que la amaba. Me dieron deseos de abrazarla y de contarle un montón de cosas, pero no pude. Sabía que Lagardere se había encargado de explicarle, y yo no quería hablar de eso. No quería. Yo era aquel muchacho cerrado, como dice ella. Por eso tan sólo le agradecí, dije que prefería irme a casa, que la llamaba al día siguiente, que la llamaba, reiteré y que gracias y me fui.

Me fui.

Hijo de hombre

Recuerdo los últimos meses que mi padre estuvo con nosotros como si hubiera sido un periodo larguísimo. Mi memoria los ha repetido al infinito. Ver la película. Volver a verla. Y volver a verla. ¿Cómo sería la vida si se pudiera tener conciencia del momento en que hacemos algo por última vez?

Cuando terminé la Primaria, papi propuso que hiciéramos una fiesta. Lagardere y yo invitamos a la gente de la escuela y, aunque no nos hizo mucha gracia, a sugerencia de mi padre también tuvimos que invitar a las gemelas Lagardere. De aquel día hay dos escenas que se quedaron grabadas en mi mente: una tiene que ver con la vergüenza, la otra con la fascinación.

Resulta que en algún momento de la fiesta el casete se enredó en la grabadora y dos de mis tíos fueron a arreglarlo. Yo aproveché para salir al portal a coger fresco y, en eso estaba, cuando se me acercó una de las gemelas, no sé si Tania o Tamara. ¿Tú cantas?, me preguntó, pero ¿por qué iba yo a cantar? Es que te pareces a Albert Hammond, dijo y aclaró: por la nariz.

Por la nariz yo más bien me parecía a Barry Manilow, comenté; pero Tamara o Tania me miró afirmando que ése le gustaba a su hermana, a ella quien le gustaba era Albert Hammond, que cantaba esa canción tan bonita: *Si me amaras*. Aquélla debe haber sido la primera vez que mi temperatura corporal subió al punto extremo de ponerme las orejas rojas rojísimas ante una mujer. Le sonreí a Tania o a Tamara y, sin más, me aparté desconcertado y volví a la sala.

Adentro, mis tíos ya estaban discutiendo a causa de la grabadora, así que mi padre dijo que no importaba, encendió la radio y, como por arte de magia o quizá porque siempre repetían las mismas canciones, sonó una música y Albert Hammond comenzó a cantar: *si me amaras, si hubiera una chispa en tu alma, para iluminar mi esperanza, entonces sería feliz*. Mi padre tomó a mami por la cintura y tío Miguelito agarró a abuemama para ver si los demás los seguían. Era una canción romántica, así que los muchachos no nos atrevíamos a bailar pero, a pesar de que mi tío movía la boca imitando al cantante, todos miraban a mis padres. Yo me quedé entre la fascinación de verlos bailar, las ganas de poder hacer lo mismo con Tormenta, que estaba allí por supuesto, y el desconcierto ante las palabras de Tamara o Tania, hasta que Lagardere vino a sacarme de mi estado cuando me puso un brazo por encima del hombro y dijo: bróder, sin ofender, tu mamá tiene tremendo culo. Lo miré haciendo una mueca como quien dice "qué pesado eres". Y así, sin querer, Albert Hammond se quedó en mis recuerdos, siempre me empeñé en conservar aquella imagen, porque fue su canción la última que mis padres bailaron juntos en mi presencia y allí estarán siempre, pegando sus cuerpos mientras Albert Hammond canta una canción romántica. Hace poco busqué en YouTube y vi el video de aquellos años, todo está igual, sólo que el Albert Hammond que cantaba en mi fiesta era más joven que yo ahora.

La otra Tania o Tanita, como llamábamos a mi hermana, también estaba allí, claro. Después del momento romántico en la radio empezó a sonar Pata Pata, la canción de Miriam Makeba a quien todos conocían, porque visitaba mucho Cuba y siempre estaba en la televisión. Una vez mi padre y Tanita se habían inventado una coreografía con aquella música, moviendo los brazos en círculos hacia atrás y habíamos terminado todos en casa haciendo lo mismo. Así que cuando se escuchó la canción en la fiesta, Tanita se paró delante de papi y volvieron a su vieja coreografía. Ahí todos se fueron incorporando poco a poco. A mí me daba vergüenza bailar delante de Tormenta, pero en cuanto vi que una de las gemelas, Tamara o Tania, comenzaba a acercárseme, me incorporé al grupo y también bailé, junto a los demás, mis amigos, mis tíos, mis primos, todos moviéndonos al ritmo del "mamaia mamaia ma" de la Makeba.

Dice Tania que de aquello tiene vagos recuerdos. Quizá su memoria trata de protegerla. La memoria es una tramposa. Una vez me dijo que de su infancia sólo recordaba las fotos de nuestro padre y la cara fea de la psicóloga; que tenía que acostarse temprano y ayudar en la casa; que podía sacar malas notas porque su precoz orfandad lo justificaba y, sobre todo, que tenía que hacerle caso a su hermano, a mí, porque era grande, serio y sabía hacer bien las cosas. Sé que no es lo único que recuerda, aunque la memoria es una tramposa. Para mí Miriam Makeba también está asociada a un momento feliz, esa coreografía que mi padre se inventó con mi hermana. Es más, ahora mismo la pongo, sí, aquí tengo su música y ella me alegra. Cántame en los oídos Miriam.

Por mi graduación de Primaria, papi también me había regalado un libro de astronomía y unos prismáticos. Entonces tomamos la costumbre de subir a la azotea de casa para mirar las constelaciones. Al principio Tanita quiso ir con nosotros, pero mami se negó, la azotea era peligrosa, y además lo nuestro era una reunión de hombres, dijo. Cuando papi regresaba del trabajo yo le contaba lo que había aprendido con mi libro y, en la noche, después de comer, subíamos a la azotea. Ernestico y yo vamos a la oficina, anunciaba él, y yo agarraba mis prismáticos.

Ese verano pasamos casi un mes en la playa. Dos de mis tíos habían logrado alquilar la misma casa en Guanabo, quince días uno y luego quince días el otro, así que para allá se fue la familia. Ya por ese entonces habían nacido todos mis primos, éramos cinco varones y tres niñas. Como yo era el mayor, los demás tenían que hacerme caso pero, además, los adultos reparaban en mí. Ernestico, mijo, tráeme una cerveza. Ernestico, venga a jugar dominó que ya usté es grande. Ernestico, dile a tus primos que no griten tanto, anda, que no dejan oír la televisión. Yo me sentía importante.

La casa tenía una terracita pegada a la arena, bastaba echar a correr un poco y ya estabas en el agua. Por las noches, después de comer, cuando los adultos se ponían con sus cervezas y su dominó, yo agarraba una frazada y me tiraba sobre la arena con mis primos para contemplar las estrellas. A veces papi se acercaba. Era tan malo jugando dominó que lo sacaban rápido de la mesa, así que venía, cerveza en mano, y nos hablaba del cosmos y de misterios. De civilizaciones antiguas y de extraterrestres. Que si los aztecas y la leyenda del Quetzalcóatl, que si el desierto de Nazca, las pirámides de Egipto y los cabezones de la isla de Pascua. Papi sabía un montón de cosas, hablaba de cálculos matemáticos, de teorías y de preguntas sin respuesta. Mis primos se quedaban boquiabiertos y yo sonreía feliz, absolutamente convencido de que mi padre era el hombre más inteligente de todo el universo mundo mundial.

Pero el mundo mundial seguía dando vueltas y nosotros con él. Era 1981, Reagan estaba a la cabeza de Estados Unidos y la guerra fría volvía a tomar fuerza. José Eduardo Dos Santos había sustituido como presidente de Angola al fallecido Neto. La situación del país continuaba inestable y el movimiento opositor UNITA, casi dado por muerto, empezaba a renacer buscando apoyo en Estados Unidos. El nombre de su líder, Jonas Savimbi, se hacía conocido en las calles cubanas, mientras nuestra prensa condenaba los ataques de Sudáfrica y anunciaba firmas de convenios y acuerdos comerciales entre Cuba y Angola.

Ese año empecé la Secundaria y fui por primera vez a la escuela al campo. A abuemama aquello la tenía sufriendo desde hacía tiempo, pero era parte del curso. Teníamos que pasar un mes en un campamento donde se dormía en unos albergues largos llenos de literas. Se comía en bandejas de aluminio, una comida bastante mala. Nos bañábamos en duchas que eran pequeños cubículos de madera y usábamos letrinas, también de madera, donde abundaban moscas y pestilencias. De día hacíamos labores agrícolas, de noche había bailables en el comedor. Pensé que las preocupaciones de mi abuela eran por mí, pero nada de eso. Un día me dijo que yo era varón, el trabajo hacía al hombre y a mí no me venía mal empezar a coger carácter y ponerme fuerte. Lo que a ella le preocupaba era el día que Tanita tuviera que irse al campo. Era criminal, decía, sacar niñas de sus casas para meterlas a vivir en esas condiciones, a bañarse con agua fría y trabajar como campesinas. ¿Y tú tienes algo contra las campesinas?, le pregunté una vez y ella hizo una mueca. No, respondió, pero tu hermana es una señorita de la ciudad. Mi abuela a veces decía frases de ese tipo.

A decir verdad, a mí la idea de ir al campo me entusiasmaba por el simple hecho de pasar un tiempo fuera de casa viviendo con la gente de la escuela. En los años sucesivos, sin embargo, cada vez que debía preparar mis cosas para partir me entraba la tristeza, porque fue mi padre quien hizo mi maleta aquella primera vez. No el que acomodó las cosas que iban dentro, sino quien la construyó con sus propias manos. Todos íbamos con maletas de madera que cerrábamos con un candado para evitar, en lo posible, los robos. Papi hizo la mía con unas maderas que le había llevado Antonio. De esa tarde me acuerdo perfectamente. Estábamos en el garaje de casa y después de pintar la maleta, papi me invitó a sentarme. Tú ya eres un hombre, Ernesto, dijo, y hay cosas que es mejor conversar.

Me dijo Ernesto, no Ernestico: Ernesto. Y empezó a hablar de tentaciones. Descubrimientos. Riesgos. Cuidados. A mí se me fueron poniendo rojas las orejas, porque mi padre estaba hablando de sexo y eso me producía una mezcla de risa y vergüenza. Para mí el sexo todavía no pasaba de ser un juego entre mis manos y mi cuerpo, pero eso era un secreto. Él no tenía por qué saberlo. Tampoco tenía por qué saber que para mí el amor era el tormento de Tormenta. Ésas eran cosas personales, mías. Pero él seguía hablando. No sé si no se dio cuenta de que yo estaba casi sin respiración o si se dio cuenta e hizo como si nada. Lo que sé es que continuó hablando así, como si estuviera con uno de su edad, porque su conversación no era para dar lecciones o asustarme. Era algo normal. Por eso, poco a poco empecé a relajarme, no dije nada, pero me fui relajando, hasta que él echó un gran suspiro y puso la mano sobre mi pierna diciendo que, en cualquier caso, yo siempre debía usar… ¿Cuál músculo?

—El del cerebro, papi —respondí y chocamos las manos.

Ese momento fue importantísimo, no sólo por ser nuestra primera conversación entre hombres, sino porque fue la única que pudimos tener.

Luego no tuve que preocuparme ni por la mitad de las cosas que me había dicho, porque la verdad es que a esas edades yo era medio bobo. Era un devorador de libros que soñaba. Un tímido. Y tuvieron que pasar todavía varias escuelas al campo para que tuviera que preocuparme por algo. ¿A cuántas fui? A ver, un mes en cada año de Secundaria: tres meses. Cuarenta y cinco días en cada año del Pre: cuatro meses y medio. Los quince días de las vacaciones que tuve que ir en el Pre y en la universidad, o sea, durante ocho años: unos cuatro meses. En total, casi un experto en agricultura. Pero, curiosamente, mi memoria ha dividido los recuerdos. De un lado están todas las escuelas al campo juntas, como si fueran una. Del otro está la primera, aquélla en que mi padre aún estaba en casa, la única que si cierro los ojos regresa con una imagen nítida.

Aparte del trabajo que a nadie le gustaba, la experiencia no estuvo tan mal. Fue allí donde vi por primera vez la ropa de camuflaje, aunque todavía no estaba de moda. A nosotros nos daban ropa para trabajar, pero era fea, así que muchos usaban uniformes militares que, lejos de hacerlos parecer campesinos, les daban un toque de guerrilleros, combatientes, gente dura. Con los años, esta indumentaria se fue poniendo de moda. Pantalones y camisetas verde olivo o de camuflaje, botas de campaña, gorras de comando. Dime qué camuflaje usas y te diré dónde trabaja tu padre, si es de Tropas Especiales, del

Ministerio del Interior, de las Fuerzas Armadas o si, simplemente, es un internacionalista que estuvo en Angola. A fines de la década, para mí eso era algo fácil de determinar. Muchos años después, en Berlín, Renata se compró una minifalda de camuflaje y le quedaba tan bien que no se la quitaba. Los tejidos de camuflaje estaban de moda. La única diferencia es que la ropa militar que nosotros usamos en Cuba no fue comprada en un mercadillo europeo cualquiera, eran uniformes de verdad y muchos habían sido usados en la guerra.

Los domingos tocaba la visita de los padres y los alrededores del campamento se convertían en un gran picnic, porque las familias se instalaban bajo los árboles a comer las cosas ricas que traían de casa. Uno de esos domingos nuestras vidas empezaron a cambiar.

Normalmente los padres de Lagardere iban en el carro con los míos, pero aquel día el papá de mi amigo no pudo ir y papi le brindó su plaza a la madre de Tormenta. No sé si a mami le hizo mucha gracia aquello, pero el caso es que acabamos comiendo todos juntos. Al terminar, papi propuso a los jóvenes dar un paseo. Quería ver nuestras áreas de trabajo, dijo, y mami lo miró con esa cara de notematoporquetequiero que le ponía a veces porque, incluso yo, sabía que mi padre quería ahorrarse la conversación de la madre de Lagardere. Te guardo café para luego, dijo mami resignada, y él le tiró un beso antes de irnos.

Caminamos alejándonos del campamento. Tania iba de la mano de nuestro padre, mientras Tormenta, Lagardere y yo explicábamos las tareas diarias, que si el deshierbe, que si el escarde. En un momento papi se detuvo. ¿No escuchan?, preguntó. Tormenta dijo que sí, parecía un gemido. Echamos a andar y llegamos a un sitio donde había un pozo ciego. Papi me pidió que tomara a Tania de la mano y que permaneciéramos todos detrás. Él se acercó despacio. El hueco tendría unos... no sé, tres, cuatro o cinco metros de profundidad, da igual, el problema es que dentro había un cachorro que ya apenas si ladraba, gemía. ¡Se cayó un perrito!, gritó Tormenta. ¿Pero está muy hondo?, preguntó Lagardere. Yo quiero verlo, dijo Tania. ¿Qué hacemos?, musité yo. Papi se acercó a nosotros.

—No lo vamos a dejar solo, le vamos a salvar la vida —concluyó.

Al perro lo bautizamos Profundo por el tamaño del hueco. Y su rescate fue glorioso. Primero fuimos a casa de un campesino que nos prestó lo que necesitábamos y allí se nos sumaron algunos de mi edad. Luego cada uno tuvo su misión. Tormenta era la encargada de no soltar nunca la mano de Tania, podían estar tiradas en el piso viendo lo que ocurría en el pozo, pero con las manos siempre juntas. Lagardere y yo, también tendidos, sosteníamos la cuerda de la que pendía una cesta que bajamos hasta el fondo. Papi tenía otra cuerda a la que había atado una botella, porque al perro había que hacerle entender que aquella cesta era su salvación. Esas imágenes no se me borran de la cabeza. Mi padre empezó a balancear la cuerda dando leves golpecitos en el trasero del cachorro, hasta que este, ya molesto o desesperado, no sé, al fin puso una pata encima de la cesta y luego otra y luego las dos restantes y cuando todo su cuerpo estuvo dentro de la cesta, papi se acercó a nosotros. Ahora despacio, muy despacio, dijo. Yo sentía una mezcla de emoción y susto. El pozo estaba rodeado de público. Papi, el perrito, decía Tania. Despacio. Muy despacio. Lagardere y yo aguantando el aliento tirábamos de la soga que ya mi padre había sujetado también, por si acaso, pero éramos nosotros quienes tirábamos de ella y era eso lo importante, que él nos dejaba hacer. Cuando la cesta llegó arriba, papi estiró rápido la mano y agarró al cachorro por una pata. El pobre bicho tenía los ojos abiertísimos y la piel llena de llagas. Él lo sostuvo con las dos manos y cuando lo acercó a su cuerpo, estallaron los aplausos. Lo logramos, gritó Lagardere. Pobrecito, dijo Tormenta. Pero está feo, murmuró Tania. Creo que sé de quién es ese perro, dijo uno de los campesinos. Yo miré a mi papá y él me miró. Sentí que habíamos hecho algo hermoso. El rescate de Profundo. Sí. No lo dejamos solo. Le salvamos la vida.

De regreso, ya muy cerca de donde acampaban nuestras madres, papi pidió a los otros que siguieran y a mí que lo acompañara al carro un momento. En principio aquello no me gustó, porque sospechaba que entonces Lagardere iba a contar el rescate y en su versión estaría él solito tirando de la soga, pero mi padre quería que lo acompañara y eso hice. Seguimos andando y cuando ya los otros no se veían, él empezó a hablar.

—Ernesto, mijo, tengo que decirte una cosa.

Supe que se trataba de algo importante porque volvió a llamarme por mi nombre, sin diminutivos. Pero es un secreto que tienes que guardarme, continuó. Yo asentí. Puede ser que cualquier día de estos me movilicen, dijo, puede ser o puede no ser, pero por si acaso, si me movilizan antes de que tú regreses del campo, quiero que cuides mucho a tu mamá, a tu hermana y a tu abuela. Ahí me detuve y lo miré. La última "movilización" que conocía era cuando Antonio se había ido para Angola.

—¿Tú te vas a la guerra, papi? —pregunté.

Él también se detuvo y me miró con una sonrisa poniéndome las manos sobre los hombros. Hay que ver que ya eres un hombre, dijo, estoy tan orgulloso de ti. Podía ser y podía no ser que lo movilizaran, explicó, pero ése era nuestro secreto, mi hermana no debía enterarse. ¿Y mami?, pregunté. Si sucedía, ella lo sabría, claro, pero de eso no teníamos que hablar con nadie, ¿ok? Terminó levantando su mano para que la chocara. Yo dije ok y choqué. Sonreí y retomamos la marcha.

—Si te vas a la guerra —le dije—, acuérdate de usar siempre el músculo del cerebro.

Papi se echó a reír y a mí su risa me dio más risa que mi propio chiste. Por eso se me olvidó decirle que también yo estaba orgulloso de él, que tan sólo imaginarlo como un soldado defendiendo las causas justas me llenaba de emoción, que yo no tenía ni idea de qué cosa era una guerra y, sobre todo, que aún no era un hombre, era un muchacho, un hijo de hombre. Nada más que eso. Se me olvidó decírselo y ya no tuve tiempo. Una semana después de mi regreso de la escuela al campo mi padre se fue para Angola.

Sin novedad en el frente

Renata me ha enviado otro SMS. Sigue con el blog. No sé si va a encontrar lo que busca, pero me conmueve. Al final, de algo ha servido mi "obsesión con el pasado". ¿No? Fue gracias al blog que empecé a relacionarme más con Berto. Un sábado, después de correr junto al río, fui al café de João y él me recibió con una sorpresa. Su amigo, el cubano, le había preguntado por mí y como João le dijo que yo solía pasar por allá los fines de semana, pues el hombre me había dejado una nota. Agarré rapidísimo el papel que me estaba dando João y leí. El extraño hombrecito decía que era una pena no haberme visto, pero esperaba hacerlo cuando regresara a Lisboa. Que le había echado un vistazo a mi blog y le parecía muy interesante. Y que no se le había olvidado que me debía unas historias, por eso me anotaba su teléfono para no dejar de vernos en su siguiente viaje. Leí la nota dos veces. No me lo podía creer, el mismo hombre que antes parecía haberse molestado con mis preguntas sobre la guerra, ahora hasta se brindaba para contarme historias. Pensé que, en realidad, el tipo era buena gente y se había dado cuenta de que la vez anterior me había tratado sin motivo de manera muy brusca, lo cual lo hacía sentirse mal. Encima había visto mi blog y se había percatado de que yo era un tipo serio. Por tanto, no veía la hora de disculparse. Sonreí contento y guardé la nota en mi bolsillo.

Cuando João se acercó con mi cerveza le dije que quería preguntarle algo y me sonrió haciendo un gesto interrogante. Quise saber desde cuando conocía a Berto y qué clase de tipo era. João apoyó los codos en la barra mirándome. El dueño de un café es como el cura de una iglesia, dijo, escucha a todas las personas sin hacer comentarios y no le cuenta nada a nadie. Sonreímos. João se incorporó para concluir que el cubano era buena persona, como todos los que frecuentaban su local, porque aquél era el mejor café de toda Lisboa ¿cierto? Volví a sonreír afirmando que sí, claro, ése era el mejor café de la ciudad y João el mejor anfitrión. Pensé que yo era el más estúpido por haberle hecho esa pregunta, pero eso preferí no decírselo, me bastó con la sonrisa. Lo más importante era que el extraño hombrecito quería verme.

Esa misma semana intercambiamos mensajes donde nos pusimos de acuerdo y en su siguiente viaje a Lisboa quedamos en donde João. Yo ya me había propuesto no caerle encima pidiendo que me contara historias sino dejar que las cosas fluyeran, que fuera una conversación amistosa donde los dos nos sintiéramos cómodos y luego, así, en algún momento él podría contarme. Me interesaba sobre todo escuchar en primera persona cómo había llegado a Angola, cómo era el reclutamiento en aquellos años, cosas que nunca pude preguntarle a mi padre y de las que luego Antonio apenas si quería hablar. Nuestra conversación comenzó muy bien. Él propuso que en lugar de la barra nos sentáramos en una de las mesas, porque en ese café había mucho ruido. Dijo la palabra ruido en voz alta mirando a João y este le soltó una carcajada, antes de decirle que si quería un "privado", él tenía una plaza vacante en la cocina, lavando platos, concluyó. Los tres reímos y Berto y yo, cervezas en mano, nos fuimos a una mesa.

Él era de La Habana, como yo, me dijo, porque yo le había dicho que era de la capital. ¿Y de qué barrio?, quiso saber. Dije dónde estaba mi casa, en Playa, cerquita del puente Almendares. Barrio lindo, afirmó, él era de Centro Habana, pero allí no le quedaba familia, ya no era joven, la vida pasa. ¿Y tu familia?, preguntó y respondí que seguía en casa, esperando siempre mis vacaciones para volver a vernos. Qué bonito, dijo antes de oler su cigarro de exfumador. Sonreí porque su gesto me hizo gracia y él, mirándome, arqueó las cejas de una manera cómica, antes de volver a oler el cigarro.

Terminado el ritual afirmó que mi blog le había gustado mucho, entró para echarle un simple vistazo y cuando se dio cuenta llevaba un buen rato metido dentro. Para esas fechas, aunque sinceramente no le daba mucha publicidad, ya tenía cierto movimiento. Internet es increíble. A veces tenía comentarios, sobre todo de cubanos, por supuesto, e incluso algún lector me había enviado enlaces a otros sitios y hasta documentación sobre el tema. Mis lectores eran en su mayoría gente que yo conocía o amigos de ellos, porque cuando creé el blog envié un mensaje a mis contactos dando la noticia. Por eso saber que a un desconocido se le había ido el tiempo navegando me alegró mucho, pero todavía me alegraron más sus elogios siguientes. Eres un tipo serio, me dijo, se ve que has investigado, porque hay cosas de las que yo ni me acordaba y que tú has puesto en orden. Buen trabajo, pero si tú eras un chiquillo ¿por qué te interesa tanto esta vieja historia? Ahí le solté una de mis peroratas con todas aquellas palabras que me comían la cabeza. No mencioné a mi padre, eso era algo demasiado personal que nada tenía que ver con aquel desconocido. Yo solté mis palabras prefabricadas. Y, claro, le dije, como ya no soy un chiquillo, quería entender. Ése me pareció el momento perfecto para explicarle que precisamente me interesaba lo que él pudiera contarme para saber cómo eran las cosas cuando yo era un chiquillo. Aquella tarde tomamos unas tres cervezas y antes de que su hija lo llamara por teléfono para decirle que el almuerzo estaba casi listo, él me contó cómo se había ido para Angola. El año que Tamayo se fue al cosmos ¿te acuerdas? reafirmó. Cuando nos despedimos prometió que me mandaría un SMS antes de su regreso, porque nuestra conversación no era más que el inicio de una amistad o, al menos eso espero, concluyó. Y yo estuve de acuerdo.

El año que Tamayo se fue al cosmos Berto trabajaba en La Habana en una empresa de transportes. Un día lo convocaron a una reunión y le preguntaron si estaba dispuesto a ir a una misión internacionalista en África, a ayudar a un país hermano en lo que él sabía hacer. Él respondió: con Berto Tejera Rodríguez pueden contar, vamos pa' donde sea. Poco después se fue para Angola como chofer. Él no era militar, pero se trataba de un país en guerra, así que al llegar le retiraron el pasaporte, le dieron ropa de campaña y una chapilla con su número de identificación que debía llevar siempre colgada del cuello.

En aquel tiempo los que iban eran voluntarios, aunque con los años la palabra "voluntario" fue tomando ese extraño tono que tiene en mi país. Te preguntaban si estabas dispuesto a cumplir misión y si no lo estabas, allá tú con las consecuencias. Alguna gente te miraba mal, te decían cobarde, se burlaban de tu poca hombría, podías tener problemas en el trabajo por no dar el paso al frente, cosas así. Pero hubo algo de lo que me dijo Berto que me dejó asombrado, aunque no creo que sea ésa la palabra justa. En realidad no sé cuál palabra define lo que sentí en aquella primera conversación cuando me contó que antes de pensar en nada él dijo: vamos pa' donde sea. Es que muchos iban porque sí, afirmó, porque más allá de toda esa retórica de países hermanos y tercermundistas, África está en nuestra sangre. Nosotros somos África, muchacho. Berto es blanco, pero como se dice: "en Cuba quien no tiene de Congo tiene de Carabali", buena parte de los esclavos que llevaron cuando la colonia eran de la región que hoy es Angola. Por ahí algún ancestro africano debo tener, afirmó. Y aunque sabía, como todo el mundo, que ese país estaba en guerra, no estaba interesado en verla, lo suyo era simplemente ayudar. Eso fue lo último que le escuché decir antes de que su hija lo llamara y tuviéramos que quedar en vernos a su regreso a Lisboa, porque algo tenía claro yo en esos momentos: aquel hombre podía contarme muchas cosas que me interesaban.

Berto había tenido razón: ya en el tiempo en que él se fue, todo el mundo sabía que había una guerra, los adultos, los niños, todos lo sabíamos. Por eso cuando mi padre partió, casi un año después de Berto, yo no entendí muy bien para qué me había pedido que no hablara sobre su partida, ni por qué mi madre lo había secundado. Cumplí mi promesa de no hablar. Eso sí. La cumplí hasta que Lagardere me preguntó si mi padre estaba en la guerra y yo, bajando la voz, asentí diciendo que era un secreto. ¿Secreto?, preguntó él, pues mira que en mi casa ayer estaban hablando de eso. Quizá mis padres querían impedir que yo pensara demasiado en la palabra "guerra" y que mi hermanita se asustara. Seguro era eso. Un día, mami llegó a casa muy molesta diciendo que la chismosa de enfrente, o sea, la mamá de Tormenta, le había preguntado, delante de Tanita, si ella y papi se habían separado y cuando mami respondió que no, la otra movió la cabeza afirmando: entonces a Miguel Ángel lo mandaron pa' África. Mi hermana intentó preguntar algo, pero mami la había cortado tajante y juraba que en cuanto volviera a cruzarse con la vecina la iba a poner en su lugar.

Con la partida de papi, en casa ya no se hicieron más fiestas. Mis tíos iban a saludarnos y a ayudar en lo que hiciera falta, pero cada uno por su cuenta. Melquiades era quien pasaba más tiempo con nosotros, le encantaba la comida de abuemama por eso muchos domingos almorzaba en casa y no se iba hasta después del noticiero de la noche. A veces él y mami pasaban largo rato conversando sobre las cosas que estaban sucediendo y yo solía sentarme con ellos a escucharlos.

Tengo la sensación de que en aquellos tiempos vivíamos con la Historia todavía más cerca de la piel. Ya había vencido la Revolución Sandinista y en El Salvador luchaba el Frente Farabundo Martí para la Liberación Nacional. Y en la calle la gente tarareaba la canción de Silvio que decía: *andará Nicaragua con El Salvador*. Al arzobispo Arnulfo Romero lo habían asesinado en San Salvador. Y en la calle la gente tarareaba la canción de Rubén Blades que decía: *nunca se supo el criminal quién fue del Padre Antonio y su monaguillo Andrés, doblan las campanas, un, dos, tres...* De nuestra parte, todavía teníamos frescos en la mente los sucesos de la embajada del Perú y la crisis del Mariel, que terminó con más de cien mil cubanos partiendo de la isla. Tío Melquiades tenía un amigo que había decidido irse con su familia, pero antes de poder hacerlo tuvo que soportar a sus vecinos parados en la puerta de casa insultándolos y eso a mi tío no le había gustado. Una cosa era ser revolucionario, decía, y otra ser un grosero. Si su amigo quería irse, pues que se fuera pero ¿por qué tenían que acosarlo?, seguía preguntándose mi tío cada vez que el tema salía en la conversación.

Ése fue un tiempo de griterías y manifestaciones. Cuando se inventaron las llamadas "marchas del pueblo combatiente" y se hicieron los mayores desfiles militares en la Plaza de la Revolución para mostrar nuestro arsenal de armamento, tanques, cazabombarderos. A mí en realidad no me interesaba tanto lo que estaba sucediendo, yo ni veía el noticiero, lo que me gustaba era escuchar a mami y a mi tío, porque las noticias comentadas por ellos se volvían cosas cercanas. Poco después de que mi padre se fuera, mami se había incorporado a las MTT, las milicias a las que debían integrarse todos los adultos que no formaran parte de la Reserva y, aunque a ella no le entusiasmaban mucho los entrenamientos militares, decía que era su deber hacerlos. A tío Melquiades, sin embargo, sus problemas en la columna lo exoneraban de participar, pero eso para él era una vergüenza. Si un día de verdad nos invade el enemigo, me dijo una tarde pesaroso, yo no sé usar un fusil, me van a mandar a la cocina y tampoco sé cocinar.

Sobre lo único que mi madre y mi tío no hablaban mucho en aquellas tardes, al menos no en mi presencia, era sobre Angola. Hacía rato que el envío de tropas era masivo, ya no sólo iban militares de carrera como al principio, sino también los de la Reserva, como mi padre, los del Servicio Militar, todos. Dudo que existiera un barrio en el país sin ningún vecino en África, aunque aún no se hablaba de combates. En la prensa se firmaban protocolos de colaboración y se despedía a maestros y constructores internacionalistas, hombres y mujeres. Pero de eso, mi madre y mi tío apenas hablaban.

Un día que debería haber sido hermoso, en casa hubo una discusión. Mami había citado a toda la familia para leerles la primera carta que había mandado mi padre. En realidad eran tres cartas: una dirigida a abuelo, otra a mami que incluía mensajes para Tania y para mí y una tercera dirigida al resto de la familia en la que había escrito "para que la lean el domingo". Recuerdo que tío Melquiades se molestó porque su hermano no le había escrito en privado y hasta amenazó con no ir a casa, pero alguien logró convencerlo de que mi padre estaba en la guerra y eso era razón suficiente para no poder dedicarle mucho tiempo a la escritura, así que Melquiades llegó, un poco tarde, pero llegó. Y cuando, finalmente, todos estuvieron acomodados en la sala, mami comenzó a leer:

"Mi gente querida, el lugar donde estoy ahora es como la terminal de trenes del último pueblo de la provincia más perdida del mundo (creo que si algún tren pasara por aquí, ni siquiera se detendría), pero estoy bien..."

Yo me sé aquella carta de memoria, me sé casi todas las cartas, porque las he leído muchas veces. Los sobres de la época eran blancos y tenían en el borde unas franjas azul y roja. Junto al destinatario estaba impresa la imagen de algún mártir revolucionario o de un monumento de la Revolución cubana y el sello, que no era pegado sino parte del sobre, tenía el rostro de José Martí. La dirección del remitente era el número de una unidad militar. La palabra Angola no aparecía por ninguna parte.

Aquella carta era de dos páginas. Escrita con el tono bromista de mi padre. No hacía alusión a situaciones peligrosas, contaba de sus rutinas, de la geografía y de la suerte de estar junto a su amigo Antonio que ya tenía experiencia. Porque sí, Antonio estaba nuevamente en Angola. Habían partido juntos. Una vez le pregunté por qué lo había hecho. ¿Por qué dos veces, Antonio? Me respondió que era lo que había que hacer y que hubiera vuelto, de no ser porque aquella vez, su mejor amigo, mi padre, no había regresado.

"... bueno, cuídense mucho, sepan que aquí estoy cumpliendo con mi deber y que los quiero un montón. Les mando millones de besos al cuadrado. Miguel Ángel."

Cuando mami terminó de leer hubo un silencio hasta que abuelo echó un gran suspiro. Tío Melquiades le dio dos palmaditas en el hombro diciendo que si no fuera por sus problemas en la columna, también se presentaba y habría dos combatientes internacionalistas en la familia. Fue ahí cuando tío Miguelito explotó:

—¿Y pa qué cojone esta familia quiere combatientes, chico? ¿A ver, qué coño se le perdió a mi hermano en aquel lugar? Todo por culpa del Antonio ese, fue él quien le metió en la cabeza la idea de la guerrita.

Según tío Miguelito, la primera experiencia de Antonio había sido muy corta, no llegó a un año y se había quedado con ganas de seguir jugando a los pistoleros, así dijo, jugando a los pistoleros, pero como no le bastaba con su estupidez le había empezado a envenenar la cabeza a mi padre, con que si había que dar el paso al frente, que si el deber de un revolucionario era ayudar a sus hermanos africanos y toda esa partida de idioteces que decían todos los que se creían machos porque llevaban una Kalashnikov colgada del hombro. Claro, concluyó: él no tiene familia de qué preocuparse. Yo ya sabía que Antonio no le caía muy bien a Miguelito, pero no imaginaba que le tuviera tanta antipatía. Mi madre enfrentó a mi tío diciendo que su esposo no necesitaba que nadie le metiera cosas en la cabeza porque él sabía muy bien lo que tenía que hacer y en cuanto a nosotros, tanto ella como sus hijos estábamos orgullosos de mi padre que era un valiente y un revolucionario. Yo estuve de acuerdo, aunque no dije nada, claro. Tío Martín apoyó a Miguelito, revolucionario, sí, dijo, pero Angola estaba lejísimo y ya los cubanos habían ayudado cuando la independencia, a ver si no era mejor que todos regresaran para seguir construyendo nuestro país en lugar de estar allá tan lejos y con guerra.

—¿Tú también, Martín? —preguntó mi madre.

—Es que una guerra es una guerra —replicó él.

—¡Y las balas no tienen nombre, cojone! —agregó Miguelito.

Alguno de los otros saltó diciendo que qué barbaridad, qué coño les pasaba y cómo iban a hablarle así a mi madre, mi padre era revolucionario hasta las últimas consecuencias, qué carajo. No recuerdo quién fue el que habló, pero fuera quien fuera, no dudo que todavía esté escuchando sus propias palabras cada noche antes de dormir. La discusión sólo se detuvo cuando abuelo gritó que estaba bueno ya, todos eran muy zagaletones para andar en esa gritería y diciendo esas cosas delante de los niños como si fuéramos una familia mal llevada, que a mi madre no le podían faltar el respeto y hasta tenían asustada a abuemama. Mis tíos callaron.

Finalmente, Miguelito se acercó a mami pidiendo disculpas. Su hermano tenía cojones pa' enfrentarse con cualquiera y pa' mucho más, dijo, pero él, Miguelito, estaba en contra de que fuéramos a esa guerra. Ella le hizo un gesto como de "no pasa nada". Y abuelo, seguramente para liberar tensiones, dijo que quería escuchar otra vez la carta, su hijo escribía tan bonito que daban ganas de volver a escucharlo. ¿Ustedes no creen?, preguntó. Mami se aclaró la garganta, volvió a sentarse y empezó a leer:

"Mi gente querida..."

Cuando la lectura terminó. Miguelito salió a fumar al portal y Martín le siguió los pasos. Martín es el padre de Amílcar, quien estuvo sentado junto a mí todo el tiempo. Yo vi alejarse a mis tíos y pensé que, en el fondo, eran unos cobardes que nunca serían capaces de hacer lo que hacía mi padre. Recuerdo que miré a Amílcar y me dio hasta pena que él no pudiera estar tan orgulloso de su padre como lo estaba yo del mío. Aquel día, mientras mis tíos fumaban en el portal, pensé en las ganas que tenía yo de crecer para poder agarrar un fusil e irme a la guerra.

Son cosas que uno piensa. A veces.

La metamorfosis

Muchos años después le pregunté a Amílcar si recordaba aquel día. Mi primo se fue a Madrid a inicios de los noventa, y cuando yo llegué a Berlín viajó para verme aprovechando no sé si fue Pascua o cualquiera de esas fiestas que hay por aquí. Es la única vez que nos hemos visto desde que vivimos fuera de Cuba y conversamos mucho, pero no se acordaba del día de la lectura de la carta.

Cada memoria tiene su propio mecanismo de elección de los recuerdos. En aquel viaje Amílcar me contó cosas de las que no me acordaba, yo le conté otras. Fue como volver el tiempo atrás. Pena que Renata estuvo casi a punto de estropeármelo todo. Mi primo y yo pasamos esos días recorriendo Berlín y bebiendo cervezas en las terracitas hasta tarde. Recordando. Renata dejaba notas pegadas al refrigerador, que iba a casa de su padre o de una amiga, cosas así. Mi primo y ella acababan de conocerse, por eso comimos en casa el primero y el último día, pero ellos no tenían nada especial de qué hablar. Me despedí de Amílcar en el aeropuerto y de regreso a casa, Renata me recibió con un: espero que tus fiestas hayan sido felices. Su frase tenía un tono irónico y su rostro una expresión muy seria. Entonces nos acusó de machistas. Mientras los machitos bebían en la calle, dijo, ella había estado sola en fechas en que las familias solían estar juntas. Pero a mí qué me importaban esas fiestas y, además, si eran familiares, expliqué, yo había estado con mi primo. Ahí me cayó otra bronca, sólo que, sinceramente, me sentía tan contento que decidí no escucharla. Renata hablaba y, mientras veía su boca moverse, preferí pensar en mis conversaciones con Amílcar. Yo le había contado de cuando, huyendo de él y de Tanita, Lagardere y yo nos refugiados en el garaje y presenciamos la conversación de los adultos sin saber que nunca más, ni dormido, yo dejaría de escuchar la palabra Angola. Renata hablaba y hablaba. Amílcar tiene vagas imágenes de mi padre, de su cara porque aparece en las fotografías y de las cosas que mi tío le ha contado. Renata seguía diciendo yo qué sé. Amílcar no se acuerda de la bronca después de la carta, pero sí de las fiestas. Cuando Renata terminó de hablar le di la razón y le pedí disculpas. Total, me daba igual, lo único importante para mí era que había estado con mi primo reconstruyendo momentos de nuestra infancia.

A veces los recuerdos son como pedazos de pan mojados en leche. Se van deshaciendo, pero no en migajas sino en trozos amorfos que suenan al caer, plof plof. Eso le dije un día a Renata y me miró con una de esas caras que ponía cuando ya mis frases no le parecían ni originales ni simpáticas. ¿Plof plof? preguntó. Yo moví la cabeza de arriba abajo. Ella la movió de un lado a otro haciendo una mueca y salió de la habitación.

Los recuerdos, plof, plof. Cuando mi madre se integró a las milicias yo vi la posibilidad perfecta para realizar una de las cosas que más me gustaba: subir a la azotea. Luego de la partida de papi, ella no quería que subiera porque había cables y decía que podía caerme, sólo aceptaba cuando la antena del televisor tenía problemas, pero entonces ella iba conmigo. Con cuidadito, mijo, decía, y mientras me iluminaba con una linterna, yo debía ocuparme de girar la antena según las indicaciones de abuemama desde la sala y de su vocera Tanita a los pies de la escalera. Los entrenamientos militares de las MTT eran los domingos y mami regresaba muerta de cansancio, por eso en la nochecita se quedaba dormida junto a abuemama delante del televisor. Entonces yo podía subir a la azotea para contemplar las estrellas. Solo. Unas veces llevaba un libro y una linterna y me ponía a leer. Otras, miraba las constelaciones y pensaba. Soñaba. Siempre me gustó soñar.

En mis recuerdos de ese tiempo hay una mezcla extraña. Mi padre no estaba, pero mandaba cartas hablándome como a un amigo y me daba misiones, cosas que yo debía hacer en casa, asuntos de hombres. No tengo recuerdos cronológicos. Sólo que mi padre no estaba, pero la vida seguía andando, porque la vida siempre sigue su curso.

Yo cada vez me sentía más enamorado de Tormenta. A ella le parecía increíble que me hubiera leído tantos libros y supiera tantas cosas. Decía que yo era el más inteligente del aula y a mí se me ponían las orejas rojas, sobre todo observando la manera en que su cuerpo había empezado a desarrollarse y esos tonos cálidos que ya sabía darle a su voz mientras me decía Conde de Montecristo o peor: mi condesito inteligente. Me encantaba oírla llamarme inteligente en lugar de "consciente" que era como se le decía a los buenos alumnos y como a Lagardere le gustaba definirme, tan sólo para molestar. Luego descubrí que lo de Tormenta no era más que simple admiración de compañera de aula, pero en aquellos momentos sus palabras me hacían sentir en las nubes. Y eso era demasiado importante. Aunque no se lo decía a nadie. Ni a mi padre en mis cartas.

Fue un día de ésos cuando llevé a Tormenta por primera vez a la azotea a ver las estrellas. En realidad, me hubiera gustado que subiéramos solos, pero no me atreví a decírselo, así que no me quedó más remedio que invitar también a Lagardere, quien ya había subido conmigo y con papi.

Era domingo. Mi amigo y yo estuvimos un rato en el portal, mientras Tormenta esperaba en el suyo. Apenas abuemama y mami se acomodaron en la sala, delante de la televisión, contamos pocos minutos y le hicimos una seña a Tormenta para que viniera. Subimos calladitos. Arriba pedí a los otros que anduvieran con cuidado de no tropezar y nos fuimos a la esquina que quedaba encima de mi cuarto, más apartada del techo de la sala. Yo fui mostrando lo que conocía: ésa es la Osa Mayor. Lagardere se había llevado unos prismáticos y apenas subimos se los brindó a Tormenta. Aquélla es la menor. Tormenta estaba junto a mí, ambos teníamos prismáticos y mirábamos al cielo. Y allí está Casiopea. Yo dibujaba las formas con el brazo extendido. No la veo, dijo Tormenta. Ahí: una, dos, tres, cuatro y cinco estrellas, dije yo. Ahí está clarito: una... dos... tres y cuatro y cinco dijo Lagardere quien se había colocado a la espalda de Tormenta y desde allí su mano levantaba el brazo de ella señalando al cielo. ¿La viste?, agregó. Ahora sí, dijo ella sonriendo y, volviéndose hacia él, preguntó: ¿y tú también sabes de estrellas? Mucho, fue la respuesta de mi amigo. Yo seguía con los prismáticos delante de mi cara, pero con el rabillo del ojo pude notar que se estaban mirando. ¿Y sabes cuál es la estrella Polar?, pregunté para romper la situación que empezaba a molestarme. Tormenta negó. Entonces bajé los prismáticos. Sé que quise tomarla de la mano, pero no me atreví, sólo conseguí hacerle simplemente un gesto. Ven, ésa hay que verla en medio de todo el cielo, dije y me senté en el piso. Ella se sentó junto a mí. Mira que tú sabes cosas, susurró. Yo me tendí bocarriba y ella hizo lo mismo. Junto a mí. A Lagardere seguramente no le gustó mi actitud, por eso fue enseguida a acostarse junto a ella y antes de que yo pudiera decir nada levantó el dedo señalando: es aquélla. Me dio rabia, si él lo sabía era porque yo se lo había enseñado, pero ya nada podía hacer. Qué lindo todo, susurró Tormenta sin dejar de mirar al cielo. Y así estuvimos largo rato. Acostados los tres en la azotea. Ella al centro y, sobre nosotros, el universo mundo de un día cualquier de verano que estaba a punto de caerme en la cabeza.

Después vienen los plof plof. Pedazos de pan mojados en leche que caen. Plof. Trozos amorfos. Plof. Fragmentos de cartas de mi padre:

"Ernestico, espero que hayas ordenado el reguero que dejé en el garaje, el garaje es tarea de hombres, ¿ok? Además, tu madre me contó de los problemas que tuvo Tanita en la prueba de matemática, ayúdala mijo que tú eres bueno en eso. Ella te necesita. Confío en ti y te quiero."

Plof. Fragmentos de vida cotidiana que sólo se vuelven importantes cuando descubrimos que ya se han ido.

"Ernestico, hace falta que le des carga a la batería que está en el garaje. El cargador tiene el cable doble con las presillas, el positivo tiene un nudo. En la batería el positivo es el poste más grueso. Conecta los cables a la batería y quita las tapitas. DESPUES, sólo después conectas al tomacorriente. Déjalo no menos de 6 horas y no más de 10. ¿Podrás? Claro que sí, tú eres mi machito, el hombre de la casa".

Plof plof. Fue un tiempo corto y largo. Si uno pudiera tener registrado cada día de su existencia entonces la palabra memoria casi carecería de sentido. Si uno pudiera tener registrado cada día de su existencia entonces, quizá, no se atrevería a verlo. No quisiera. Mejor que la memoria siga siendo esa cosa extraña que abruma y obsesiona.

Un día de 1982 salí de casa con Tormenta y Lagardere. Fuimos a nuestra selva verde. Era el último día de mi infancia aunque aún no lo sabía. Luego regresé y tuve que convertirme en otra cosa. El día de mi metamorfosis se quedó registrado para siempre en mi memoria. Aunque no son más que recuerdos. Simples recuerdos que ahora se deshacen como un pedazo de pan mojado que se desprende lentamente y que, intentando llegar el suelo donde poder reventar, sólo encuentra silencio. Y no para de caer. Porque la vida sigue, la vida siempre sigue su curso. Y eso es lo mejor. O lo peor. ¿Quién sabe?

Ploooooooffffsssssssssssssss.

Los días que siguieron a la noticia de la muerte fueron extraños. Mi cabeza guarda imágenes sueltas. Rostros desconcertados. Mami acababa de convertirse en una viuda joven. Mi hermana y yo en huérfanos. Mi abuelo en... Curiosamente no existe una palabra para nombrar la pérdida de un hijo, será que es demasiado injusto. No sé. Aquellos días mi casa se llenó de gente. Algunos intentaban soportarlo repitiéndose que mi padre era un héroe, otros permanecían en silencio. Mis primos parecían estar más pegados que nunca a sus padres. Y a tío Miguelito tuvieron que calmarlo entre varios porque salió al portal y, mientras daba patadas contra el muro, iba gritando lo que pensaba sobre aquella guerra y cagándose a gritos en la madre de Fidel Castro, de Dos Santos, de la UNITA y por ahí: del Che Guevara, del Comunismo y de todo el continente africano.

Abuelo no quiso salir de su casa. Mami y yo fuimos a visitarlo. Mis tíos Melquiades y Miguelito vivían con él. Abuelo estaba sentado en un sillón, sin mecerse, mirando un punto fijo. Dijo que la Revolución se lo había dado todo, que había permitido que sus hijos estudiaran, que antes él no tenía nada, pero con la Revolución sus hijos habían podido hacer algo, que eran buenos muchachos y habían estudiado. Mami le tenía tomada una mano y él seguía mirando el punto fijo y diciendo que Miguel Ángel se había hecho ingeniero. Nos salió un buen muchacho. Un buen muchacho, repitió, de los mejores y eso hay decirlo, porque hay cosas que es mejor decirlas antes de que sea demasiado tarde, concluyó.

Todo era muy confuso. Los tíos varones hacían propuestas para reorganizar nuestras vidas. De repente todos se interesaron en saber lo que yo pensaba y sentía. Recibí explicaciones y toda suerte de palabras pronunciadas bajito en el portal de casa, mientras adentro las mujeres preparaban la comida. Una palmada en el hombro y échese un trago de ron que usted ya es un hombre. Un abrazo que me apretujaba todo el cuerpo y usted aguante, mijo, hombre a todo como su padre, cojones. Mi padre nunca decía malas palabras. Pero mis tíos sí, sobre todo en un momento en que seguramente necesitaban que las palabras tuvieran el peso que la muerte les quita. Porque la muerte es hueca y se ríe de los adjetivos: absurda, inútil, inesperada o dulce, da igual. Para vencer el susto de la muerte mis tíos varones necesitaban hacer crecer paredes en mi cuerpo. Eso. Algo que pareciera tierra firme.

Los primeros días ni Tania ni yo fuimos a la escuela. Ella lloraba y yo empecé a moldear este carácter taciturno que me acompaña. Cuando Lagardere fue a visitarme, mami lo hizo pasar a mi cuarto. Yo ni había tenido tiempo de pensar en la última que vez que nos habíamos visto, cuando lo del bosque y Tormenta. Pero ya nada de eso importaba. Ni él, ni ella, nada. Mi terrible odio adolescente sólo había podido durar algunas horas, por eso me alegró verlo aunque no di muchas muestras de ello.

Cuando mi amigo entró en el cuarto yo estaba tirado bocarriba en la cama con la cabeza apoyada sobre los brazos cruzados, mirando al techo. De eso me acuerdo perfectamente, porque en aquellos días el techo se volvió para mí el planeta perfecto donde escapar. Uno de los últimos trabajos que había hecho papi en casa era tumbar los pedazos de techo que estaban casi al caer y tapar los huecos con cemento. La idea era pintar enseguida, pero a papi no le había dado tiempo de hacerlo porque a África le urgía su presencia. Era por eso que en casi todas las habitaciones los techos estaban llenos de parches de cementos con formas diversas. Yo en el de mi cuarto buscaba figuras, perfiles humanos, moléculas, cualquier cosa. Lo mejor de las formas indefinidas es que pueden tomar cualquier definición. Y que la definición siempre está sujeta a cambios.

Cuando Lagardere llegó yo estaba una vez más inventando territorios en el techo. Mi amigo entró y se sentó en la cama junto a mí. Preguntó cómo me sentía y dije "ahí". Agregó que estaba muy impresionado y había llorado muchísimo al saber la noticia.

—Los hombres no lloran —afirmé.

De mis tíos, al único que se le había habían salido las lágrimas delante de todos era a Miguelito y, aunque en ese momento nadie le dijo nada, él no volvió a hacerlo. Luego, cuando venía a casa solía tener la cara seria, descompuesta, pero no lloraba. Creo que eso era mejor para todos.

—Mírame, Ernesto.

Cuando Lagardere pidió que lo mirara aparté la vista del techo y, en efecto, lo miré. Él tenía los ojos un poco vidriosos. Quería que yo supiera que sería mi hermano para toda la vida. Era cierto que los hombres no lloraban, dijo, pero si me entraban deseos de hacerlo, él no se lo iba a decir a nadie, porque estaba justificado. Además, sabía que seguramente yo estaba molesto con él por lo de Tormenta, pero de eso hablaríamos en otro momento, porque eso era otra cosa. Lo primero, lo más importante, era que yo supiera que él sentía el mismo dolor que yo, porque a mi padre lo sentía también como suyo y nosotros éramos hermanos aunque no lo fuéramos.

Lagardere dijo todo de un tirón y a mí se me hizo un nudo en la garganta, aunque no lloré. Tuve ganas de decirle que me sentía súper mal, que no entendía nada. Pero no lo hice, en su lugar levanté la espalda, me senté en la cama y extendí una mano hacia él que la agarró apretándola fuerte. Entonces empujó mi cuerpo hacia sí y me abrazó dándome golpecitos en la espalda. La verdad es que nunca nos habíamos abrazado de ese modo. Fue extraño y fue lindo. Y, sobre todo, fue mucho mejor que buscar figuras en el techo.

Días después hablamos de Tormenta. A él le había gustado siempre, confesó, y a ella le gustaba él, aunque por mí sentía mucha admiración y cariño. Fue Tormenta la primera mujer que me hizo comprender que "te tengo un gran cariño" es la fórmula elegante de comunicarnos que las cosas no llegarán muy lejos, pero en aquel momento ya hasta Tormenta había perdido sentido para mí. Si ella no fue a visitarme a casa en aquellos días fue porque, a pesar del dolor por lo de mi padre, también sentía vergüenza de presentarse ante mi madre después de lo que esta había dicho sobre ella. Eso me lo explicó apenas regresé a la escuela y yo la entendí, aunque sabía que a esa altura del tiempo a mi madre no le hubiera importado su visita.

A decir verdad, mami estaba como si nada existiera, aparte de Tania y de mí. Su rostro había tomado un extraño gesto y su piel se había vuelto algo opaca, distinta. Un día, en un arranque de furia, quitó de su mesita de noche la foto que le habíamos regalado papi y yo del espía Stirlitz y la rompió en pedacitos. Luego se puso a llorar y así llorando empezó a recoger del piso los pedazos. Tania y yo la ayudamos a recomponer y pegar la foto. Una vez hecho, mami observó la obra complacida. El rostro de Stirlitz estaba tan fragmentado como nuestras vidas, pero ella decidió que aun así guardaría la foto, aunque no en la mesita de noche, porque en ese sitio, debajo del cristal, sólo hubo espacio entonces para fotos de mi padre.

Mi regreso a la secundaría fue un poco duro. Un día salí siendo cualquiera y cuando regresé me había convertido en el tema de conversación de todos. Caminaba por los pasillos de la escuela y sentía miradas a mi espalda y susurros y deditos señalándome: es ése, mira, es el hijo del héroe que murió en Angola. A la directora de la escuela se le saltaron las lágrimas mientras hablaba de mi padre en el matutino y a mí me invitaron a subir a la tarima para que todos me vieran: es este, miren, es el hijo del héroe que murió en Angola. En la reunión de grupo, mientras la profesora guía criticaba las indisciplinas de los que hablaban en clase o no hacían la tarea, tuvo la idea de señalarme diciendo que tomaran mi ejemplo, porque yo era hijo de un héroe de la Revolución y cada día rendía homenaje a mi padre con mi actitud y mis buenas notas, todos debían hacer lo mismo, dijo, y debían sentirse orgullosos de tenerme como compañero. ¿Orgullosos de qué? Me pregunto ahora. ¿De compartir clase con un huérfano? ¿Orgullosos de que yo no pudiera ser como todos ellos?

Tania no logró aprobar ese curso a pesar de las visitas al psicólogo, los repasos de mami, los cariños de abuemama y mis conversaciones. Tania tuvo que repetir el curso, pero yo no, yo pasé con muy buenas notas. Entré en el último año de la Secundaria siendo el mejor de mi grupo y alguien me propuso como jefe de escuela. Existían los consejos de estudiantes a nivel de grupo y a nivel de escuela. La gente proponía a sus candidatos. De mi grupo salió la propuesta para que yo perteneciera al consejo de escuela. Y no supe qué decir. Fue por ahí seguramente cuando me empezó esta costumbre de quedarme "detenido" como decía Renata, quedarme detenido y dejar que las cosas me sucedan. Todos estaban orgullosos de mí. ¿Orgulloso de qué? ¿De que mi padre no pudiera nunca más enseñarme las estrellas, ni hacerme la maleta para la escuela al campo, ni explicarme cómo coño funciona una vieja batería y tener que hacerlo solo? Cuando llegó la votación gané con aplastante mayoría. De repente todos pensaban que yo era el mejor, era quien debía dirigirlos y quien cada mañana debía dar las voces de mando para el saludo a la bandera: "escuela, atención". Y ahí estuve por primera vez cumpliendo con mi deber, parado en la tarima con mi cara seria mirando al patio donde se formaban las filas de estudiantes. Sintiendo mi corazón batir de puro nerviosismo por tener que hablarle a una multitud. Orgulloso, un carajo. ¿Orgulloso de ser el hijo de mi padre ausente para siempre? ¿De estar solo? Tratando de calmar mi respiración para entonces gritar el lema que repetimos hasta el último día de la Secundaria: "Pioneros por el Comunismo" y que todos respondieran: "Seremos como el Che".

Los hermanos Karamazov

Ya basta de dar vueltas. Me estoy poniendo nervioso. La pastillita de Renata sigue en mi bolsillo, pero no me hace falta. Aspiro el aire despacio. Espiro. Fue Tania con su yoga quien me enseñó a hacerlo. Vamos. Paso de una vez inmigración y fuera. Ya estoy del otro lado.

Después de aquel encuentro donde Berto me había hablado de su partida hacia Angola, nuestra relación fue volviéndose un proyecto de amistad, como él mismo había pronosticado. Él regresó a Porto, pero entonces empezó a aparecer en mi blog. Yo había colgado una nueva entrada que comentó muy entusiasta, y no sólo eso, me contó por mail que solía conectarse poco a Internet, para hablar con la hija por Skype o comunicarse con amigos, sin embargo mi blog lo tenía cautivado e incluso le había mandado la dirección a conocidos suyos interesados en el tema. Ya tienes nuevos lectores, muchacho, me escribió entusiasta y en algo tenía razón. No es que el número de visitantes creciera enormemente, pero sí noté que había ocurrido un pequeño cambio. Antes de conocer a Berto la mayoría de mis lectores era gente de mi generación. Sobre todo mi clan de Berlín que aprovechaba ese espacio para continuar con nuestras conversaciones. Los detalles y experiencias que aportaban estos se referían entonces al último período de la guerra. Sin embargo, después de conocer a Berto empezaron a aparecer algunos comentarios que, evidentemente, venían de hombres de otra generación. No es que fueran muchos, pero lo importante era que aportaban otro punto de vista y podían sumar sus experiencias a mi intento de encontrar una cronología, no de una sino de todas las guerras africanas en las que habíamos participado. En aquel momento todo eso me pareció bien.

Una vez, hablando con Renata, llegamos a la conclusión de que antes de conocerme, Berto era un retirado que se moría de aburrimiento. No tenía mucho que hacer y debía viajar de Porto a Lisboa para visitar al nieto y a la hija quien, encima, lo había prácticamente obligado a dejar el cigarro. Hasta que me encontró a mí, descubrió las maravillas de Internet y la blogosfera y su vida se había llenado de intereses. Qué pena, agregó Renata, quizá el extraño hombrecito ya estaba curado y tú volviste a inocularle el vicio de la guerra. En su voz había una mezcla de ironía y tristeza. Yo la miré haciendo una mueca y ella sonrió. Ya que se están haciendo tan buenos amigos, invítalo a cenar a casa, propuso. Y yo lo invité, sí, pero antes volvimos a encontrarnos él y yo solos.

Verano del dos mil diez, mundial de fútbol en Sudáfrica. El día que Portugal jugaba contra España en los

Octavos de final, Berto estaba en Lisboa y quedamos en ver el partido en el bar de João. Aquello estaba lleno de gente, portugueses todos. Me acuerdo de la emoción, las cervezas, las perfectas previsiones que tenían algunos. Cuando España metió el gol, de repente se hizo un silencio que duró más o menos diez segundos, enseguida empezaron las protestas. João afirmó, con ese vozarrón suyo, que eso era un fuera de juego, Berto dio un puñetazo contra la barra, los otros comentaron, aunque sin gritería, porque si algo tienen los portugueses es que no son gritones. El partido avanzaba y cada vez quedaba menos tiempo. Cuando expulsaron a uno de los portugueses se hizo otro silencio que enseguida fue interrumpido por João diciendo que era una injusticia del árbitro, Berto volvió a golpear contra la barra y los otros siguieron protestando. El partido terminó y, mientras los españoles en pantalla festejaban su triunfo, João preguntó quién iba a querer otra cerveza. Todos quisimos. Había que consolarse. Portugal estaba fuera del mundial. Ahí, un tipo que había estado sentado cerca de nosotros en la barra se me acercó diciendo que podía ir a festejar con los míos. En principio no lo entendí, pero enseguida Berto se levantó de su banqueta para aclararle que yo no era español y João se acercó con su servilleta colgada de un hombro. El tipo estaba medio borracho, dijo que había apostado por ese partido y que no soportaba a los españoles. João volvió a explicarle que yo no era español pero aclaró que, incluso si lo fuera, en su café todos eran bienvenidos. El hombre me miró, lo invité a una cerveza y todo volvió a la calma.

Berto y yo nos quedamos bebiendo un rato más. La derrota de Portugal lo entristecía porque ése era su país, dijo, después de tantos años lejos de Cuba ya había cambiado el béisbol por el fútbol. Cuando su nieto fuera más grandecito lo llevaría al estadio. ¿Tú tienes hijos?, preguntó y ante mi negativa afirmó que debía tenerlos. Agregó dos o tres cosas más sobre su nieto y por ahí la conversación fue derivando hacia la familia. Eso es lo más importante de la vida, muchacho, aseguró. Cuando la madre de su hija decidió separarse, Berto tenía trabajo en Porto, pero ella quiso regresar a Lisboa y él no pudo evitarlo. Hubiera preferido que el matrimonio durara para siempre y también que su hija tuviera hermanos, pero la vida era como era. ¿Tú tienes hermanos?, preguntó y le respondí que sí, una, y a pesar de las distancias estábamos muy unidos. Berto sonrió tristemente. A decir verdad, su hija tenía una hermana, dijo, pero él no sabía nada de ella.

En Cuba, Berto se había casado por primera vez y había tenido una hija. Luego vino un divorcio, la vida con sus vueltas, él era muy joven e irresponsable, afirmó, así que perdió bastante el contacto con la madre y, de consecuencia, con la niña. Pequeños errores que cometen los hombres, sentenció. ¿Qué hombre no comete errores? Luego se fue a la guerra, la vida siguió pasando y el contacto con su primera familia terminó por desaparecer. Pero con su segunda hija había sido bien distinto. Cuando nació, él ya no era un muchacho loco sino un hombre maduro. Su hija y su nieto lo eran todo para él. La muchacha lo quería mucho y, a pesar de vivir en ciudades distintas, siempre se mantuvieron cercanos. Ella estaba divorciada pero, afortunadamente, el padre del niño era un buen hombre y se ocupaba de su hijo. Así que su nieto tenía un padre y un abuelo, porque Berto Tejera Rodríguez siempre estaba presente tanto para su nieto como para su hija, porque los padres son fundamentales, dijo, los padres son el sostén de los hijos hasta el último día de su existencia. ¿Tus padres viven en Cuba, no?

—Mi padre murió en Angola.

Cuando lo dije Berto hizo un gesto de sorpresa, aunque él no fue el único, también yo me sorprendí por haber dejado escapar esa frase, pero ya nada podía hacer. Él se quedó mirándome. Luego pasó el cigarro apagado por su nariz y suspiró. ¿Y por qué no me lo habías dicho, muchacho? Fue la pregunta que hizo, pero como quien ya sabe la respuesta continuó diciendo que entonces entendía el porqué de mi blog y mi interés en toda aquella historia. Que lo sentía mucho, agregó, lo sentía muchísimo, pero si antes me había respetado por el trabajo que estaba haciendo de recopilación de información, ahora me respetaba todavía más por los cojones que yo tenía de ponerme a hurgar en mis heridas. Así que él iba a hacer lo que fuera por ayudarme. Lo que te haga falta, muchacho, me lo dices, considera que ahora soy como tu padre. ¿Me oíste? Preguntó. Lo que necesites, dímelo. Sonreí.

—Invítame a otra cerveza —fue mi respuesta y él también sonrió.

João puso las dos cervecitas frías delante de nosotros y bebí la mía de un tirón. Tenía mucha sed. Entonces agradecí a Berto por sus palabras, dije que en su próximo viaje a Lisboa estaba invitado a cenar a casa y que todo lo que pudiera contarme sería interesante. Mi padre, agregué, se había ido a la guerra un poco después que él.

Berto llegó a Angola en un período de discretos movimientos. Los cubanos tenían una línea de defensa a más de doscientos kilómetros de la frontera sur para impedir la entrada al país de tropas de Sudáfrica. A Berto no le tocó ir para allá, él fue asignado como chofer a una brigada de mantenimiento y con ella se trasladó a un poblado un poco más al norte de la línea. Meses después, Estados Unidos propuso que las tropas cubanas salieran de Angola a cambio de que Sudáfrica diera la independencia a Namibia, pero ni Cuba, ni muchos países africanos ni, incluso, algunos miembros de la OTAN aceptaron igualar la ocupación de Sudáfrica con la presencia de los cubanos, que era bajo pedido del gobierno de Angola. Dice Berto que, estando allí, él no se enteró de esa propuesta, su problema era poner mucha atención en la carretera cada vez que tenían que hacer algún desplazamiento, porque de lo que sí se hablaba allí era de la UNITA de Savimbi, que cada vez iba ganando más fuerza en el terreno. Ése era el enemigo que él tenía más cercano, por eso no quería tropezárselo. La guerra siguió su curso y Cuba continuó con el envío de hombres, más hombres, muchos hombres, entre ellos, mi padre. Mientras mi padre y Berto estaban en Angola, la guerra empezó nuevamente a despertar de su ligero letargo.

Aquella conversación con Berto no terminó ese día, la familiar, quiero decir. Él me había contado de su primera mujer cubana, pero no dijo cómo llegó a Portugal y conoció a la segunda. Yo le pregunté, por supuesto, aunque lo que me interesaba no era su esposa, sino saber cómo había sido eso de estar en misión en Angola y luego, de repente, irse a vivir a Portugal. Berto volvió a oler su cigarrito. La vida, muchacho, es siempre más complicada de lo que uno puede imaginarse. Su segunda mujer no era portuguesa sino angolana, pero prefería hablarme de eso en otro momento porque se nos había hecho tarde. Anoto tu invitación a cenar para la próxima, concluyó antes de despedirnos.

La vida es siempre muy complicada. Sí. Aquella noche recuerdo que eché a andar hacia casa con la ilusión de que la brisa me despejara un poco de las cervezas bebidas. Toda la conversación sobre la familia me había revuelto un poco la cabeza: la importancia de los hijos que yo no tenía, del padre que ya no tenía y de los hermanos, ésa sí la tenía, pero lejísimo: mi hermanita Karamazov.

Tania vivió la pérdida de nuestro padre de un modo distinto al mío. Era más chiquita y creo que los adultos no repararon mucho en ella. No sé. Dice que nadie le dio muchas explicaciones, que tuvo regazos femeninos, manos que la acompañaban al cuarto y vocecitas dulces que la invitaban a dormir mientras acariciaban su pelo. Pero no le dieron muchas explicaciones, como si no las necesitara.

Un día, meses después de lo de papi, mami entró en mi cuarto diciendo que necesitaba hablarme. La directora de la escuela de Tania la había citado con urgencia y al llegar a la oficina de la secretaria se había encontrado a mi hermana en una esquina toda desgreñada y con el uniforme sucio; en la otra esquina, otra niña con peor aspecto y, de pie, una mujer que apenas vio aparecer a mi madre informó a la secretaria que podía avisar a la directora. En el recreo Tania se había molestado con algo que le hizo su compañerita y le había dicho que se lo contaría a su papá. A la otra niña, por lo visto, aquella frase le resultó extraña, porque enseguida le aclaró a mi hermana que no podía contarle nada a su padre, porque no tenía, porque su, o sea, nuestro padre, estaba muerto. Pero la muchachita no logró terminar de hablar, porque Tania se abalanzó sobre ella y pum, pam, pom, terminaron enredadas en el piso, tirándose de los pelos hasta que el barullo hizo que la conserje se acercara y con la ayuda de una maestra lograra separarlas. La directora primero conversó a solas con las madres. La mía reconoció que la reacción de su hija era errada, pero pidió que la comprendieran. La otra entendía, pero no iba a aceptar que a su hija la agredieran sin más ni más. Hubo un breve careo hasta que la directora sugirió que las niñas se debían una disculpa y las mandó a entrar. Siguiendo el orden de los hechos invitaron a la otra niña a que comenzara y esta pidió disculpas. Le tocaba a mi hermana, mami le acarició la espalda y la invitó a decir algo, pero ella negó con la cabeza y empezó a llorar. Mami se agachó para hablarle, pero Tanita siguió llorando y no hubo frase pronunciada por ninguna de las tres mujeres que lograra arrancarle una palabra. Al final la directora dio por zanjado el asunto, pidió a todas que se fueran y a mami que sacara turno con el psicólogo infantil. De regreso Tanita no paró de llorar. Y una vez en casa siguió llorando mientras mami y abuemama intentaban consolarla.

Un rato más tarde llegué yo de la Secundaria y entonces mami entró en mi cuarto. Estaba desesperada. Su niña nunca había sido agresiva, dijo, pero estaba sufriendo y ella no sabía qué hacer. Porque también ella estaba sufriendo y sola no podía. Los tíos la apoyaban, pero debían ocuparse también de abuelo. Ella sola no podía, repitió. Iba a llevar a Tania al psicólogo pero, además, necesitaba que yo le hablara, yo era importante para mi hermana. Mami confiaba en mí, qué suerte más grande la de tener un hijo como yo, yo era su chiquitico que se había convertido en un hombre.

—Tú tienes que ayudarme, Ernestico, porque yo sola no puedo.

Nunca le pregunté quién iba a ayudarme a mí. Pero eso quizá no sea tan importante. A partir de ese momento me convertí en el hermano-padre de mi hermana. Ella me adoraba. Yo era protector y sabio. Era grande.

En casa sucedió algo curioso, mami, que siempre había estado al tanto de la prensa, dejó de interesarse en ella. Imagino que no soportaría leer la palabra Angola, ni saber lo bien que marchaban las relaciones entre ambos países. Yo, sin embargo, que nunca antes me había interesado en leer el periódico, empecé a hacerlo. La bomba nos había provocado reacciones completamente opuestas. Ella no quería saber más, yo intentaba a entender algo. Con los tíos sucedía otro tanto, ante cualquier pregunta mía la mayoría evitaba el tema, "deja eso, mijo", decían o, simplemente se ponían a recordar a mi padre en sus juegos infantiles o su vida de jovencitos.

Yo tuve que inventarme nuevos territorios. Aquél fue un tiempo en que me aferré a los libros, leí más que nunca, como un loco. Compraba novelas policíacas o de ciencia ficción y las apilaba a los pies de mi cama. Es increíble la capacidad de lectura que se tiene a esas edades. Fue por ahí también que empecé a escribir, aunque mis textos no se los mostraba a nadie, escribía en una libreta que escondía debajo del colchón, yo simplemente necesitaba ordenar mis pensamientos, sólo eso.

Tania también buscó reinventarse como pudo. En mi último viaje a Cuba me dejó desarmado. Dijo cosas que yo no sabía de mí mismo y otras que no había querido saber de ella. Es curioso cómo la relación entre dos personas puede ser percibida de manera distinta por cada una de las partes. Yo asumí el papel de padre-protector que me impusieron y en ése me mantuve. Tania, sin embargo, quiso salirse de su papel y lo consiguió, aunque para ello tuvo que pasar por distintos periodos.

Después de lo de papi, una noche en que mami y abuemama dormían ante la televisión y yo estaba a punto de subir a la azotea con mi libreta de anotaciones, Tanita se paró frente a mí. Voy contigo, me dijo. La miré haciéndole un gesto serio, pero no quise hablar para no despertar a las otras. Yo ya he subido sola, agregó ella, y si no me llevas, las despierto, concluyó señalando a las durmientes. No me quedó otra que aceptar el chantaje.

Arriba, nos sentamos en la esquina sobre mi cuarto como yo solía hacer y ahí empecé a regañarla. Cómo era eso de haber subido sola, era peligroso, podía caerse. Pero tú nunca te has caído, replicó ella. Ahora veo esa escena y me parece absurda, yo era apenas algo mayor que mi hermana, pero ahí seguía con que si era peligroso, que no debía hacerlo nunca más, hasta que ella me interrumpió. Ernestico, dijo, ¿por qué papi se fue a la guerra? Yo no esperaba ese tipo de preguntas así que debo de haber respondido cualquier tontería, algo así como que nuestro padre era un héroe y los héroes siempre están donde son más útiles. No sé, no recuerdo exactamente mis palabras, pero sí la expresión con que Tania me miraba, silenciosa, escuchando atenta hasta que terminé de hablar y entonces dijo:

—Pero antes no era un héroe y estaba con nosotros.

Ahí no supe qué decirle. Me dejó sin palabras. Sé que pasé un brazo sobre sus hombros, la atraje hacia mí y le di un beso. Tú no vas a ser un héroe, Ernestico ¿verdad?, susurró ella. Y yo juré que no, que nunca lo sería, que me quedaría con ella para siempre. Para siempre.

Mucho tiempo después nos convertimos en los hermanos Karamazov. Tania tiene colgada en la pared de su cuarto la foto del día que nos bautizamos de ese modo y yo tengo una copia en casa. De adolescente ella no leía mucho por eso yo, para estimularla y como premio por haber entrado en la universidad, le regalé la novela de

Dostoievski. Apenas vio el título y la portada del libro aseguró que le gustaría, besó mi mejilla y sonrió pegando su cuerpo al mío. Yo eché un brazo tras su espalda. Los hermanos Karamazov, dijo ella, segundos antes de que mami sacara la foto. Y así quedamos retratados, como en la portada del viejo libro de la editorial Bruguera. Para mi sorpresa Tania leyó la novela rapidísimo y, en efecto, le gustó, aunque se sintió ligeramente engañada al descubrir que el hombre y la mujer que se abrazaban en la tapa de aquella edición no eran precisamente hermanos. Bienvenida al mundo Dostoievski, le dije aquella vez, ahora sólo te queda continuar entre jugadores cometiendo crímenes y padeciendo castigos. Pero siempre junto a mi hermano, concluyó ella.

Ser los hermanos Karamazov significaba que éramos iguales pero, evidentemente, yo no me di cuenta y seguí siendo el protector. Entonces llegó la rebeldía. Ya Tania estaba en la universidad, andaría por los veinte años y no me soportaba. Le dio por decir que yo era autoritario, cabeza cuadrada y machista. Que ella hacía lo que le daba la gana y ni yo ni nadie iban a impedírselo. Hacía un tiempo que la guerra había terminado para los cubanos y también habían terminado la Unión Soviética y el campo socialista y en Cuba lo que había era tremenda crisis. Por ahí a Tania le dio por el yoga, así que a veces la encontraba al llegar a casa, en pleno apagón, iluminada por una chismosa y parada en un solo pie como una grulla. Yo no la tomaba en serio, la verdad. Solía colocarme enfrente para mover mi nariz y hacer muecas a ver si lograba hacerla caer, pero qué va, ella estaba súper concentrada mirando un punto fijo. Sólo cuando había cumplido el tiempo necesario en su ridícula posición bajaba el pie tranquilamente y entonces sí que me miraba. ¿Por qué serás tan estúpido? Podía ser una de sus preguntas. Yo también te quiero, grulla, podía ser una de mis respuestas.

La vida es siempre muy complicada, como me dijo Berto aquella vez. Tuvimos que pasar un tiempo de hostilidades antes de que volviéramos a ser los hermanos Karamazov. Pero yo ya comprendo bien qué significa serlo. Y ahora, mírame Tania, fuiste tú quien me enseñó a respirar para calmarme: aspiro, espiro, despacio. Cuando esto termine y yo logré reconstruir la historia, entonces te contaré todo. Ya va faltando poco.

El buen soldado

Casi un año después de lo de mi padre, un buen día mami nos anunció que Antonio estaba de regreso y el domingo iría a almorzar a casa. Ella había invitado también a tío Melquiades. No quería que fueran todos los tíos y mucho menos Miguelito, porque siempre decía cosas fuera de lugar y no se llevaba bien con Antonio, pero necesitaba tener cerca a alguno y el mejor, según ella, era Melquiades, porque sabía controlar sus pasiones y eso era lo que ella necesitaba en aquel momento. Mami estaba nerviosa. Por esas fechas también mi padre tendría que haber estado de regreso, pero en su lugar llegaba Antonio.

Aquel domingo fue muy distinto de los anteriores en que él iba a visitarnos. Para empezar la puerta estaba cerrada. Los domingos de fiesta, abuemama abría la casa en la mañana y no cerraba hasta que se iba el último. Pero eso ya era el pasado. Antonio tuvo que tocar y fui yo quien abrí. Nos miramos. El mejor amigo de mi padre estaba un poco más delgado y llevaba en la cabeza una gorra de pelotero. No era su famosa chapca, pero igual a mí se me ocurrió pensar que bajo esa gorra viajaba escondida la historia de los últimos días de mi padre.

—Estás hecho un hombre, campeón —dijo abriéndome los brazos.

Me dio tremenda alegría verlo. Nos abrazamos y en eso mami apareció y se juntó al abrazo y luego vino Tanita y también se juntó y formamos un cuarteto que se abrazaba, cada cual metido en su silencio.

Durante el almuerzo, Antonio estuvo haciendo historias sobre papi que nos permitían imaginarlo moviéndose, conversando o escribiendo una carta. Hasta contó anécdotas que nos hicieron sonreír y eso creo que todos se lo agradecimos aquel día. Miguel Ángel era mi hermano, dijo mientras mami ponía sobre la mesa una botella de ron y abuemama servía los cafés. Mi padre era su hermano y lo sería para siempre, por eso nosotros éramos su familia y él cuidaría de nosotros como si fuera Miguel Ángel.

En efecto, Antonio no tenía ni hijos ni esposa. Mami decía que las mujeres no le duraban porque era un cabeza loca, y prefería decir cabeza en lugar de decir otra cosa, aclaraba. Lo cierto es que, cuando yo era niño él siempre aparecía en casa con una mujer distinta y presumía de no haber sido atrapado nunca. Y si tengo hijos, afirmaba, nadie me lo ha dicho.

Esa tarde, después de la sobremesa, mami y Antonio salieron. Ella dijo que iban al parque Almendares a dar una vuelta y regresaban rápido. Pero no fue así. Tío Melquiades se quedó viendo televisión con nosotros y cuando empezó el noticiero de las ocho fue que los otros regresaron. Que mami había llorado era evidente. Antonio se despidió con mucho cariño y prometió volver el siguiente fin de semana. Cuando se fue, mami se sirvió un traguito de ron y salió a beberlo al portal. Abuemama le dijo a Tania que la ayudara en la cocina y esta se levantó rezongando. Tío Melquiades salió al portal. Yo lo seguí. Vi cómo le pasaba un brazo por la espalda a mami y ella recostaba su cabeza sobre él.

—¿Qué te contó Antonio?

Al escuchar mi pregunta mami miró hacia atrás y estiró un brazo para acogerme. Dijo bajito que mi padre estaba enterrado allá, lo traerían al final de la guerra. ¿Y qué más?, volví a preguntar, pero ella besó mi cabeza susurrando: nada más. Yo me molesté, aunque no dije nada. Sabía que, en efecto, Antonio había llevado los últimos días de mi padre escondidos bajo su gorra, pero a mí no quería contármelos.

Antonio regresó poco antes de lo de Granada. Otra vez la Historia metida en nuestras vidas. En octubre de 1983 sucedió algo que nunca he podido olvidar. Maurice Bishop, el presidente de Granada, fue asesinado por antiguos compañeros de partido. Días más tarde Estados Unidos invadió la isla. La gente en Cuba estaba choqueada, pero no sólo por la invasión, sino porque en Granada había un grupo de cubanos, en su mayoría obreros que trabajaban en la construcción de un aeropuerto. Hay cosas que a uno se le quedan grabadas para siempre. Las noticias de aquellos días fueron terribles: la invasión, los civiles cubanos defendiendo con las armas el aeropuerto para que no fuera tomado por los marines estadounidenses, nuestros primeros muertos y, luego, algo que los locutores de radio y televisión repitieron varias veces y que puedo reproducir casi con las mismas palabras: "seis cubanos, el último reducto de la resistencia, se han inmolado abrazados a la bandera".

Cuando lo escuchamos por primera vez, abuemama se llevó las manos a la cabeza preguntándose por qué no habían sacado a esos muchachos de ahí, por qué los habían puesto a enfrentarse al ejército de los Estados Unidos si sólo eran unos sencillos constructores. Mami no dijo nada, apagó la radio y se encerró en su cuarto a llorar, a seguir llorando, porque eso es lo que suele hacerse cuando la gente muere: llorar. Mi mente retuvo las palabras que el locutor repetía, "el último reducto", e intenté imaginar la escena, "abrazados a la bandera", pero sé que lo único que conseguí fue ver a mi padre, también él abrazado a nuestra bandera. Solo.

Cuando llegaron al país los sobrevivientes y los muertos durante aquellos días, la gente estaba muy triste. Luego hubo una investigación. Varios oficiales, comenzando por el coronel que era jefe del mando militar, fueron degradados por cobardía. Quizá decidieron que era inútil resistir a aquel ejército y había que retirarse ¿quién sabe? El caso es que desistieron. No pelearon más. Dejaron a los otros solos. En Cuba todo el mundo se quedó choqueado de nuevo, aún resonaba el eco de la frase "el último reducto", aún estaban frescas las imágenes de los cubanos regresando y en la calle la gente se preguntaba qué habría sucedido verdaderamente. Mucho tiempo después conversé con Antonio sobre esos días. Es cierto que hubo muertos, me dijo, pero parece que la escena del último reducto fue un cuento chino que nos contaron, obra de la ficción heroica de alguien, porque nadie puede jurar que sea cierta.

—Es que en este país necesitamos héroes, Ernestico, siempre héroes —concluyó Antonio con un gesto amargo.

Los recuerdos de lo de Granada nunca se borraron de mi mente, pero algunos detalles estaban metidos en algún rincón profundo hasta que Berto los hizo asomar casi sin darse cuenta.

Un día Berto me mandó un mensaje para anunciar su viaje a Lisboa y preguntar si se mantenía en pie mi invitación a cenar. Le confirmé que mi esposa y yo esperábamos su visita con muchísimo gusto, tan sólo queríamos saber si prefería comida cubana u otra cosa. En su respuesta puso varios signos de admiración detrás de la frase donde comunicaba que hacía tiempo no comía cubano y entonces en lugar de vino llevaría una botella de ron. Yo acepté con mucho gusto. Aquella noche Renata cocinó riquísimo. Que una peruana conociera tan bien nuestra cocina dejó sorprendido al invitado, pero ella le explicó que había vivido en La Habana y, además, que el cubano de la casa no se entendía muy bien con los calderos. Yo tampoco me entendía, dijo Berto, hasta que me vi viviendo solo.

Esa noche, antes de irnos a dormir, entre otras cosas, Renata me dijo que no iba a negar que Berto podía ser amable, pero le seguía pareciendo extraño, primero hacía muchas preguntas y luego era un poco turbio.

Yo no estuve de acuerdo. Cuando lo conoció le había parecido raro que el hombre no hiciera preguntas sobre La Habana, el país o nuestras familias, pero cuando las hacía también le resultaba mal. Renata se equivocaba. Nosotros estábamos conociéndonos, yo le había dicho a Berto lo de mi padre, por tanto esa noche le hablé de las mujeres de mi casa, cosas normales. Era perfectamente natural. Él preguntaba, yo respondía, hasta que en un momento fui yo quien hizo una pregunta y él me miró sonriendo. Ya habíamos bebido los cafés y andábamos por el Havana Club. Berto se sirvió otro trago, dijo que la vida era muy complicada, me miró, miró a Renata, elogió lo rica que había sido su cena, se dio un trago, comentó que lo peor del ron era que daba ganas de fumar y sacó su cigarrito para olerlo. Todo sin responderme. Miré a Renata, pero no se dio por enterada, ella lo estaba mirando a él.

—Sí. ¿Cómo te fuiste de Angola para Portugal? —dijo ella repitiendo la pregunta que yo acababa de hacer.

Berto volvió a sonreír. En avión, respondió casi en un murmullo y a mí, no sé si por el efecto de la bebida, pero hasta me dio un poco de gracia. Era evidente que no quería hablar delante de Renata. Berto se dio otro trago y contó que su mujer era angolana, por eso, después de que él cumpliera su misión internacionalista y gracias a las gestiones de amigos de ella ambos habían logrado partir. Renata exclamó, qué suerte, y sonrió antes de levantarse diciendo que Berto tendría que disculparla, porque ella debía ir a la cocina a poner orden, pero lo dejaba en buenas manos, aseguró. Él movió la cabeza con un gesto amable. Y así, elegantemente, Renata nos dejó solos.

Aquella noche ella no volvió a la sala hasta que la llamé porque Berto ya se iba pero, apenas cerré la puerta, me miró con tremenda cara.

—Le preparo comidita de su país y encima tengo que irme de la mesa de mi casa para que él hable con mi marido ¿Qué pasó? ¿El extraño hombrecito es un desertor y le da vergüenza decirlo delante de una mujer?

Renata estaba molestísima. Traté de calmarla. No era eso, le dije, Berto no era ningún desertor. ¿Ah, no?, dijo ella dando unos pasos antes de continuar diciendo que con lo controlados que nos tenían a los cubanos ¿cómo era que en plena guerra él agarraba y se iba en un avión como si fuera un hombre libre? Yo estaba seguro de que, en realidad, lo que la tenía tan molesta no era lo que el otro pudiera haber hecho en Angola, sino que no hubiera querido hablar delante de ella. Berto cumplió su misión y después se fue, repliqué tomándola de la mano para sentarnos y calmarla.

Según él me había contado aquella noche, a los cubanos el mando no les permitían tener relaciones con mujeres angolanas, pero él conoció a una, se enamoró y aunque se veían a escondidas estaban en un pueblo, así que todos terminaron por enterarse y eso le trajo problemas. A él lo trasladaron a otro sitio. Pasó momentos difíciles, la guerra es un monstruo impredecible y traicionero, me dijo. En la guerra uno ve cosas que no quisiera ver. Él estuvo tiempo sin ver a la mujer y cuando volvieron a encontrarse, sus sentimientos no habían cambiado, se seguían queriendo. Entonces ella salió embarazada y Berto se dijo que qué va, no quería renunciar a esa historia. Ya había cumplido una misión internacionalista por su país, estaba cumplío y quería continuar viviendo su vida. Tenía derecho, ¿no? Pero estaba en una encrucijada. Si renunciaba a su amor, regresaba a Cuba con el mérito de la misión cumplida. Si no renunciaba a su amor lo más probable era que le quitaran el mérito y lo devolvieran a Cuba castigado por indisciplina. La guerra era así. Injusta. En ambos casos dejaría de ver a su amor quien, además, estaba embarazada. Por eso, decidió renunciar tanto al mérito como al castigo. No regresó a La Habana. En Luanda se casaron y empezaron las gestiones para viajar a Lisboa. Ella tenía amigos, así que lo lograron. Berto estaba en Luanda intentado resolver los papeles cuando se enteró de lo de Granada. Tú eras muy chiquito, no debes acordarte, me dijo y yo sonreí. A él lo había impresionado mucho la historia de los oficiales degradados.

—¿Y sabes adónde los mandaron como soldaditos rasos a cumplir su castigo? —preguntó—, al mismo lugar de donde yo quería salir: Angola.

Berto sabía que su situación era completamente diferente, él no era militar sino un simple reservista. No era más que un número en una chapilla. Una pequeña pieza dentro de un gran engranaje. Pero si había cumplido con su deber no quería que lo castigaran por el simple hecho de haberse enamorado. Él no estaba dispuesto, dijo, a pasar por una vergüenza similar, porque él era un hombre. Pero la guerra era así. Injusta.

Cuando terminé de explicar lo que me había contado Berto, Renata suspiró y se levantó del sofá. Quizá como ella no era cubana, dijo, seguía sin entender por qué nosotros nos habíamos metido tanto tiempo en aquella guerra. Sonreí de mala gana y ella me miró. Tú tampoco lo entiendes, claro, tampoco tú. Volví a sonreír. Diga lo que diga él, agregó ella, hay algo extraño en esta historia, yo de ese Berto no me fío mucho.

Aquella noche, mientras Renata se lavaba los dientes me serví un último traguito que fui a beber asomado a la ventana. No tenía ni intención ni razones para no fiarme de Berto. ¿Por qué no iba a hacerlo? Conociendo a Renata, sabía que no iba a perdonarle eso de que hubiera tenido que levantarse para que él hablara sólo conmigo. Ésa era su molestia, concluí y me olvidé del tema. Afuera estaba Lisboa, la ciudad adonde Berto había llegado años atrás.

A él y a su esposa les tomó un tiempo hacer las gestiones en Luanda, pero consiguieron viajar antes del parto y la hija nació en Lisboa. Era verano. Del otro lado del mundo yo estaba a punto de empezar el Preuniversitario. En ese entonces quién sabe qué idea tendría yo de Lisboa, ninguna, no imaginaba que viviría aquí, ni que aquí me cruzaría con Berto. No, mis problemas eran otros. Sabía que estaba a punto de iniciar un período distinto de mi vida, porque hay un salto grande de la Secundaria al Pre. Y eso me entusiasmaba. Después de cada cosa siempre nos queda el futuro, como decía mi padre, y yo tenía que intentar que así fuera.

Aquel verano, mientras Berto trataba de adaptarse a una nueva vida, mi cuerpo cambió de repente, di tremendo estirón. De eso tuve conciencia el mismísimo primer día de clases cuando fui a buscar a Lagardere a su casa y una de las gemelas me abrió la puerta. Pero mira que tú has crecido, Albert Hammond, dijo echándome una mirada descarada de arriba abajo. Mis orejas se pusieron rojas, claro, eso nunca cambió, pero conseguí decirle, nuevamente, que no me parecía a Albert Hammond y que, por favor, llamara a mi amigo. Las gemelas ya no eran tan gordas, pero yo continuaba confundiéndolas y una, Tania o Tamara, me seguía cayendo bastante mal.

Lagardere también había crecido. La única diferencia entre nosotros era que, mientras yo seguía empeñado en querer usar el músculo del cerebro, a él las hormonas se le habían revuelto definitivamente. Su noviazgo con Tormenta no había pasado de la Secundaria y decía que estaba loco por conocer nuevas muchachas y llevarlas a la costa. Nuestro Pre, el Pablo de la Torriente Brau, era un edificio de tres pisos frente al mar donde había gente de todo el municipio, lo cual para mí era una suerte porque sólo los de mi Secundaria sabían lo que me había pasado, el resto no, y eso me hacía sentir de un cierto modo más libre. Lagardere también se sentía libre, "el Pablo" estaba lleno de niñas lindas, decía. Para él era un alivio que Tormenta no hubiera caído en el mismo grupo que nosotros dos, porque afirmaba que a las ex era mejor tenerlas lejos. Para mí, sin embargo, era una tristeza. En el fondo Tormenta me seguía gustando, aunque sabía que ya nada podía hacer, tan sólo acercarme a conversar cuando la veía en su portal, así, sin más aspiraciones que las de un simple trato de vecinos.

El Preuniversitario era muy distinto de la Secundaria. Una de sus novedades era la asignatura Preparación Militar que se daba en el patio. Allí aprendimos a marchar: un, dos, tres, cuatroyun, dos, tres, cuatro, media... vuelta. Aprendimos las características de las armas convencionales, químicas y biológicas que el enemigo podía usar contra nosotros. Yun, dos, tres, cuatroyun, dos, tres, cuatro, en su lugar... descansen. Aprendimos a cavar refugios llenando el patio de unos huecos tan inútiles que luego tuvimos que cerrar. Yun, dos, tres, cuatroyun, dos, tres, cuatro, rompan... fila.

Todavía se hablaba de la amenaza de una intervención militar de Estados Unidos en Cuba. Luego del apoyo a las dictaduras militares en el continente y de la invasión a Granada, Estados Unidos seguía siendo la sombra que volaba sobre nuestras cabezas. Y todos teníamos que estar preparados para la defensa del país. A veces me pregunto dónde termina el peligro real y empieza la paranoia. La línea es demasiado sutil. Renata decía que no había nada peor para alguien con manía persecutoria que tener la posibilidad de ser perseguido, y en Cuba sucedía algo similar: nos habían inoculado la enfermedad de sentirnos en peligro.

En mi casa estábamos preparados al cincuenta por ciento. De una parte: mami seguía yendo a los entrenamientos de las milicias y yo jugaba a ser soldado en mis clases. De otra: abuemama, exonerada de estas prácticas por ser mayor y Tanita por ser menor. Yo seguía ayudándola en los estudios porque era un poco disociada y, en realidad, lo que más quería en aquellos tiempos era parecerse a su ídolo: Madonna. Y así, mientras Tania y Madonna cantaban *I am a material girl*, yo marchaba: yun, dos, tres, cuatroyun.

Otra de las novedades del Pre fue que la escuela al campo ya no era en La Habana, sino en Pinar del Río, y te pasabas cuarenta y cinco días trabajando en el tabaco. Fue ahí donde Lagardere empezó a fumar. En el campo nos hicimos muy amigos de dos que, como nosotros, siempre andaban juntos. Uno era hijo de un coronel del Ministerio del Interior y ése sí usaba pantalones de camuflaje de los buenos, de Tropas Especiales que eran los que le gustaban a todo el mundo. Era un rubio musculoso, y como le encantaba la honda militar, se hacía llamar el Ranger. El otro andaba en la misma honda aunque no era hijo de militares, era un mulatico fuerte sí, pero bastante flaco, de músculos no tan evidentes y por eso yo lo bauticé como Baby Ranger.

Los domingos, después de la visita familiar al campamento, solíamos colarnos en una de las casas de secar tabaco. La verdad es que a mí nunca me interesó fumar, pero a ellos sí, por eso, mientras conversábamos, se iban preparando cigarrillos con las hojas ya secas. Una tarde, la guerra salió a relucir en nuestra conversación y el Ranger comentó que su padre había estado en varios países de América Latina y de África y, aunque no solía hablar de sus misiones, a veces la familia llegaba a imaginar por dónde andaba. Enseguida Baby Ranger dijo algo así como que los hombres no tenían que estar contando sus hazañas, el hombre hombre era discreto por naturaleza. "Porque hay cosas que para lograrlas han de andar ocultas", acotó el Ranger citando un texto de Martí que salía siempre al inicio de una serie de televisión. Lagardere y yo cruzamos miradas en silencio, hasta que el Ranger preguntó qué sucedía y entonces decidí contarles. No sé, éramos amigos, me sentía en confianza. Esa tarde, tan sólo por ser el hijo de quien era, me convertí en el admirado de nuestro pequeño grupo. El bueno, según Lagardere. El number one, a decir del Ranger. The best, para Baby Ranger.

Y es que yo seguía siendo el buen alumno disciplinado y de notas inmejorables y ese curso entré en la Unión de Jóvenes Comunistas, la "Juventud" como la llamábamos, una organización que, en teoría, reunía a los mejores. Mi familia estaba orgullosísima. De los amigos, sólo yo entré. Lagardere había decidido que lo suyo eran "las niñas y la bobería". Me parece estarlo viendo recostado sobre el balcón del Pre: de dos hermanos que se quieren basta que uno sea bueno, me dice antes de dar la vuelta para contemplar "la fauna femenina", como la llamaba. El Ranger tampoco entró en la Juventud, tenía buenas notas pero con frecuencia se fugaba de los turnos para bañarse en la costa. Baby Ranger ni notas ni disciplina. Sólo entré yo, Ernesto, el hijo del héroe. El buen soldado.

El extranjero

El buen soldado un día terminó convertido en el extranjero, porque eso soy ahora: un alemán que piensa y habla en cubano. Me acuerdo del mail que me mandó Lagardere cuando me dieron la ciudadanía alemana. Decía que cualquier cubano, incluido él por supuesto, haría lo que fuera por tener una ciudadanía europea, pero a mí me había tocado porque tenía a Renata y, una vez más, ella era mi buena estrella. "Cuando yo sea grande quiero ser como tú", concluía. En efecto, una vez más fue Renata quien, prácticamente, hizo todo y luego me empujó a sacar los papeles.

Al llegar a Berlín, Renata tenía las cosas clarísimas, ésa era su segunda tierra y donde vivía su padre. Ella iba a estudiar el doctorado. Yo estaba un poco perdido, pero como mi mujer lo tenía todo claro, me matriculó en un curso de alemán para extranjeros y en otro de informática. Según su opinión, yo debía intentar legalizar mi título de ingeniero civil, pero sobre todo, debía aprender otras cosas, reinventarme, salir del cascarón paternalista de mi país y enfrentarme al mundo. ¡Bienvenido al mundo real! Al final, tanto me reinventé que nunca volví a la ingeniería aunque, considerando lo poco que me interesaba, no es tan grave. La pena es que tampoco hice nada que me gustara demasiado: diseño de sitos web o monótonos trabajos de oficina como el de ahora, nada del otro mundo. Renata tuvo más suerte. Después del doctorado, encontró trabajo en una empresa de proyectos y un día llegó a casa diciendo que la compañía tenía una filial en Portugal. ¿Te gustaría vivir en Lisboa, Ernes? Ya llevábamos diez años en Berlín, yo tenía la nacionalidad y mi clan de amigos, pero estaba un poco cansado del invierno, no sé; encima Renata se había quedado mirándome con una de esas caras que me gustaban tanto. Si tú quieres, le respondí por fin. Ella sonrió. Al día siguiente empezó a hacer las gestiones para su traslado y llenó los Favoritos de Internet con sitios que hablaban de Lisboa. Y una vez más, la seguí.

De jovencitos, cuando una novia me dejaba, Lagardere decía que yo solía enamorarme de la que no era buena y sólo entonces me confesaba lo que creía que no funcionaba de ella. Con Renata ha sido distinto. Al poco de conocerla afirmó que, finalmente, había encontrado la tipa perfecta para mí, Renata era mi buena estrella, el premio que merecía por ser bueno. En mi último viaje a Cuba cuando le conté todo lo que ha sucedido pensé que, como antes, iría a decirme lo que según él no funcionaba con Renata. Y lo hizo. Claro que lo hizo. Pero no del modo que yo esperaba. Lagardere me escuchó callado y, cuando terminé mi perorata, alzó los ojos.

—Te equivocaste, bróder, ¿tú no ves que ella te dejó por culpa tuya?

Por ahí empezó a echarme, lo que se dice, "tremenda descarga". Que si Renata esto, que si yo lo otro, terminó diciendo algo que quizá hubiera preferido no escuchar. Dijo que yo era bueno en todo menos en una cosa: no sabía compartir mi dolor, vivía encerrado dentro de él y se lo hacía pesar a quienes me rodeaban. Yo no supe qué decir o no quise. Estábamos en la azotea de mi casa como tantos años atrás y de repente parecía que yo continuaba en el punto de partida, pero frente a mí había un cuarentón con la cara de mi amigo de infancia y, aunque tuviera la impresión de seguir parado en el mismo punto, eso no era cierto. Lo peor es que no supe qué responder y él optó por permanecer callado. Creo que, en el fondo, siempre ha sido más inteligente que yo. Para vivir, que es lo importante, no simplemente para sacar buenas notas en la escuela. Aquella noche estábamos hablando de Renata, pero no pensábamos sólo en ella. Y ambos lo sabíamos. Por eso se quedó callado, aunque estoy seguro de que en su silencio se estaba preguntando exactamente lo mismo que yo: "¿y toda esa actitud sirvió para algo? A ver, ¿sirvió para algo?".

Renata, mi buena estrella. Sí. Es cierto que hizo cosas buenas. Fue también gracias a ella que mi hermana y yo nos reconciliamos después de su período rebelde. Ya Renata y yo vivíamos juntos. Después de la carrera, se había quedado en La Habana para hacer la maestría y decidimos que, en lugar de continuar alternándonos entre su cuartico y mi casa, era mejor que se fuera a vivir conmigo, así se ahorraba el dinero del alquiler y estábamos siempre juntos. Dicho y hecho. Mami y abuemama la acogieron de maravilla. Tania, sin embargo, no parecía muy interesada en ella, supuse que el motivo era una extraña forma de solidaridad femenina que obligaba a mi hermana a ser fiel a su amistad con mi novia anterior, pero luego me di cuenta de que nada tenía que ver con eso. El problema de Tania era yo.

Una noche estábamos terminando de comer cuando mi hermana llegó muy contenta, saludó y se sentó junto a mami. Dayani me mandó una carta y me dejó un recuerdo, dijo. Dayani era su mejor amiga. Según Tania, eran como Lagardere y yo: inseparables. Y era cierto, pero a mí esa amistad a veces me preocupaba porque, a diferencia de Lagardere, su amiguita era problemática. De ser una niña consentida se había convertido en una adolescente en guerra constante contra su padre. No estudiaba, se fugaba de casa, a veces dormía donde su hermano mayor en el Vedado, otras en nuestra casa, así. Al terminar los estudios, Dayani no había logrado entrar a la universidad, pero la amistad continuó, por supuesto. Juntas habían empezado a irse "de guerrilla", que era como se le llamaba a las vacaciones en una montaña o una cueva, mochila al hombro, durmiendo a la intemperie y cocinando en fogatas hechas por ellos mismos. Tania "la guerrillera", parecía un chiste.

Aunque ése no fuera mi ideal de vacaciones, prefería no oponerme, siempre y cuando mi hermana saliera bien en los exámenes universitarios. Inseparables habían sido Tania y Dayani hasta hacía muy poco. Luego de varios altibajos, su amiguita había decidido irse del país con su novio y, a mediados de los noventa acababa de conseguirlo.

Aquella noche Tania venía de casa del hermano de Dayani. Traía la primera carta que esta le había enviado y una mochila que le había dejado de recuerdo. Esta mochila tiene historia, dijo emocionada. Alguien se la había regalado al hermano de Dayani y él viajó con ella a Brasil, de regreso se la regaló a Dayani y ella la usó en todas sus guerrillas. Ahora me toca a mí continuar su historia, quién sabe a qué lugares me llevará, concluyó antes de mostrarla. Yo no pude permanecer callado.

—Es una mochila FAPLA, Tanita –le dije.

Mi hermana sonrió afirmando que sí, claro. Lo único que abundaba en el país en los noventa era residuos de la guerra, pero su mochila nada tenía que ver con eso, era un recuerdo. ¿Y tú vas a usar un objeto del ejército angolano para recordar a tu amiga?, pregunté muy serio. Tania volvió a sonreír y, mirándome a los ojos, explicó otra vez que sólo la habían usado Dayani y su hermano y que si la mochila pudiera hablar seguramente contaría la de cosas lindas que había visto. Pero es una mochila de las que usaban en la guerra de Angola, repliqué molesto y fue ahí cuando Tania se levantó empujando la silla donde estaba sentada.

—Esto no es más que un pedazo de lona de mierda, imbécil —dijo moviendo la mochila ante mis ojos—, tú no eres mi padre, el que se murió era mi padre. Era también mi padre ¿oíste?, pero la vida siguió. Siguió.

Tania dio un brusco giro y salió del comedor. Todos nos quedamos en silencio. Mami apoyó los codos sobre la mesa y su frente sobre las dos manos. Así estuvo hasta que abuemama la tocó en un hombro, entonces levantó la cabeza diciendo que había que recoger los platos. Renata empezó a hacerlo pero mami la detuvo, no hacía falta, le dijo, mejor era que se ocupara de su novio. Su novio, yo, me levanté sin decir nada y eché a andar hacia mi cuarto. A punto de cerrar la puerta, entró Renata.

Quizá era una estupidez. Quizá, ciertamente, esa mochila era apenas un recuerdo de las vacaciones con su mejor amiga. Quizá no era más que un pedazo de lona de mierda y yo no debía pretender eliminar de mi vida todo lo que tuviera relación con Angola, porque entonces ¿qué? ¿eliminaba al país? Era cierto que en los noventa a nosotros sólo nos quedaron residuos de un pasado y pocas esperanzas de futuro. Pero yo no sabía reaccionar de otra forma.

Aquella noche me senté en el borde de la cama sin decir nada. Ya Renata me conocía, sabía que permanecería callado, por eso se acercó a mis espaldas, puso sus manos sobre mis hombros y comenzó a darme un masaje. Era experta. Cerré los ojos. Ella me quitó el pulóver y abrió mi pantalón. Me dijo al oído que me tendiera bocabajo y terminó de desnudarme. Sentí la crema caer sobre mi piel, las manos de Renata frotándose una contra otra y luego juntas masajear mi espalda. Renata era experta. Masajeó y masajeó hasta que empecé a sentirme relajado y luego noté su lengua en mi cuello y su cuerpo desnudo que se pegaba al mío. Entonces hicimos el amor.

Después Renata logró convencerme para que hiciera las paces con mi hermana. Ella era experta. Yo ya estaba relajado. Cuando Tania abrió la puerta de su cuarto, adentro sonaba Tom Waits a volumen bastante alto. Le pregunté si quería subir conmigo a la oficina y ella me echó una de esas miraditas tan suyas antes de decir, espérate un segundo. Cerró la puerta, Tom Waits dejó de cantar y ella volvió a aparecer. Ya en la azotea, estuvimos un rato sentamos en silencio contemplando las estrellas hasta que, por fin, me decidí y le dije que cuando respondiera a la carta de Dayani le mandara saludos de mi parte. Tania soltó una risotada: coño, la piedra tiene sentimientos, afirmó y con la misma sacó una caja de cigarros del bolsillo y encendió uno. No supe qué me molestó más si lo de la piedra o lo del cigarro, pero mi objetivo era hacer las paces, así que me ahorré los comentarios. En su lugar pregunté si recordaba la primera vez que habíamos subido a la azotea. Respondió que no y yo seguí, sin tener muy claro adónde iba. Fue cuando los hermanos Karamazov se llevaban bien, dije, a mí me gustaba más cuando era así y patatí y patatá, continué hasta que ella me interrumpió y, mirándome, dijo que si lo que quería era pedir disculpas había un modo sencillo de hacerlo. La miré: discúlpame, chica, anda. Solté por fin, y ella sonrió.

Tania y yo conversamos mucho esa noche. En un momento que encendió un cigarro ya no pude evitarlo y le hice la pregunta. Dijo que fumaba desde hacía tiempo, pero yo no podía saberlo porque no la veía. Estás tan ocupado siendo el hombre de la casa que no me ves, afirmó. Hacía mucho que había dejado de ser Tanita para convertirse en Tania, y yo apenas me había dado cuenta. Esa noche firmamos la paz. Al día siguiente se apareció con un regalo y, aunque estaba envuelto en papel, supe que era un libro. De uno de tus preferidos, aseguró. Abrí el paquete y sonreí al ver el título. La miré. Me gusta más *Los hermanos Karamasov*, le dije. A mí también, respondió sonriendo, pero este también es bueno. Era *El idiota*.

Voy a escuchar a Tom Waits en honor a aquella noche. Quizá Lagardere llevaba algo de razón cuando dijo que, en lugar de compartir mi dolor, hago que les pese a los otros. A veces he sido un poco idiota, sí, pero también es cierto que mi bronca por la mochila FAPLA volvió a unirme a Tania y, a partir de ese momento, ella empezó a acercarse a Renata. Para algo sirvió entonces.

Ya va a empezar el embarque. Llamo.

—¿Renata?... Querías que te avisara... sí... no, está en mi bolsillo... nada, café en mi bolsillo... nada, café... bien, no te preocupes... claro que te mandaré un SMS... yo también Renata, mucho... gracias, sí... chao.

And if I have to go, will you remember me? Dice Tom en mis oídos. Me gustaría haberle dicho a Renata que estoy nervioso, que no me voy a tomar su pastilla porque no la necesito, que Tom canta algo muy triste. ¿Pero para qué decirle todas esas cosas? Salvo lo de Tom, ella sabe el resto.

La primera vez que monté en un avión también estaba nervioso, por otras razones, claro. Me acuerdo que después de comer Renata se tomó una pastilla, echó su asiento hacia atrás y me invitó a hacer lo mismo. Estás nervioso, dijo. Yo no tenía miedo por el vuelo, simplemente quería vivir esa experiencia que era nueva para mí. Estás nervioso, repitió ella, pero no por el avión, dijo cerrando los ojos. Me la pasé sin dormir, vi una película, caminé, hice todo lo que puede hacerse en un avión que es casi nada. Porque estaba nervioso, sí. Esa noche nos estábamos yendo de Cuba.

Renata vivió ocho años en La Habana, pero un día se cansó. Había llegado justo cuando estaba por comenzar una de las peores crisis de nuestra historia reciente, aunque eso ella no lo sabía, claro, ni nosotros tampoco. No obstante, la pasó bien, era joven, la familia le mandaba dólares y vivía en el trópico. Al terminar todos sus estudios, sin embargo, Renata supo que allí no le quedaba más por hacer. Llevábamos casi tres años viviendo en casa. Una noche me invitó a una cena especial. Dijo que su padre le había mandado un dinero como regalo de fin de la maestría y quería tener una noche loca, irnos a cenar a un restaurante como si estuviéramos en una película o en un país normal. Era 1997. Fuimos a una paladar con un salón espacioso y mesas bien separadas. Pedimos carnes y cervezas. Renata estaba tirando la casa por la ventana, pero no me pareció mal, era la celebración de años de estudio. Cuando retiraron los platos, trajeron nuevas cervezas. Ella anunció que tenía que decirme algo muy importante y, por un momento sentí terror al imaginar que estaba embarazada, pero ella debió haberlo notado en mi rostro porque enseguida dijo: no te preocupes que no estoy embarazada. Y quizá para reafirmarlo, llenó su vaso y bebió un trago largo antes de preguntarme si yo estaba enamorado de ella. Seguramente se me notó el alivio. Bebí directamente de la lata. Qué bobería, dije, claro que estaba enamorado, ella era la mujer de mi vida.

—Entonces, cásate conmigo, Ernes.

Me pareció rarísimo escuchar aquello. Era como si algo no estuviera en su lugar, como si el alcohol se le hubiera subido a la cabeza. No pude evitar que se me escapara una sonrisa y entonces, poniendo mi mejor cara de broma, dije que la película estaba al revés. ¿No eran los hombres quienes pedían en matrimonio a las mujeres? Renata no movió un músculo de su cara, continuó seria.

—No, mi amor, no está al revés, es que es otra la película. En la de ahora, yo no soporto más vivir en este país, pero quiero seguir contigo.

Continuó explicando que quería que nos fuéramos a Berlín. Su padre estaba dispuesto a ayudarnos e, incluso, ya le había mandado la información para pedir una beca de doctorado. Allí podríamos construir el futuro que no teníamos en Cuba y como ella era ciudadana alemana, el modo de hacerlo, la manera legal y más fácil, tanto para salir de Cuba como para instalarnos en Berlín, era el matrimonio. Sabía que era una decisión difícil, pero ella llevaba tiempo pensando mucho y creía que era nuestra única opción, por eso, me pedía una vez más: cásate conmigo Ernes.

Nuestra conversación no terminó aquella noche. Pasamos días hablando. Reparé en que nunca antes me había parado a pensar en ese momento que, sin duda, tenía que llegar, porque Renata no se había ido a Cuba para quedarse eternamente. Pero ninguno de los dos había hablado antes del tema. O habíamos evitado el pensamiento. Vaya usted a saber. Y allí estábamos. Fueron días difíciles. Casi todo el mundo me dio su opinión. Mami dijo que eligiera lo mejor para mí y con eso ella era feliz. Entre mis tíos, como siempre, hubo opiniones opuestas. Melquiades estaba en contra de que me fuera, uno era de su tierra, afirmó, y en su tierra debía quedarse. Martín no lo veía mal, mi primo Amílcar ya estaba en España y así, dijo, al menos su hijo y yo estaríamos en el mismo continente. Miguelito me dio una palmada en la espalda comentando que si le buscaba una novia alemana, con tremendo gusto él iría a hacerme compañía.

Antonio, como un padre, escuchó atento mis dudas. De una parte yo amaba a Renata, pero de otra sentía ese extraño sentimiento de abandonar algo, dejar a los míos. De una parte me atraía la idea de viajar, pero de otra sentía esa culpa por irme del país. Yo, el hijo del héroe, yéndose del país. Cuando terminé, Antonio puso una mano en mi hombro. Déjate de boberías, Ernestico, dijo. Yo no iba a abandonar a nadie, porque tanto él como mis tíos seguirían ayudando a las mujeres de mi casa, un hombre debía construir su propia familia, seguramente también mi padre me daría ese consejo, afirmó. Así que vete, mijo, cásate y vete, que este país está jodío, allá seguro te va a ser más fácil construir algo, concluyó.

Renata y yo nos casamos una tarde en la Notaría Internacional. Fue una ceremonia simple. Mi suegra, a quien ya conocía de una visita anterior, viajó desde Perú para estar con nosotros. El resto de los invitados eran de mi familia y ya con eso el bote estaba lleno. Luego nos reunimos en casa. Esa noche Tania bebió bastante. En un momento se acercó a mí con los ojos medio brillosos. Tú como siempre, me dijo, dejando que los demás decidan por ti. Renata se iba a llevar a su hermano y eso le daba tristeza, agregó, porque me iba a extrañar mucho. Cuando me abrazó supe que no era el ron lo que hacía brillar sus ojos. Era mi partida. Los tíos también bebieron bastante y hasta hubo discusiones a causa del dominó que después de tantos años volvía a sonar en casa. Y hubo canciones. Y mi suegra dejó a todos boquiabiertos cantando a dúo con tío Manolito una canción de Pimpinela.

Ya tarde, cuando todos se habían ido, salí al portal con Lagardere. A él nada lo había tomado por sorpresa, Renata era extranjera y siempre le pareció lógico que un día decidiera irse, como le parecían lógicas mis dudas. Los tipos buenos siempre dudan, aseguró. Él me iba a extrañar con cojones porque yo era su hermano, dijo, pero estaba feliz por mí y yo debía dejar de sentirme culpable. Te casaste y te vas, no pasa nada, bróder, tú no puedes vivirlo todo como una drama, la vida siempre sigue. Mira, dijo poniendo una mano sobre mi hombro, piensa que finalmente vas a lograr el sueño de nuestra infancia. No supe a qué se estaba refiriendo. Lo que repetimos durante años, Ernesto. El lema: pioneros por el Comunismo, seremos como el Che, ¿y qué era el Che?, preguntó, pero yo seguía sin entender adónde quería llegar.

—Argentino, bróder, extranjero. Así que no te sientas culpable por irte de Cuba, piensa esto: finalmente vas a poder ser como el Che.

Meses más tarde llegué a Berlín y me convertí en un extranjero.

Las armas secretas

La guerra es como el ajedrez, así me dijo Berto un día en Lisboa. Yo le había prometido a Renata que a la salida del trabajo tomaría una cerveza con él, sólo una, no llegaría tarde. Casi lo logro: bebimos dos o tres cervezas y no recuerdo cómo llegamos al tema, pero sé que en un momento Berto mencionó el ajedrez. Dijo que era su pasión de toda la vida y hasta había participado en pequeños torneos. Incluso juró, con esa costumbre que tiene de hablar en tercera persona, que Berto Tejera Rodríguez había hecho sudar a más de uno frente al tablero, porque era casi la reencarnación de Capablanca, aunque quizá un poco menos genial.

Cuando me preguntó si jugaba, respondí que no, pero mi padre sí, agregué al momento, a mi padre también le encantaba, decía que era un juego para gente inteligente. Recuerdo que Berto me miró con una media sonrisa antes de afirmar que mi padre tenía razón. Yo debería aprender, continuó. De interesarme, él se brindaba para ser mi maestro, porque aquél era un juego que podría gustarme y, además, conocerlo me sería útil si quería entender algo sobre la guerra. Entonces pronunció aquella frase que no se me olvida. Las guerras son como el ajedrez, me dijo, cuando se juega, lo que miras no es lo que está sucediendo en el tablero, sino lo que vendrá después. Lo que está delante de ti hace rato pasó por tu cabeza. Así es el ajedrez, muchacho, y así hacen los estrategas militares, concluyó.

Berto ya estaba jugando, aunque yo aún no me había dado cuenta, claro. Esa tarde propuso que en su siguiente viaje cenáramos en casa de su hija. Cenita portuguesa, aclaró. Y acepté con gusto. Días antes de regresar me envió un mail con la dirección y la hora. Renata no estaba muy entusiasmada, Berto seguía siendo para ella el "extraño hombrecito", pero aceptó acompañarme, claro. La única condición que puso fue no quedarnos hasta muy tarde porque al día siguiente se iba a montar bicicleta con unos amigos. Cuando Renata empezó a practicar ciclismo en Lisboa quiso que la acompañara, pero me negué. Bastante pedal tuve que dar en la Habana en los noventa, cuando no había más que bicicletas, protesté. Ella encontró con quien hacerlo. Y ése fue un error. Mío. Pero ya qué más da.

La cena con Berto fue un viernes. Su hija, Beatriz, me pareció de esas personas que combinan la sonrisa con la poca conversación sin que pueda comprenderse exactamente si la primera es consecuencia de la segunda o si es pura amabilidad. Aún no llegaba a los treinta años y tenía un físico lleno de contrastes. Mulata de ojos claros, como su madre, menudita como el padre, aunque con formas bien redondeadas. En realidad es una mujer monumental, pero en miniatura. De esas personas a las que uno puede pasarle por al lado sin reparar en ellas, hasta que reparas y te dices: tiene su atractivo. De otro lado estaba su niño de cuatro años, que se sentó a la mesa con nosotros. Y, por último, el perro, otra miniatura, un poodle de esos chiquitos y nerviosos que corren todo el tiempo de un lado a otro con los pelos encima de los ojos.

Beatriz preparó un bacalao riquísimo y si ella habla poco, su hijo es todo lo contrario. La cena giró alrededor de la conversación de él. Tanto Berto como Renata parecían muy divertidos escuchándolo y respondiendo a sus interminables preguntas. Gracias a que trabaja con portugueses, Renata tiene un buen nivel del idioma, cosa que a mí no me sucede porque paso el día delante de la computadora o hablando por teléfono con clientes hispanos. Aquella noche Renata parecía encantada. Cuando Beatriz se levantó para recoger los platos, ella se brindó para ayudarla. Y cuando Beatriz anunció a su hijo que era hora de irse a la cama, Renata preguntó si podía acompañarlos. Al niño le entusiasmó la idea. La madre estuvo de acuerdo. Berto besó a su nieto y, mientras las mujeres y el niño se alejaban, me propuso un whisky. Pasamos a la sala. Fue entonces cuando me mostró el juego de ajedrez. Traje de casa algo que te quiero enseñar, me dijo.

Yo estaba sentado en el sofá. Ya teníamos los vasos servidos. Berto fue hasta un mueble y de ahí tomó una pequeña caja de madera que colocó encima de la mesita central. Habíamos hablado del ajedrez, me dijo.

Ésa seguía siendo su pasión, por eso mantenía tres modos distintos de jugar. En vivo y en directo con un amigo a quien veía todos los meses en Porto. Por Internet. ¿Yo nunca había visto una partida online?, preguntó. Él tenía un amigo con quien echaba largas partidas. Cada uno tenía tres días para pensar su jugada y se podían meter un mes en eso, era muy interesante, un día quería mostrármelo. Por último, jugaba solo. Sí, a veces en casa se ponía a practicar solito, un vaso de whisky, él y el juego que quería enseñarme.

—Este es especial —dijo poniendo las manos sobre la caja— porque es un recuerdo de Angola.

Durante la guerra Berto tenía un juego de ajedrez. Había varios en la tropa a quienes les gustaba y cuando la gente tiene gustos comunes enseguida se reconoce. ¿Cierto?, preguntó y moví la cabeza afirmativamente, pero sin mirarlo. Yo miraba aquella caja que estaba encima de la mesa porque ese objeto venía de Angola y eso me fascinaba. Berto continuó hablando, dijo que había perdido su juego después que lo trasladaron de sitio, y eso le había dolido mucho, porque aquel tablero le había dado los momentos más lindos de toda la misión, el imaginar que no pasaba nada, que era como si estuvieran de vacaciones. Para restituir aquella pérdida, tiempo después, un amigo había comprado otro juego en una candonga, el mercado de pulgas, y se lo había regalado. Y era el que me estaba mostrando. Abrió la caja. ¿No son lindas?, me preguntó.

Las piezas no eran particularmente lindas, eran de una madera normalita, nada especial. Sin embargo, para

Berto significaban mucho, y para mí eran como pedazos de aquel territorio fantasma en que se había convertido Angola dentro de mi cabeza. Berto abrió la caja que era el tablero, colocó algunas piezas encima, levantó con sus dedos un alfil blanco y sonrió moviendo la cabeza. Tú eras muy chiquito cuando Fischer contra Spassky, dijo, pero debes acordarte de Karpov y Kasparov. Por supuesto que me acordaba.

—Salían cada día en las noticias —le dije— al cubano le gusta el ajedrez, ya tú sabes, Capablanca…

Yo estaba apenas iniciando el Pre cuando Garri Kasparov y Anatoly Karpov se sentaron por primera vez a disputar el título en un campeonato mundial. Todo el mundo hablaba de eso y, aunque a mí no me interesaba muchísimo, era inevitable seguir aquel duelo que duró meses hasta que el cansancio de los jugadores hizo que suspendieran el campeonato sin que ninguno se llevara la victoria. Poco después, en las noticias apareció otro soviético: Gorbachov, recién nombrado Primer Secretario del Partido Comunista de la Unión Soviética.

Berto sonrió mientras ponía el alfil en una casilla. Luego colocó otras piezas y se quedó con un caballo en la mano. ¡Quién le diera haber podido ver jugar a Capablanca! O tocar las piezas con que jugaron Karpov y Kasparov, por si le contaban los secretos aprendidos. Pero imposible. Con los segundos al menos tenía el consuelo de los videos. Verlos era un placer que no tenía palabras para expresar, él analizaba detalladamente cada gesto del rostro y luego cada movimiento en el tablero a ver si aprendía, porque la genialidad de los maestros no consistía solamente en mover piezas, sino en saber aprovechar las posiciones del tablero.

—Como en la guerra, ¿no? Porque, según tú, las guerras son como el ajedrez —dije tomando un alfil negro.

Aquella frase no estaba muy lejana de la realidad. Angola fue el tablero donde se jugó la última partida de ajedrez de la guerra fría. Sudáfrica había seguido entrando para atacar las bases que los guerrilleros namibios tenían en Angola. La Unión Soviética continuaba enviando armas para apoyar al gobierno del MPLA. Cuba hombres, más hombres. Y Estados Unidos, que durante la independencia había apoyado a los adversarios del MPLA, aún tenía vigente la Enmienda Clark que prohibía enviar nuevas ayudas. A mediados de los ochenta, sin embargo, algunas piezas de aquel juego comenzaron a cambiar sus posiciones.

—Así mismo— respondió Berto sin apartar la vista de lo que hacía—. Tanto la guerra como el ajedrez tienen dos armas secretas: la táctica y la estrategia. Una es saber ver, la otra, saber reaccionar.

Mientras en mi Preuniversitario los muchachos aún hablaban del suspendido campeonato de Karpov y Kasparov; el congreso estadounidense derogó la Enmienda Clark. Meses después, Savimbi fue recibido por Reagan y Estados Unidos decidió abrir un programa de asistencia a la UNITA.

—La armas secretas es un cuento de Cortázar que me encanta —dije poniendo el alfil en el tablero— y, en cuanto a tácticas y estrategias, prefiero las del poema de Benedetti.

Berto se echó a reír. Movió de casilla el alfil que yo había soltado, colocó el caballo que tenía en su mano y, en su lugar, tomó una torre. No sabía qué conocimientos tenían el tal Cortázar y el Benedetti sobre el juego, dijo, pero un jugador de ajedrez debía tener la capacidad de darse cuenta de la táctica que estaba empleando su contrincante, de su psicología y, por tanto, de las diferentes variantes que podía poner en juego. Por ejemplo, agregó, la primera vez que Karpov y Kasparov se enfrentaron, Kasparov se había lanzado con una táctica muy agresiva que el otro enseguida supo ver y esto por poco lo lleva a una rápida derrota.

Lagardere y yo nos estábamos haciendo amigos del Ranger y de Baby Ranger cuando, en Angola, los soviéticos empezaron a organizar ofensivas contra Mavinga, una pequeña ciudad del sureste, muy cercana de donde UNITA tenía su cuartel general. Pero entre los suministros que recibía esta de Estados Unidos y el apoyo de los aviones de Sudáfrica, aquellas ofensivas terminaron siempre con la retirada de las fuerzas del gobierno de Angola y de sus aliados cubanos.

Berto y yo hablábamos, pero sin mirarnos, su vista estaba en el tablero, la mía también. La mía se había quedado perdida observando el orden que él iba dándole a las piezas. Puso la torre y tomó la dama. Una vez que se logra comprender la táctica del contrincante, dijo, hay que tener la capacidad de analizar correctamente las posiciones y reaccionar ante ellas, o sea, elaborar un plan, una estrategia que se corresponda con la situación existente en el tablero.

—O en el terreno —acotó—, como quieras llamarle.

Parece ser que entre los cubanos y los soviéticos existían diferencias de opiniones en cuanto a las estrategias a usar en el terreno. Según Fidel Castro, los soviéticos no entendían ni el escenario ni el tipo de guerra que se libraba en Angola, aunque eso no lo dijo públicamente en aquel momento, claro, de esas diferencias yo me enteré mucho después, cuando ya no caminaba con Lagardere por las calles de La Habana.

Sin soltar la dama que tenía en la mano izquierda, Berto continuó colocando piezas. Yo lo miraba. Estaba fascinado con sus movimientos, con la calma con la que hablaba, aunque no podía seguir totalmente sus palabras. Kasparov había hecho algo, o era el otro, no sé, me perdí. Las palabras de Berto seguían saliendo de su boca, mientras su mano se movía elegantemente organizando el juego. Que si Karpov, que si Kasparov, dale que dale, que si Kasparov, que si Karpov, hasta que lo interrumpí.

—Ven acá, chico, y qué era Cuba en medio de esa guerra. ¿Un peón de la Unión Soviética?

Fue entonces cuando Berto levantó la vista para mirarme. Hizo un gesto con la boca, agarró su vaso y lo terminó de un largo y pausado trago, como si quisiera demorar el tiempo, como si en realidad él fuera Karpov o Kasparov y estuviera disputando consigo mismo el campeonato del mundo. Colocó el vaso sobre la mesa y volvió a mirarme.

—No, Ernesto, nuestro gobierno estaba jugando en el terreno y tenía su rey —hizo una mueca—. En esta historia los peones fuimos nosotros, tu padre, yo, los que no determinamos nada…

Ahí echó una medio sonrisa y, volviendo la vista al tablero, colocó la dama encima de una casilla y me anunció que estaba ante un jaque. Mira, dijo, regalo mi dama y el próximo movimiento es mate. ¿Te sirvo otro whisky?, preguntó. Yo miré el tablero. Piezas y más piezas, casillas y más casillas. Tableros y terrenos. No comprendía nada. Terminé mi trago de un golpe y extendí el vaso hacia Berto que, sonriendo, sirvió para los dos y, al terminar, levantó el suyo.

—Por Karpov y Kasparov —dijo—, y por los peones que también tienen derecho a su propio juego. ¿Tú no crees?

Choqué mi vaso sonriendo de mala gana y murmurando que yo no entendía el ajedrez. No entendía el juego y tampoco entendía adónde quería llevarme Berto, aunque eso no se lo dije. Él bebió un traguito corto, sacó el eterno cigarro que llevaba en el bolsillo, lo llevó a su nariz y, cerrando los ojos, aspiró profundamente. Cuando volvió a abrir los ojos, dijo que no me preocupara, él podría enseñarme el juego, era fácil entender las jugadas a partida concluida, lo difícil era entenderlas cuando se estaba jugando, pero a todo se aprende y a jugar, dijo, sólo se aprende jugando.

Berto me miró y yo estuve a punto de decirle algo, pero en ese momento las mujeres volvieron a la sala. Beatriz anunció que el niño ya estaba durmiendo, la cocina prácticamente recogida y había que sacar al perro. Renata me miró y, con una sonrisa de sorpresa, dijo algo así como: ¡tú jugando ajedrez! No quería romper el momento, agregó, pero se había hecho un poco tarde y ella tenía que levantarse temprano. Berto me miró y apuramos los tragos antes de empezar las despedidas.

Fue él quien sacó al perro. Renata y yo lo acompañamos un ratico caminando y luego seguimos solos. Ella estaba animada, aquel niño le había parecido muy simpático, dijo, hasta le había pedido que le cantara una canción cuando lo llevaron a la cama. ¡Qué bonito!, agregó. Yo caminaba en silencio, tenía un oído en Renata y el otro escuchando todavía aquella conversación, tratando de reproducir las palabras de Berto. Y Beatriz también le había parecido simpática, durante la cena habló poco pero, luego, en la cocina, mientras recogían las cosas habían tenido una conversación muy interesante. Yo seguía dándole vueltas a lo del tablero y lo de los cubanos y tratando de entender si acaso Berto me estaba queriendo decir algo, bueno, sí, que la guerra era como el ajedrez, pero eso era una simple metáfora. Renata le había dicho a Beatriz que seguramente nosotros estaríamos hablando de Angola y a Beatriz le había parecido extraño. Sería una metáfora, pero algo me estaba queriendo comunicar Berto, porque a ver ¿a mí qué me importan Karpov y Kasparov?, mi interés era la guerra.

—Beatriz me dijo que Berto nunca habla de Angola —afirmó Renata—, te lo dije, es extraño, algo le tiene que haber pasado allá.

Salí de mis cavilaciones para preguntarle qué estaba diciendo, él ya me había contado lo que había sucedido, los problemas que tuvo para estar con su mujer. Sí, dijo ella, pero no era eso. A Beatriz le había parecido rarísimo que su padre estuviera hablando conmigo sobre Angola, porque de los años pasados en ese país no se hablaba en su casa, ni siquiera cuando sus padres vivían juntos. Ella sabía que se habían conocido cuando la guerra, pero no era un tema de conversación. Es más, Beatriz se sentía portuguesa y jamás había puesto un pie en Angola, para ella aquél era el país donde nació su madre, nada más. No puedo negar que algo de extraño encontré en todo aquello, pero preferí no decirlo. Desde el principio, Berto no le había caído muy bien a Renata y no quería darle más motivos.

—Bueno —respondí—cada cual se siente de donde quiere ser. De todas formas estábamos hablando de ajedrez, no de Angola.

Sé que a Renata mi respuesta no le pareció convincente. Desde cuándo me interesaba el ajedrez, exclamó sonriendo, pero si yo creía que no había nada de extraño en Berto, a ella le daba lo mismo. Siguió hablando y cuando volvió a decir que el niño era simpático me desentendí de sus palabras. El tema niños era una de las sombras que ya empañaban nuestra relación y no me interesaba escucharlo. Lo que me interesaba, más bien, era tratar de entender a Berto. El tipo me caía bien. Nuestras conversaciones me parecían lógicas, éramos cubanos y aquella guerra era parte de nuestras vidas. Eso su hija no tenía por qué saberlo. Cierto que, cuando nos conocimos, no había querido hablarme de la guerra pero eso también me parecía normal. Lo que no entendía era si aquella noche había intentado comunicarme algo.

Cuando llegamos a casa. Renata me abrazó por la espalda y me dio un beso en la nuca susurrando que había imaginado una cena aburrida pero, al final, la había pasado bien. ¿Nos vamos a la cama?, preguntó. Respondí que sí y, mientras se metía en el baño, encendí la computadora. Estuve el resto de la noche leyendo sobre el ajedrez y las famosas partidas de Karpov y Kasparov. Estudié la dinámica de sus campeonatos, vi videos y traté de leer algo en sus rostros. No entendí casi nada. Las armas secretas de aquel juego seguían estando secretas para mí. Aquella noche no hice más que empaparme de un montón de información inútil para mi vida, sin entender que el juego era otro. Cuando, finalmente, entré a la habitación ya estaba amaneciendo y Renata dormía girada hacia su lado. Sola. Y ése fue otro error. Mío. Pero ya qué más da.

La espuma de los días

Ya vamos a partir. Entro en tiempo de descuento. A mi lado se ha sentado un tipo con cara y ropa de ejecutivo. Yo sigo escondido bajo mi sombrero. Cierro los ojos y me recuesto contra la ventanilla. Necesito sentirme liviano. Una vez Berto me dijo que tenía la impresión de que yo era demasiado severo conmigo mismo, debía ponerle un poco de ligereza a la vida, que ya de por sí era complicada. Aquello me molestó porque, aunque él no me conocía bien, algo de razón llevaba. A mí me hubiera gustado ser más ligero, sí, quizá parecerme a Lagardere que todo lo veía siempre más fácil, pero nunca lo logré. ¿Cómo coño iba a lograrlo?

De niños Lagardere siempre anduvo varios pasos delante de mí, pero en el Preuniversitario fue como una explosión, andaba a mil revoluciones por minuto. Yo, simplemente, lo seguía. Aquellos tiempos los recuerdo de mucha intensidad aunque, bien mirado, hacíamos siempre lo mismo. Durante la semana, íbamos a clases y luego a bañarnos en la costa. Eran días de espuma. De mar, espuma y pielecitas bronceadas. Los sábados por la noche, nos tocaba ir de fiesta y en Miramar las había tremendas. Aquél fue siempre un barrio chic, muchos de sus vecinos tenían trabajos que les permitían viajar al extranjero y, por tanto, tener productos del mundo capitalista. Los ochenta fueron la edad de oro de la Revolución Cubana, había tiendas y productos, pero todos venidos del campo socialista, por supuesto. Las fiestas de Miramar, sin embargo, eran un desfile de moda capitalista y cigarrillos extranjeros. La crema y nata de una sociedad saliente y otra entrante. Lagardere decía que no sólo era importante ir a las fiestas, sino demostrar que se tenía derecho a estar allí y, por eso, si alguien le regalaba un More mentolado el lunes en el Pre era capaz de guardarlo para fumárselo en la fiesta del sábado. Su padre era abogado, no viajaba, así que él no tenía acceso ni a More, ni a Marlboro ni a nada de eso pero, según él, debía demostrar que lo tenía.

Cada semana era la misma rutina: bañarnos en la costa, tomar el sol y mirar muchachas; irnos de fiesta, tomar un trago y mirar muchachas. Era como si la vida empezara con cada baño de mar. Uno de esos sábados, sin embargo, las cosas empezaron a volverse más interesantes para mí.

Estábamos en una fiesta. Lagardere se acercó para decirme que, por la hora, ya el padre del Ranger debía estar durmiendo, así que nuestro amigo iba a robarle el carro para irnos a una discoteca donde había un montón de niñas más buenotas que las de la fiesta donde estábamos. Yo reaccioné diciéndole que no me parecía bien, si nos paraba la policía ni el Ranger ni ninguno de los otros teníamos licencia de conducción. No se me olvida la mueca hilarante con que me miró Lagardere.

—¿Y tú no sabes quién es el padre del Ranger? Tres estrellas del MININT, bróder, ¿quién coño nos va a parar? Vamos anda.

Preferí no hacer comentarios y lo seguí hasta reunirnos con los otros. Esa noche, mientras el coronel del Ministerio y su esposa dormían, su hijo cogió las llaves del LADA. Los otros tres esperamos afuera y, cuando el Ranger abrió el garaje, entramos y empujamos silenciosamente el carro. Ya en la calle, subimos y él arrancó rumbo a la discoteca que estaba de moda y que todos seguían llamando con su antiguo nombre: el Johnny´s. En el lugar había tremendo ambiente, mis amigos empezaron a saludar a los conocidos, pero la verdad es que yo nunca he sido amante de las discotecas, así que me aparté a un rincón mientras los veía alejarse. En eso estaba cuando sentí una mano en mi hombro y una voz a mis espaldas.

—¿Y un muchacho tan serio viene a estos lugares? —Di media vuelta y tropecé con una sonrisa que ya había visto.

Se llamaba Rosa y nos habíamos conocido en el Comité de base de la Juventud. Nunca habíamos hablado mucho, pero al terminar una reunión, ella se había puesto a discutir sobre libros con otras muchachas y eso me pareció bien, lo raro fue que sostenía haber leído *El capital* y proponía que lo analizáramos en el grupo. Sinceramente aquello me resultó raro. Por muy buena alumna que fuera, no la podía imaginar echándose bronceador en la costa para luego recostarse a leer *El capital*. Tan raro me pareció que cuando salimos la seguí por el pasillo del Pre hasta alcanzarla y preguntarle, tímidamente, si realmente lo había leído. ¿Por qué, tú no lo has leído?, preguntó ella y moví la cabeza diciendo que, bueno, es que aún no lo había terminado. Rosa sonrió antes de concluir: pues cuando termines podemos discutirlo. Tenía una sonrisa linda, muy linda. La misma con que tropecé aquella noche en el Johnny´s.

—¿Tú sabes a quién tú te pareces? —continuó ella—, a Rod Stewart, por la nariz, digo. ¿Nunca te lo han dicho?

Me limité a sonreír. Dijo que ella también solía quedarse en una esquina en las discotecas, porque el ambiente la abrumaba, prefería otro tipo de música y encuentros con gente que escribía poemas y canciones, pero estaba acompañando a sus amigas. Yo lo mismo, respondí casi gritando. Sonreímos. La noche acababa de volverse interesante. Y fue allí, lejos del Pre y de las reuniones de la Juventud, en medio de tanto ruido, donde empezamos a conversar.

Rosa era un año mayor que yo, por tanto, salvo en las actividades de la Juventud, nunca coincidíamos. Haberlo hecho en el Johnny´s fue una suerte porque luego de nuestra conversación, truncada por la aparición de sus amigas, me quedé con ganas de seguir. Pero lo mejor fue que ella también y de eso me di cuenta después, cuando volvimos a vernos en la reunión mensual de la UJC. Poco antes del comienzo, ella me dijo: luego hablamos. Asentí y la reunión fue pasando mientras yo miraba su espalda. Tuve mucho tiempo. Si algo me sorprendió siempre de aquellas reuniones es que eran muy largas. No creo que fuera tan importante lo que discutíamos, sólo sé que necesitábamos mucho tiempo. Rosa tocaba su pelo, yo la miraba, los minutos corrían, la gente seguía hablando. Habíamos perdido totalmente la noción de la síntesis. Fidel Castro empleaba horas en sus discursos. Nosotros también. Como si el tiempo fuera directamente proporcional a la importancia de lo dicho. Pero no es así. Tanto tiempo sólo sirve para dar vueltas sobre el mismo tema. Y dejarnos mareados.

Finalmente, después de analizar en detalle lo que sucedía en nuestro entorno y de haber hecho críticas y autocríticas como era usual, cuando por fin terminó la reunión, Rosa y yo nos fuimos juntos. Su casa quedaba camino de la mía y, a partir de ese día, empezamos a encontrarnos casualmente a la salida del Pre. Bueno, yo la buscaba con la vista. A veces era Lagardere quien lo hacía para avisarme. Así empecé a enamorarme de ella, caminando bajo la sombra de los árboles mientras hablábamos de música y de libros. Cierta vez volví a preguntarle si de veras había leído *El Capital* y me miró sonriendo. ¿Por qué, tú no lo has leído? Fue otra vez su respuesta. Rosa tenía un brillo en la mirada que me encantaba, aunque yo era incapaz de decírselo. Siempre he sido un tímido. Renata decía que en esa palabra se esconde mi secreto, pero Renata siempre tenía algo que decir y ahora yo estoy recordando a Rosa. Es más, voy a escuchar a Rod Stewart para recordarla todavía mejor.

Fue gracias a Rosa que encontré un mundo que ni sabía que existía, pero que estaba allí, escondido en La

Habana. En ese entonces yo escuchaba mucho rock sinfónico, Queen o Electric Light Orchestra y, de otro lado Billy Joel, Sting. A Rosa le encantaba Rod Stewart, pero también los cantautores nacionales. Con nuestra lengua se pueden hacer muchas cosas, Ernesto, me dijo un día y tragué en seco pidiendo para mis adentros que no se me pusieran demasiado rojas las orejas. Yo de la Nueva Trova sólo conocía a Silvio y Pablo, gracias a ella escuché por primera vez a jóvenes trovadores que apenas pasaban por la radio, pero cuyas canciones hablaban de nosotros, del país. También gracias a ella empecé a ir al teatro y todo aquello me pareció tan interesante que me preguntaba qué demonios hacía yo dejándome arrastrar a una discoteca mientras en otro sitio existía otra ciudad que me interesaba más.

Un sábado llamé a Lagardere para proponerle que fuéramos al teatro. En principio la idea no le entusiasmó, pero cuando dije que estaría aquélla que me gustaba acompañada por sus amigas, entonces la cosa empezó a interesarle. Y más aún cuando llegamos y vio que eran cuatro las muchachas. Tas acabando, bróder, susurró a mi oído. Rosa se sorprendió de verme, qué casualidad, dijo. Yo ya sabía que ella estaría ahí, claro. Sonreí. Creo que será una puesta en escena interesante, fue lo que dije.

La obra estuvo bien. Lagardere bostezó varias veces, pero a mí me gustó mucho. Después, Rosa y las otras habían quedado con unos amigos en un parque del Vedado y nos invitaron a acompañarlas. Había un montón de gente sentada sobre la hierba, varios con guitarras y dos muchachos que pasaban un sombrero para reunir dinero y comprar ron. Nos sentamos con el grupo. A Lagardere aquello le pareció bien, pero luego de un rato ya no tanto. Escuchábamos canciones que ni él ni yo conocíamos porque los autores eran los jovencitos que cantaban y entre canción y canción alguien se levantaba para recitar un poema, también de su propia inspiración. Entonces mi amigo se acercó a mi oído para decirme que iba a dar una vuelta y que acabara de meterle mano a la que me gustaba, porque él empezaba a aburrirse. Ahí, por fortuna, una de las amigas de Rosa sacó una caja de cigarros, él le pidió uno y le hizo una seña para irse juntos a fumar fuera del círculo de cantores. La muchacha se levantó y yo tomé su puesto junto a Rosa. Alguien cantaba. Ella acercó su cabeza a la mía y preguntó si la estaba pasando bien. Respondí que sí. Terminada la canción un muchacho se puso de pie y pidió a una amiga suya que leyera alguno de sus poemas. La chiquita, una flaquita de grandes ojos azules y pelo encrespado, se levantó, bebió un trago y dijo que recitaría algo que había escrito hacía un tiempo. Era un poema hermoso. Cuando terminó, todos aplaudieron. Rosa volvió a acercar su cabeza a la mía para confesar que también ella había intentado escribir poemas, pero que no le salían tan buenos como el de la flaquita, afirmó. Sentí su aliento caliente sobre mi oreja y eso me encantó, entonces me acerqué para murmurarle.

—Pero la flaquita es una mentirosa, porque el poema que recitó no es suyo, es de Paul Eluard.

Rosa me miró extrañada. Sin acercarse esa vez preguntó cuánto había leído yo a Paul Eluard que podía acordarme así de un poema. Sonreí con malicia. ¿Por qué, tú no lo has leído?, le pregunté. Ella se echó a reír y yo la seguí. Rosa tenía una sonrisa linda, muy linda, pero tampoco en ese momento fui capaz de decirle nada. Aquella noche Lagardere terminó medio enredado con alguna muchacha. Luego me dijo que yo debía atacar, que la Rosa Luxemburgo, así la llamaba, era una intelectual como yo, por eso tenía que dejar mi bobería y meterle mano de una vez. Pero a mí me faltaba esa ligereza, no sé. Lagardere decía que yo leía libros tristes y no era eso lo que debía leer, porque ya me había tocado la tristeza en la vida real. Tenía que dejar de ser tan correcto y volverme loco en vez en cuando. Yo sonreía envidiándolo. Porque sí, a mí me faltaba esa facilidad de ver la vida como algo quizá más normal, no sé. Algo más ligero.

Cuando perseguir a Rosa y a su mundo se convirtió en mi objetivo, Lagardere y yo empezamos una nueva etapa. Porque tú eres mi hermano, bróder, pero hay que ponerse de acuerdo, me dijo él. Un día descubrí que Rosa se bañaba en la costa de la calle 16 y allí quería ir yo, sólo que Lagardere la tenía cogida con el Cristino. Además de las costas abiertas, en Miramar había establecimientos balnearios que pertenecían a distintos ministerios. El Cristino Naranjo era el del Ministerio del Interior, por tanto tenía la cafetería mejor surtida y muy buenos servicios. De los amigos el único que podía entrar, por su padre, era el Ranger y ahí empezaban mis problemas, porque lo malo del Cristino no era sólo que Rosa no estaba, sino que mientras el Ranger entraba por la puerta llevando en su mochila nuestras ropas, Baby Ranger, Lagardere y yo teníamos que tirarnos al mar para colarnos nadando. Una vez dentro todos quedaban felices, menos yo, que me ponía a pensar en Rosa mientras contemplaba la espuma que dejaba el mar después de golpear contra los yaquis rompeolas.

Lagardere y yo empezamos una etapa de mundos alternados: una tarde íbamos a la playita de 16 y la otra al Cristino. En cuanto a los fines de semana: "sábado de intelectuales" y "sábado de normales", como a él le gustaba llamarles.

Uno de los "normales" sucedió algo que no se me olvida. Lagardere, los dos rangers y yo fuimos a una fiesta en un edificio cerca del puente de Hierro. Aquello estaba lleno de gente, pero apenas salí al balcón: sorpresa. Me encontré con Rosa. Resulta que era prima de los hermanos que vivían en ese apartamento, uno era de mi año del Pre y el otro de la universidad. Durante la noche pudimos conversar a ratos, porque ella se la pasó ejerciendo de anfitriona. Ya tarde, cuando la gente empezó a irse, yo no sabía dónde se habían metido ni Lagardere ni los otros, pero Rosa se acercó y dijo que no me preocupara, seguro que andaban con su primo, ya aparecerían, lo mejor de las fiestas era cuando quedaba poca gente. En la sala, el primo de la universidad conversaba con sus amigos. Ella y yo nos quedamos en el balcón y allí hablábamos cuando escuché la palabra Angola. No lo puedo evitar, existe en mí una especie de detector de esa palabra.

Por aquel tiempo ya era raro el día que nuestra prensa no hablara de acciones de la UNITA y de su acercamiento a Estados Unidos. En teoría los cubanos estaban para ayudar al gobierno angolano a defenderse de su enemigo externo, Sudáfrica; pero muchos enfrentamientos eran contra el enemigo interno, la UNITA que peleaba con el apoyo de los sudafricanos. Y el rostro de esta era su líder Jonás Savimbi.

En la sala el tono de voz de los muchachos fue subiendo. Dicen que por allá la cosa se pone cada vez más mala, el Savimbi ese es peligrosísimo. Rosa y yo nos acercamos a la puerta. A los del servicio militar los están mandando, mi hermano, diecisiete añitos y pa' una guerra que no es tuya. Yo me recosté sobre el borde de la puerta de cristal. Hay muchas manos metidas en Angola pero, ¿quién pone los cuerpos? Los muchachos empezaron a exaltarse. Sí, está bien, pero si Cuba se va, Sudáfrica y los americanos se comen vivos al MPLA, hay que quedarse. Yo tenía un vasito de ron en la mano. Pero a ver, ¿a ti alguien te preguntó si tú estabas a favor o en contra de esa guerra? Creo que Rosa estaba parada al lado mío. Hay que irse y no mandar más chiquitos de diecisiete añitos pa' una guerra que nadie entiende. Las voces empezaron a superponerse. Hay que quedarse, qué carajo. Sentí que mi corazón batía más rápido. Pero nosotros qué somos, chico, ¿el papá Noel del tercer mundo o qué? Las palabras se cruzaban. Yo te digo que el que quiera ir que vaya y quien quiera ser un héroe, que lo sea, ¡pero que no jodan a los otros! Apreté fuerte el vaso de cristal dentro de mi mano. Carne de cañón, compadre, eso es lo que somos, carne de cañón. Bebí de un solo trago y empecé a caminar hacia la puerta. De repente me faltaba algo. ¿El aire? No sé. Alcancé la puerta y salí corriendo escaleras abajo. Saltando escalones. Deprisa. Con la prisa de quien tiene que escapar de un sitio sin saber exactamente por qué.

¡Ernesto! Cuando por fin escuché mi nombre me detuve. Ya había llegado a la entrada del edificio. Sentí unos pasos. Rosa apareció tras mi espalda y, casi sin aliento, repitió mi nombre. Tú no sabes, dije moviendo la cabeza de un lado a otro, es que tú no sabes.

—Yo sí sé, chico. ¿Tú te piensas que los de la Juventud no saben lo que le pasó a tu padre?

Yo estaba respirando aceleradamente. Rosa tomó mi mano y abrió lentamente mis dedos para quitarme el vaso que parecía formar parte de mi cuerpo. Entonces habló muy bajito. Dijo que los amigos de su primo no tenían por qué saber, que aquélla era una conversación cualquiera, que no me lo tomara de otra forma. Empecé a calmarme, pedí disculpas. No había nada que disculpar, dijo, no pasa nada, tranquilo. Y yo respiré pensando en tranquilo, no pasa nada. ¿Ya estás mejor?, preguntó. No pasa nada, disculpa, respondí. Rosa empezó a decir algo, pero no pude escucharla porque en ese momento sentimos unas risas que entraban al edificio.

—¡Oh!, perdón, ¿interrumpimos?

Eran Lagardere, Baby Ranger y el otro primo de Rosa. Me aparté un poco desconcertado y anuncié que me iba, la fiesta había terminado. Lagardere hizo un gesto cómico mirando a todos, pero di unos pasos hacia delante y entonces él dijo que de acuerdo, ya nos íbamos. Miré a Rosa susurrando chao. Ella alzó la mano y me sonrió, pero era una sonrisa triste.

Cuando echamos a andar Lagardere estaba preocupado. Quiso saber si me había interrumpido, si había llegado justo cuando por fin me atrevía a decirle algo a la Luxemburgo. Respondí que nada de eso, me iba porque no sabía dónde estaba él, sólo quedaban desconocidos y Rosa tenía sueño, pero entre ella y yo, nada todavía. Él suspiró. Según su opinión yo tenía que acabar de caerle encima a Rosa, pero si no era el momento, pues bueno, dijo, ya sabría yo, mientras tanto... Soltó una risita antes de explicar que él y los otros se habían visto obligados a acompañar a unas ninfas, pero como al salir del edificio había un parque que estaba oscuro habían tenido que detenerse en la penumbra a saborear a aquellas ninfas de la noche y de la espuma. ¡Qué clase de ninfa la mía! Y coño, bróder, ¿por qué tú estás caminando tan rápido?, a ti te pasó algo.

—¡Ah, no! Ahora mismo viro y los despingo a todos, cojones, que a tu padre hay que respetarlo.

Eso dijo Lagardere deteniéndose cuando por fin le conté. Yo también me detuve. No hay que fajarse, dije, son los animales los que se fajan, nosotros usamos el músculo del cerebro. Él me abrazó y, dando golpecitos en mi espalda, repitió que yo era su bróder y a mi padre y a mí había que respetarnos porque de lo contrario él era capaz de usar el músculo que primero se le reventara. Sonreí agradecido.

—Sigue contándome de tu ninfa, anda —le pedí antes de retomar la marcha.

Y él continuó hablándome de sus aventuras con aquella ligereza que tanto yo enviaba. Aquella facilidad para no complicar las cosas. Ésa que nunca he podido tener y que Berto se atrevió a cuestionarme. ¿Pero cómo iba a poder yo ser más ligero, Berto? ¿Cómo coño iba a poder serlo, a ver?

El país de las últimas cosas

Un hombre no siempre es dueño de sus decisiones, así había terminado aquella vez Berto su discursito sobre la ligereza. Siempre he tenido una maldita costumbre de retener las frases, no sé por qué, pero se me quedan pegadas en algún rincón del cerebro, como las notas que uno pega en el refrigerador para no olvidarse de comprar azúcar o café. Así permanecen en mi cabeza ciertas frases y, encima, aquélla fue la conclusión de un discurso y el preámbulo de otro. Yo andaba confundido con el rumbo de mi vida y, sin querer, mi estado provocó una reacción que provocó otra reacción.

Berto estaba en Lisboa y habíamos quedado en ver un partido de fútbol en el café de João. Esa noche ganó el Porto, lo recuerdo porque era el equipo de Berto y estaba contentísimo. Jõao, sin embargo, estaba triste. Ver perder al Benfica era como cuando te despiertas y descubres que la rubia no era más que un sueño, sentenció sirviéndonos nuevas cervezas. Jõao siempre me ha parecido un poeta. Renata me llamó en algún momento y le anuncié que aún estábamos con lo del fútbol. Lo mío siempre ha sido el beisbol, pero desde que estoy en Europa el fútbol ha ganado su importancia, eso ella lo sabe. No sé cuántas cervezas habíamos bebido cuando, por fin, Berto y yo salimos del café.

Pero él estaba tan feliz que no tenía ganas de irse a casa. Renata volvió a llamarme y le dije que seguíamos hablando del partido. Sé que no le gustó, porque me soltó un "como quieras" antes de despedirnos y colgar. En realidad tampoco yo tenía ganas de irme a casa, por eso prefería seguir con Berto hablando de cualquier cosa, no sé, boberías. A él las cervezas y la victoria de su equipo lo tenían con los ojos chispeantes. Me hizo un rápido resumen del Porto en las ligas nacionales y de los jugadores que más le gustaban. Ése era el lugar donde él vivía, era su ciudad y su ciudad había ganado, concluyó cerrando un puño. Yo sonreí y lo invité a otra cerveza en la mía, afirmé, en mi ciudad: La Habana.

Esa noche lo llevé al rincón de Lisboa que he convertido en mi Habana y se sorprendió del parecido que tenían. Nunca lo hubiera pensado, dijo, hacía tanto que no veía su ciudad de origen que ya le quedaban pocos recuerdos, pero sí, había un Cristo y una lanchita que atravesaba las aguas para ir al otro lado. Casualmente, me dijo, cerca de mi Habana lisboeta había una famosa discoteca africana. ¿La conoces?, quiso saber. Yo no la conocía, pero la palabra discoteca nunca me ha llamado la atención, respondí, y Berto echó una sonrisita antes de afirmar que ese lugar era otra cosa, estaba seguro de que me gustaría, teníamos que ir juntos una noche y mejor cuando tocara algún músico angolano, él se informaría, porque yo tenía que conocer el sitio. Imagínate, una noche de estas Luanda y La Habana pueden estar nuevamente cerquita, concluyó.

Después de pedir las cervezas, estuvimos un rato redibujando La Habana sobre las aguas del Tejo, recordando cosas de allá, de nuestras vidas hasta que, en un momento, yo mencioné mis estudios. Me acuerdo de la cara que puso Berto cuando le dije que era ingeniero civil, pero que en Europa me había tocado reinventarme. Coherente, dijo sonriendo, me parece muy coherente. Y aunque yo no le veía la coherencia a mi transformación, igual sonreí. Tanto estudiar algo que ni me gustaba para terminar haciendo otras cosas que me gustaban menos. Con eso empecé y por ahí seguí, claro, tenía unas cuantas cervezas dentro.

Llevaba ya unos cuatro años en la empresa, pero este trabajo nunca me ha interesado. Incluso antes de empezar me costó un disgusto con Renata. Cuando me contrataron a ella le pareció muy bien. Después de pasar un tiempo haciendo esporádicos trabajitos por Internet, dijo, finalmente yo iba a lograr insertarme, tener un sueldo fijo y comenzar una vida profesional. ¿Estar sentado frente a una computadora, vestido formalmente, haciendo trabajos de oficina y vendiendo productos al teléfono, era lo que mi mujer llamaba "vida profesional"? A mí aquello nunca podría interesarme, simplemente es lo único que encontré. Renata no pareció sorprendida con mi reacción inicial, yo era incapaz de alegrarme con nada, dijo, así que daba igual cualquier cosa. Cuatro años después yo seguía con la misma insatisfacción y, como si fuera poco, sobre mi cabeza giraban Renata y su maldito reloj biológico. Una bomba de tiempo que ella había activado, aunque sobre eso preferí no hablarle a Berto.

Casi sin darme cuenta, Berto se había ido convirtiendo en un amigo. Mis relaciones personales se reducían a los mails que cruzaba con Lagardere o con los de Berlín, saludos por Facebook a algún que otro conocido, intercambios con los lectores de mi blog y charlas banales ya fuera en mi oficina, en el bar de João o en cenas con colegas de Renata. Mirado superficialmente podía hasta parecer que tenía una intensa vida social, pero no era cierto. Con Renata la comunicación se estaba volviendo cada vez más difícil y un amigo, lo que se dice un amigo, a mano no tenía. Fue seguramente por eso que, poco a poco, visita tras visita, Berto se fue convirtiendo en alguien muy importante para mí.

Aquella noche, él me escuchó soltar toda mi palabrada, que si el trabajo, que si mis viejos sueños de haber sido otra cosa, que hasta me estaba preguntando para qué me había ido de Cuba donde por lo menos estaba mi familia y había calor todo el año. Hablé y hablé como un loco y cuando terminé, él me miró sonriendo. No se me ponga así, ingeniero, dijo. Quizá una oficina no era el paraíso, pero millones de personas tenían esos empleos y así llegaban a fin de mes pagando sus facturas y saliendo a cenar de vez en cuando. Bien que podía sentirme afortunado de tener trabajo en medio de la crisis portuguesa porque, además, podía mandarle algún dinerito a mi familia. ¿Con tu mujer te va bien?, preguntó y mentí moviendo la cabeza afirmativamente. Entonces no tenía motivos para preocuparme, dijo, había que darle a las cosas el peso justo que tenían. Los sueños de adolescencia, no eran más que eso: viejos sueños, pero la vida real era mucho más complicada. Yo debía ponerle un poco de ligereza a las cosas porque si me ahogaba en un vaso de agua ¿qué iba a hacer cuando tuviera verdaderos problemas?

—Si te fuiste de Cuba, muchacho, es porque así tenía que ser y ya está, cuestión de circunstancias. Un hombre no siempre es dueño de sus decisiones, a veces es la vida quien decide—, concluyó antes de girarse para buscar al camarero y hacerle un gesto.

Yo medio sonreí. Dos cosas me habían sentado mal en aquella conclusión. De una parte, la facilidad con que él reducía mis problemas a casi nada, cuestión de circunstancias. De otra, algo de razón llevaba con lo de la maldita ligereza. Cuando el camarero se acercó nos hizo saber, con una tímida sonrisa, que estaban cerrando. Pero Berto necesitaba otra cerveza y yo también, así que insistiendo, consiguió que nos sirvieran las últimas en vasos de plástico. Pagamos y nos fuimos a caminar junto al río por el carril de las bicicletas. Fue ahí, después de dar el primer sorbo, cuando Berto me dijo que tenía la impresión de que yo era demasiado severo conmigo mismo, pero que no debía ser así, porque cuando a la vida le daba la gana nos daba una vuelta y nos dejaba virados al revés, porque la vida a veces era quien decidía, reiteró.

—Te voy a hacer una historia que me sucedió en Angola…

No sé si fue por el exceso de cervezas o para demostrarme que mis problemas eran ridículos o porque de veras necesitaba hacerme el cuento y le pareció el momento adecuado. No sé. He pensado mil veces, pero no logro entender si el hablarme aquella noche fue un deseo consciente o un buen momento aprovechado. El caso es que Berto volvió con la historia de su enamoramiento, de cómo conoció en aquel pueblo angolano a la que luego fue su esposa. De cómo sus amigos empezaron a protegerlo y a ocultar sus fugas para verla. Yo ya sabía que los jefes no debían enterarse, pero que se enteraron, porque en un pueblo es imposible mantener secretos. Y lo llamaron a contar. Tenía que dejarla, no sólo porque aquello no era un campamento de vacaciones donde los soldados iban a buscar novia, sino porque no estaba claro con quién simpatizaba la familia de la mujer y podía ser peligroso. Pero ni ella ni su familia simpatizaban con nadie, me dijo Berto, eran simples comerciantes, lo habían sido siempre desde que un bisabuelo portugués había llegado a Angola. A ella el cubano le gustó y a él le gustó ella, así de simple. Él no era militante ni de la Juventud ni del Partido, por ahí no podían castigarlo así que, después de la tercera advertencia, el mando decidió que sería trasladado de campamento. Todo aquello ya me lo había contado más o menos anteriormente y yo sabía que, al terminar la misión, cuando Berto y ella se habían rencontrado, habían decidido seguir juntos. Me pareció tan evidente lo que quería demostrarme que se lo dije. Le dije que tenía razón, la vida a veces es quien decide y en su caso había decidido que él no regresara a Cuba para quedarse con su mujer. Berto sonrió.

—No, esa decisión fue mía, ahora empieza la historia que quiero contarte —afirmó.

El día del traslado, Berto había salido de la unidad en una pequeña caravana. Viajaba en un camión con sus amigos a quienes les había tocado escoltarlo. En medio de la carretera cayeron en una emboscada. Todo había sido muy rápido, dijo. Y confuso. Hubo unos muertos, los otros tuvieron que saltar fuera del camión y echar a correr para protegerse. Él corrió hasta que escuchó un fuerte ruido y cayó al piso. Entonces sintió algo en una pierna. Era como si le hubieran tirado una fuerte pedrada que hiciera mucho daño. Había olor a pólvora y mucho humo, pero él ya no conseguía escuchar bien. La explosión le había afectado el oído, aunque él no se dio cuenta. No en ese momento, porque en ese momento era como si ya no estuviera. Fue un hueco dentro de la secuencia, afirmó, un espacio de tiempo desaparecido. De repente tuvo conciencia del dolor en su pierna y entonces volvieron las imágenes. Hubo otra explosión. Tierra, humo y un olor desagradable. Apenas podía moverse, no sabía de dónde sacó la fuerza pero así, medio atontado, logró arrastrarse hasta la maleza y alcanzar unos árboles donde se pudo ocultar. Desde su posición logró ver los camiones parados en la carretera, alguna gente disparando parapetada detrás de ellos y unos cuerpos tirados en el suelo. Su pierna izquierda estaba cubierta de sangre, le pitaba el oído, ya no podía más, pero tenía que salir de allí. Aquello no paraba.

Estuvo arrastrándose durante un rato hasta que, ni sabe en qué momento, debió de desmayarse.

Cuando despertó delante de él había un negro de bastantes años que lo miraba fijamente. Él no supo si estaba soñando, o si estaba muerto y finalmente "el más allá" existía. Intentó moverse, pero el hombre lo tocó y entonces supo que estaba vivo, convaleciente dentro de un kimbo en alguna aldea perdida en cualquier sitio. Sintió, me dijo, como si hubiera despertado en otro mundo, en el último espacio existente de la tierra. Allí vivió el tiempo que demoró en recuperarse. No sabía dónde estaba ni qué día era, pero cada mañana aquel viejo señor lo visitaba para ponerle ungüentos y curarlo. Poco a poco fue conociendo a las personas de la aldea y, aunque no entendía el lenguaje que hablaban, recibía sonrisas, rostros amables. Aquél era como un país perdido en la memoria de alguien, me dijo, un sitio que, aunque quisiera, sabía que jamás sería capaz de encontrar ni en un mapa.

Cuando estuvo completamente restablecido pudo, por fin, partir. Un pequeño grupo de la aldea le sirvió de guía por la jungla hasta dejarlo encaminado. Luego siguió solo, pero ya había pasado demasiado tiempo. ¿Demasiado?, pregunté y Berto dijo que sí, cuando llegó al primer sitio que podría llamarse pueblo, supo que habían pasado varios meses desde el día de la emboscada. Ya era demasiado tarde. ¿Tarde?, lo interrumpí, pero él no pareció escucharme, caminaba a mi lado hablando sin mirarme y así continuó. Es que la guerra lo trastoca todo, dijo. La guerra es el territorio de las últimas cosas, donde todo sucede por última vez. Un día puede equivaler a un año, varios meses a una vida, la vida se pierde en un segundo y una vez que ha pasado ese segundo nada vuelve al punto de partida. La vida decide, repitió. Y la vida había decidido que él ya nada tenía que ver con aquella guerra. Había decidido mandarlo herido al culo del mundo tan sólo para sacarlo de la guerra y él lo había entendido. Estaba fuera. Cuando después de miles de dificultades logró comunicarse con su mujer y cuando se encontraron, comprobó que nada había cambiado entre ambos. Ella le contó que había quedado embarazada, pero había perdido la barriga por el susto de perderlo a él. Fue entonces cuando él decidió que no regresaría a ninguna parte, que se quedaría con ella, porque así debía ser. Ella volvió a salir embarazada y el resto yo ya lo conocía.

Cuando terminó de hablar, Berto se detuvo, bebió un trago de su cerveza y entonces me miró preguntándome qué pensaba de su historia. Yo estaba confundido. Era una experiencia durísima, pero de repente había cosas que no entendía. A mí también las cervezas me habían hecho su efecto y el caso es que no lograba entender del todo por qué no había vuelto con su gente. Por qué luego de pasar por aquella experiencia, no se había presentado para contar lo que había tenido que vivir y saber qué suerte habían corrido los suyos.

—¿Y tus compañeros? —fue mi respuesta.

No los había visto más, respondió, alguno cayó en la emboscada, de los otros no sabía porque, como ya me había dicho, luego pasó un tiempo en Luanda antes de partir hacia Portugal. ¿Pero por qué no volviste?, insistí yo. ¿Volver a dónde?, preguntó con un evidente gesto de molestia. ¿Volver a dónde?, si yo ya estaba cumplío.

Berto había pasado en Angola dos años de misión. Había hecho lo que tenía que hacer, me dijo, volver podía ser peor. Había dejado de ser confiable a causa de la mujer, reiteró, bien podría imaginarse qué iba a pensar el mando si aparecía después de meses de ausencia, no debía olvidarme que estaban en guerra y en las guerras todo adquiere dimensiones desproporcionadas, todo se trastoca. No, Berto Tejera Rodríguez no podía volver, afirmó, la vida había decidido sacarlo de aquel terrible juego y él había decidido comenzar otra partida, porque estaba cansado, sí, también estaba cansado.

Me quedé mirándolo sin decir nada. Tenía un montón de preguntas atragantadas y en la cabeza me daba vueltas el primer pensamiento que me vino mientras escuchaba su historia, el mismo que había tenido Renata tiempo atrás: Berto era un desertor. ¿Un desertor? De repente lo vi ahí tan chiquito y me pareció todavía más poca cosa. Estábamos parados junto al río y aquel hombrecito extraño me miraba con los ojos muy abiertos. Ahora no sé si era él o era yo, pero tuve la impresión de que alguno de los dos se movía ligeramente, que sin dejar de mirarnos, alguno de los dos no estaba estable, quizá habíamos bebido demasiado. No sé. Quizá era la tensión, sí, porque en la forma de mirarnos había vuelto la tensión aquella que sentí la primera vez que hablamos. Berto me miraba de un modo extraño, pero yo no sabía qué decirle, no podía decir nada, sentía rabia y pena y ganas de no estar ahí. Eso sentía hasta que, de improviso, como si me hubiera estado leyendo el pensamiento, en su boca apareció una sonrisa triste.

—Tú querías conocer historias de la guerra y aquí tienes una, espero que no seas tan severo con los demás, como lo eres contigo —dijo y terminó suspirando.

Ahí apartó sus ojos y dejó de mirarme. Yo suspiré como tomando impulso para decir algo, pero no supe qué, permanecí en silencio sin cambiar la vista. Lo vi menear el vaso de cerveza y apurar el último trago. En la guerra, continuó, uno ve cosas que no quisiera ver, ni ayer ni mañana existen, sólo un ahora donde lo único que importa es seguir viviendo. Me quedé mirándolo aun incapaz de decir nada. Seguir viviendo… De repente sentí como si un ruido sordo se instalara en mis oídos. Seguir viviendo… Yo quería decir algo, pero no supe qué, estaba como… detenido. Sí. El hombre detenido frente al extraño hombrecito que, finalmente, me ahorró el tener que encontrar las palabras justas con otra frase lapidaria.

—Pero ¿qué sabes tú de la guerra si ni siquiera has hecho el Servicio Militar? —concluyó—. Qué sabes tú… —repitió casi en un murmullo.

Ya no tuve necesidad de encontrar palabras. No había más que decir. Berto sonrió de mala gana. Con una mano levantó el vaso de cerveza, lo puso bocabajo y vimos como caía apenas una gota de espuma. Él hizo una mueca antes de agitar nuevamente el vaso, pero no cayó nada más. Sólo entonces volvió a mirarme y haciendo un gesto medio cómico afirmó: tú eres un buen muchacho y yo estoy medio borracho, mejor vamos andando ¿no crees? Asentí y emprendimos el regreso.

En Lisboa, cuando es de noche, las luces de ambas orillas del río se reflejan en el agua. Berto y yo empezamos a caminar y enseguida él rompió el silencio afirmando que de veras aquella parte de la ciudad se parecía a La Habana, qué buena ocurrencia la mía, iba a llevar a su hija y a su nieto para que conocieran La Habana que se escondía en Lisboa. No mencionó más Angola, ni siquiera cuando pasamos frente a la discoteca africana de la que me había hablado. Yo seguía junto a él apenas asintiendo a lo que decía y así continuamos hasta que tocó despedirse. Él me dio un abrazo fuerte pidiéndome que saludara de su parte a mi señora.

—Gracias, Berto —conseguí por fin decirle de manera un poco apresurada—, por la confianza.

Él sonrió. Tú eres un buen muchacho y yo estoy medio borrachito, dijo nuevamente y, aunque imaginé que agregaría algo a nuestra anterior conversación, me equivocaba. Berto me dio una palmada en un brazo y confesó que iba a tener que entrar a casa muy cauteloso para que su hija no lo viera en ese estado, pero bueno, agregó, el Porto había ganado y qué podía hacer un hombre sino celebrarlo con un amigo. Sonreí.

Esa noche yo también entré cauteloso a casa, aunque no hacía falta porque Renata hacía rato que dormía. Yo había perdido el sueño. Además, durante la caminata junto al río, la brisa me había despejado un poco el efecto de las cervezas y tenía ganas de seguir. Me serví un ron y fui a beberlo asomado a la ventana.

Cada vez que me encontraba con Berto sus palabras se quedaban dando vueltas en mi cabeza, pero esa noche tenía una sensación todavía más extraña. De una parte no acababa de entender lo que él había hecho y de otra me daba pena. De una parte me parecía que estaba buscando hacerse perdonar; pero de otra, era como si quisiera convencerme de que no había nada que necesitara ser perdonado, y mucho menos por uno como yo que ni siquiera había hecho el Servicio Militar, como él había querido dejar claro. No sé. Todo aquello me confundía, pero la verdad es que no me creía con derecho a decir nada. Si un hombre decide cambiar el curso de su historia, ¿puede otro hombre juzgarlo? Eso me pregunté después de haber bebido un par de tragos de ron, pero como no encontraba repuestas volví a servirme y a mirar por la ventana. La vida, pensé aquella noche, también había decidido sacar a mi padre de aquel terrible juego, aunque a él no le había dado la posibilidad de empezar otra partida.

Si un hombre decide cambiar el curso de su historia, ¿puede otro hombre juzgarlo? Y yo qué sé, a mí qué me importa.

Las desventuras del joven Werther

La memoria es como un gran baúl lleno de cajitas con recuerdos distintos que uno va tomando o dejando según le venga en ganas. Lo malo es que, a veces, por descuido, una de esas cajitas se abre sola y es como la maldita de Pandora. Entonces hay que organizarse, cazar los recuerdos al vuelo, embutirlos nuevamente en su cajita, cerrarla a la fuerza y ponerle encima otra llena de momentos agradables que sean más pesados y llenen el espacio. Sobre todo eso: algo contundente que llene el espacio. Rosa, por ejemplo. Sí. Rod Steward acaba de decir en mis oídos *When I need you*. Es el tema de Albert Hammond que bailaron mis padres aquella última vez, pero ahora no quiero verlos a ellos, quiero ver a Rosa. Rosa desnuda es una imagen contundente para aplastar la cajita de los recuerdos tristes.

Cuando Rosa terminó el Pre, en el Comité de Base hicimos una fiesta para despedir a los que salían. De regreso a casa, ella habló todo el tiempo, iba a estudiar psicología y estaba contentísima. A mí todavía me quedaba un año y no iba a verla más en el Pre. Estaba tristísimo. Ya junto a su portal, me atreví a decirle que sin ella las reuniones serían muy aburridas, pero sentí un poco de vergüenza al decir eso y quise enmendarlo con una broma. Aburridas, porque seguro nadie querrá leerse *El capital*. ¿Pero de verdad tú te lo leíste?, le pregunté una vez más y ella se detuvo.

—El único alemán que yo he leído es Goethe, ese *Capital* debe ser aburridísimo…—sonrió—, aunque si quieres lo leemos juntos, mis padres no están este fin de semana, mi hermana invitó a un amigo. ¿Quieres venir?

No sé qué intensidad tomó el color de mis orejas. Ni qué palabras usé para responderle, ni cómo nos despedimos, ni qué cara tenía en la noche al llegar a su casa, ni el nombre del muchacho que estaba con la hermana, ni en qué momento nos fuimos a su cuarto. Lo único que recuerdo es que cuando una Rosa desnuda besó mi cuello murmurando que con esta nariz sí que me parecía a Rod Stewart, yo pensé que me moría de pura felicidad.

Rosa no había leído *El capital* aunque ni falta le hacía. Para capital, el suyo porque ya tenía experiencia. Lagardere siempre tuvo razón, mojar el bizcocho, como le llamaba él, era lo mejor que le podían pasar a uno. Rosa y yo nos veíamos en su casa cuando los padres trabajaban. Y cuando no, pues en cualquier parque oscuro nos caíamos a besos y apretones. En cualquiera menos en el bosque. Un día estábamos con Lagardere y su novia de turno en la cafetería del Almendares y Rosa propuso un paseo por el bosque, pero me negué, era peligroso, dije. Las muchachas se miraron. Yo parecía un viejo, dijo Rosa, ¿verdad que no hay peligro?, le preguntó a Lagardere. Él abrió los ojos antes de decir que sí lo había, aquello era una selva llena de árboles encantados que hacían daño. Ellas se echaron a reír. Lagardere me guiñó un ojo. El bosque era nuestra selva verde y, por mucho que Rosa me gustara, nunca iría con ella, porque hacía tiempo había decidido que aquél era el territorio inviolable de mi infancia, al que no quería regresar.

Por el resto, cada vez que podíamos: dale que dale, sube que baja. Ahí sí que mi cerebro se detuvo, porque no tenía espacio para nada que no fuera del cuerpo de Rosa: su boca, sus caderas, sus tetas. El músculo de mi cerebro cedió sus funciones al de la entrepierna y quizá por eso me sentía como el rey de mambo, no sé, el macho de la película. También, quizá por eso, sucedió algo que mi hermana nunca logró perdonarme del todo. Ese curso Tania terminó la Primaria y una noche mientras comíamos, dijo que quería hacer una fiesta. Igual que yo, años antes, ella quería su fiesta. En esta casa no se hacen fiestas, Tanita, le dije sin siquiera mirarla. Mami le sugirió con una vocecita tierna que podían organizar una merienda con sus amigas en el Parque Almendares. Pero mi hermana dijo que no, ella quería su fiesta. En esta casa ya no se hacen fiestas, Tanita, ¿tú no me oíste? Repetí y entonces sí la miré. Recuerdo que ella fijó sus ojos en los míos, ya se le empezaba a formar el carácter que luego desarrolló en su período rebelde, aunque aún era una niña. Sin dejar de mirarme replicó rabiosa que yo había tenido mi fiesta y ella quería la suya. Ahí me ocurrió algo, no sé, de repente me levanté y, dando un puñetazo sobre la mesa, dije que mi fiesta la había organizado nuestro padre, pero en esa casa ya no había nada que festejar. Ernestico, por favor, susurró mami. Abuemama puso una mano sobre la de Tania antes de pedirle que me escuchara, que yo sabía lo que decía. Mi hermana siguió mirándome durante unos segundos más hasta que, de un tirón liberó su mano, se puso de pie y se dirigió a su cuarto. Mami la siguió invitándola a conversar pero, por más que ella y abuemama lo intentaron, se negó a hacer la merienda en el parque. Ella quería su fiesta y terminaron haciéndola en casa de su amiga Dayani. Pero no me enteré de lo dolida que se había quedado hasta mucho después, porque la verdad es que, por más que quisiera, en aquel momento, era incapaz de pensar en otra cosa que no fuera las piernas de Rosa abiertas ante mis ojos de recién llegado al sexo.

Ese verano ni Rosa conoció a mi familia, ni yo a la suya. Tampoco hacía falta. Todo estaba al inicio. Sólo Antonio supo que algo grande me estaba sucediendo. Un domingo, mientras mami limpiaba y abuemama preparaba la comida, él y yo nos fuimos al portal a arreglar un radio que se había roto. Yo canturreaba y Antonio me miró sonriendo antes de decir que yo ya era un hombre. Respondí que por supuesto. Pero él movió la cabeza negando: no, campeón, que ahora sí eres un hombre, que eso se nota, coño. Me dieron unas ganas de reír parecidas a las de años atrás, cuando mi padre me había hablado por primera vez de sexo. Antonio puso una mano sobre mi hombro diciendo que me acordara siempre de que él estaba ahí para cualquier cosa. Hice un amago de puño sobre su brazo y me levanté. ¿Se nota mucho?, pregunté sin mirarlo. Un poquito, afirmó, y los dos reímos antes de que yo entrara a refugiarme en la sala. Adentro mami pasaba un paño sobre el título de mi padre que estaba colgado en la pared. Me acuerdo perfectamente porque, al entrar, ella interrumpió su labor para echarme una mirada cariñosa y pensé que se había dado cuenta, que también ella notaba lo que me sucedía.

—Ernestico... —me dijo—, tú vas a ser ingeniero como tu padre ¿verdad, mijo?

Respiré aliviado. Ella se mantenía todavía tan hermosa, yo estaba tan feliz y mi cerebro tan ausente que respondí: claro mami. Sonriendo y sin darme cuenta de que acababa de comprometerme con un futuro que no me interesaba, pero a esa altura quién iba a pensar en eso. Todos mis sentidos estaban en función de Rosa. Del montón de verbos que mi cuerpo tenía a su disposición, había olvidado complemente uno: pensar.

Aquél fue un verano tremendo. En septiembre empecé el último año del Pre y Rosa la universidad, pero entonces ya nunca podíamos ir a su casa por las tardes y apenas hablábamos porque cuando la llamaba por teléfono o no estaba o andaba ocupada. Aquello empezó a angustiarme. Lagardere trataba de darme ánimos. Calma bróder, decía, ella era mi novia pero en la universidad había que estudiar mucho. Calma hermanito, ella estaba en la universidad quizá no quería que la vieran con uno del Pre, las mayores son complicadas. Calma Ernesto. Lo importante era que no me preocupara, que no me preocupara, no me preocupara.

Un sábado, después de mucho insistir, finalmente Rosa propuso que nos viéramos en un parque. Y llegó hermosa. Estaba tan hermosa que yo ni supe qué iba a decirle, pero no hizo falta. Ella me tomó una mano diciendo que lo sentía, pensaba que ambos lo habíamos vivido del mismo modo, eran el verano, las vacaciones, no más que eso. Pero la pasamos bien ¿no?, preguntó y yo asentí sin palabras. Antes de irse, porque esa noche salía con su gente de la universidad, afirmó que podíamos seguir siendo amigos y besó mi mejilla. Yo me quedé sentado mientras la veía alejarse.

¿Amigos? ¿Y quién le dijo a ella que yo quería ser su amigo? De regreso a casa, Lagardere me llamó para avisarme de una fiesta, pero no quise ir. Un rato más tarde subí a la azotea con una libreta, mis prismáticos y el libro de Goethe que había empezado a leer por causa de Rosa. Estuve un rato leyendo y escribiendo boberías y en eso andaba cuando escuché: ¿ya te dio el bate? Levanté la vista para mirar a Lagardere.

—Sí —respondí—. Soy el joven Werther con la nariz de Rod Stewart.

Él hizo una mueca y fue a sentarse a mi lado. Se imaginaba, dijo, que la Luxemburgo me tenía pa' pasar el tiempo y que me iba a dejar "tirao por el piso". Por eso me había llevado, no algo triste como el joven ese que yo leía, sino un viejo divertido: un ron añejo. La fiesta del sábado que se fuera al carajo, agregó, porque si su hermano estaba mal, pues mal estábamos los dos. Sacó la caneca. Échese un trago, bróder, y olvídese, mojaste el bizcocho y eso es lo que importa. Yo me di un trago y dos y tres. Terminamos medio borrachos y cantando a gritos aquella canción de Rod Stewart que tanto le gustaba a Rosa: *If loving you is wrong… I don't wanna be right… I don't wanna never, never, never be right.*

Se acabó. Maldita Rosa. Te saqué como un buen recuerdo y ahora necesito otro para cerrar tu cajita. Maldito Rod también. No te escucho más. ¿Qué pongo? Nada. Veo que por ahí se acerca el carrito de la comida, pero no tengo hambre. Me tomaré un vino y pal carajo.

Fue así de simple como terminó mi historia con Rosa a quien, por supuesto, nunca volví a ver. Pero también así empezó otra fase de nuestras vidas. El futuro, después de cada cosa siempre nos queda el futuro, como decía mi padre. A partir de ese momento, Lagardere y yo retomamos el viejo gusto de subir a la azotea. A mí me dio por leerle los poemas que estaba escribiendo. Cada semana tenía cuatro o cinco nuevos y hasta empecé a soñar que podía ser escritor. Él me escuchaba fumando en silencio para luego concluir que, sin duda, yo era un genio. En realidad, aunque me duela admitirlo, mis poemas eran una basura. Cargados de palabras herméticas y contundentes que pretendían ser profundas cuando en realidad eran tan sólo la manera que encontré para no decir a las claras que Rosa me había dejado hecho mierda. Lo único bueno de su abandono, porque algo bueno tuvo, fue que entonces necesité ocupar mi mente. Un clásico…

En ese período, además de escribir como un loco, aprendí a manejar. A Antonio le había tomado tiempo convencer a mami y, a regañadientes, ella aceptó que le enseñara, por eso como antes con mi padre, los sábados se la llevaba a practicar. Un día decidí acompañarlos. Era evidente que a mami no le interesaba manejar y, de hecho, nunca se sintió lista para el examen y terminó por no hacerlo. Sin embargo yo sí que aprendí, para alegría de Antonio, aunque aún tuve que esperar la edad para sacar la licencia.

Ocupaciones y más ocupaciones era lo que pedía mi mente: escribir, manejar los sábados y tocar la guitarra, por esa época también me dio por la guitarra. Aprendí mis primeros acordes durante las lluvias que trajo no recuerdo cuál ciclón.

Desde niño, para mí un ciclón era una fiesta porque no íbamos a la escuela. Toda la familia permanecía en casa. Afuera llovía y el viento hacía huuu huuu y había que poner papel precinta en las ventanas para que los cristales no salieran disparados si el viento los rompía. A veces se trataba de simples tormentas tropicales y la fiesta duraba poco. Pero si era un huracán, entonces la cosa era más seria. A los adultos no solía gustarles, a abuemama la asustaban. Yo, sin embargo, siempre me sentí extrañamente fascinado. Era como si estuviera en otro mundo, un sitio sin sol. Algo distinto.

Aquel ciclón de la guitarra no fue de los más terribles, pero sí trajo lluvia y viento. En casa fui yo quien se ocupó de proteger las ventanas. Se fue la luz, cortaron el teléfono, había agua por todas partes, excepto por la tubería. Tío

Manolito se apareció en medio del aguacero diciendo que venía a acompañarnos. Juntos sacamos agua de la cisterna para llenar botellas y vaciamos los cubos que mami y abuemama iban llenando con lo que entraba por debajo de la puerta. En la noche, después de comer lo que se pudo cocinar, nos quedamos en la sala iluminados por lamparitas de queroseno. Mi tío y Tania jugaban parchís. El viento afuera hacía huuu huuu. Yo estaba aburrido, por eso se me ocurrió preguntarle a mami si podía coger la guitarra que continuaba en el lugar exacto en que papi la había dejado: encima del armario del cuarto de mis padres. Abuemama me miró. Manolito levantó la cabeza. Tania saltó diciendo que sí, que hiciéramos algo entretenido.

—Esa guitarra tiene que volver a sonar —respondió por fin mami—, búscala, mijo, Tanita tiene razón, vamos a hacer algo entretenido.

Aquella noche reímos mucho. Mi tío cantó las canciones románticas que tanto le gustaban. Luego empezó a enseñarme *Anduriña* y a mí, que nunca antes había puesto los dedos encima de las cuerdas, me resultó divertido. No sé cuántas veces cantamos esa canción, pero mientras afuera el viento seguía en su huuu huuu, nosotros adentro estábamos como fuera del mundo. Mami de pie con un brazo encima de Tanita gritando "Anduriña dónde está" y el viento huuu y "dónde está". ¿Dónde está?

Al día siguiente, cuando la lluvia cesó y salimos a la calle, descubrimos que el viejo árbol de la esquina, el de los gorriones, había caído con el viento. Qué pena, dijo mami, le gustaba tanto a tu padre. Junto a ese árbol, mi padre y yo habíamos tenido una importante conversación. ¿Y qué habrá sido de los gorriones? Pregunté. Mami me miró. No era la misma mirada que le había dedicado a mi padre aquella vez después de detenernos, pero tenía algo de parecido. No sé. Me es difícil describirla. Mi madre sonrió y me tomó de un brazo.

—Estarán volando, mijo —respondió mientras regresábamos a casa—, los gorriones siempre pueden volar. Y salvarse.

La caída del árbol fue como el punto que cerró mi concepto de estado melancólico. Ya me fascinaban los ciclones con sus lluvias y vientos, si a esto le agregaba un desengaño amoroso, una guitarra sonando entre sombras y la caída de un árbol que obligaba a sus habitantes a salir en desbandada... Era lo máximo. Por eso, durante años, cada vez que llovía o había viento fuerte me entraban deseos de tocar guitarra. De cantar canciones en un tono de voz bajito, mal tocadas y todavía peor cantadas, daba igual, lo importante era sentir ese cuerpo de madera pegado al mío y que las vibraciones llegaran a confundirse, que no existiera nada más, un mínimo espacio entre dos cuerpos que de tan mínimo, desapareciera.

Lagardere decía que yo tocaba la guitarra cuando no tenía deseos de abrirme la portañuela, porque lo mío era pura masturbación. No obstante, escuchaba mis pajas guitarrísticas del mismo modo que hacía con mis poemas: fumando, bebiendo de sus canecas y moviendo a ratos la cabeza como si mi música fuera algo sublime.

Una noche, antes de subir a la azotea, me pidió que no llevara la guitarra porque necesitaba hablarme. Estaba muy preocupado, así empezó diciendo cuando ya estábamos arriba. Baby Ranger acababa de dejar el Pre. Como no tenía buenas notas, había preferido buscarse un trabajo y terminar los estudios en la facultad nocturna y esa decisión a Lagardere le había activado un mecanismo de alarma. Había pasado el Pre en una especie de fiesta infinita: días tomando el sol en la costa y noches en fiestas o viendo videos en casa de otros amigos suyos. Y, visto que no era un inteligentón como yo, así dijo, sus notas no eran malísimas, pero tampoco muy buenas, lo cual no le había importado hasta que Baby Ranger dejó el Pre. Aquella noche, Lagardere me miró y noté algo extraño en su mirada.

—Bróder, si no me da el promedio pa' la universidad, me coge el verde y si me coge el verde… me pueden mandar pa' Angola, Ernesto…

Lagardere terminó casi en un susurro, con sus ojos fijos en los míos. En ese tiempo, en efecto, la mayoría de los llamados para el Servicio Militar terminaban cumpliéndolo en Angola, pero los universitarios no tenían que pasar el Servicio. Mi amigo no dejaba de mirarme. No hacía falta que dijera que no quería ir, que la guerra le parecía un castigo que él no merecía, que mi padre era como su padre pero él prefería no correr el riesgo de convertirse en héroe. Y que tenía miedo, sí, porque los hombres también tienen derecho a sentir miedo. ¿No? ¿Lo habrá sentido mi padre? El miedo. Ese día, por primera vez en mi vida pude tocarlo. El miedo. Pero no el de Lagardere sino el mío. Aunque tampoco hacía falta que se lo dijera. Sin dejar de mirarlo puse una mano en su hombro.

—Tú no, mi hermano, tú no. Vamos a estudiar y vamos a hacer cualquier cosa, pero a ti no te va a coger el verde. ¿Ok?

Yo estaba dispuesto a todo con tal de que mi amigo no se fuera al Servicio. Ese año se le acabó la fiesta, porque en los exámenes lo tuve en casa estudiando hasta tarde. Ese año, también, hice fraude. Yo, el hijo del héroe, el ejemplar, por primera vez en mi vida puse mis exámenes de manera que él pudiera copiarlos. El problema no era sólo que aquello me hiciera sentir mal conmigo mismo, era que si nos sorprendían, ni él ni yo iríamos a la universidad, pero tenía que correr el riesgo, porque no me fiaba de la capacidad de su memoria, y no quería. No. Yo no quería que mi hermano terminara montado en un avión vestido de camuflaje y rumbo a la guerra. Mi hermano no, porque no me daba la gana.

Un día nos reunieron en el aula para anunciar las carreras. El Ranger ya sabía la suya: había conseguido entrar fácil al Ministerio del Interior. Cuando dijeron que yo era el número uno de la lista de todo el Pre para Ingeniería Civil, Lagardere, tan exagerado, me agarró la cabeza y, delante de todos, me plantó un beso en la coronilla. Cuando lo mencionaron a él, simplemente me miró. Al final, su promedio le alcanzó para entrar en Economía, que no exigía altas calificaciones. Sonreí. Tuve ganas de darle también un beso en la cabeza, delante de todos, pero yo no era así, no podía. Sólo dije: dis is mai broder. Y chocamos los puños.

Mi familia estaba contentísima. Mi abuelo me regaló una regla T. Con el tiempo, cada vez se me hacía más difícil visitarlo, porque él no paraba de encontrarme parecidos con mi padre, como si no tuviera otro tema de conversación. Curiosamente, cuando nos acostumbramos al dolor personal a veces el ajeno se vuelve insoportable. No verlo es como si no existiera. ¿Es eso? No verlo no hace daño. Mi abuelo dijo que no había podido darle una regla T a papi cuando comenzó sus estudios, pero a mí sí. Ella fue mi compañera en las clases de dibujo técnico y todavía está en casa, colgada en la pared de mi antiguo cuarto.

Por su parte, mami le anunciaba a todo el que se cruzaba en el barrio que yo iba a estudiar en la CUJAE y sería ingeniero como mi padre. Antonio me regaló un juego de lapiceros: pa' que proyectes muchos puentes, campeón, me dijo. Tío Melquiades, tío Martín y mis primos Amílcar y Yuri llegaron a casa con una botella de ron para brindar, dijeron, por el segundo universitario de la familia. Ahí mami protestó alegando que, aunque ella se hubiera graduado antes que mi padre, aceptaba ser la segunda pero entonces yo era el tercero. Mis tíos estuvieron de acuerdo. Brindamos. Todos estaban felices. Todos, menos yo, claro, aunque eso no iba a decirlo. Aquel día, mientras los otros conversaban, Tanita me sonrió sarcástica: ¿vas a hacer una fiesta, genio?, preguntó y sólo entonces me di cuenta de que lo de su fiesta de fin de Primaria se le había quedado atragantado.

—No, Tanita, en esta casa ya no se hacen fiestas —le respondí.

Berlin Alexanderplatz

Después de comer la gente se alborota en los aviones, conversan, van al baño. Vuelvo a la música, a ver, Jorge Palma, mi nariz portuguesa. Quiero estar lejos de todos. Sería perfecto si, con tan sólo un chasquido de dedos, pudiera hacer que desparezcan los otros o, en su defecto, hacerme desaparecer a mí. Berto hacía algo por el estilo, aparecía y desaparecía. Chac: ya no estoy. Chac: ya volví. Después de aquella conversación junto al río estuvo un tiempito sin volver y yo preferí no comentarle nada a Renata, porque ella había tenido razón en sus reticencias. Lo que él me había contado al inicio no era más que la punta del iceberg, la verdad era mucho más compleja, pero yo no tenía deseos de que mi mujer comenzara a especular y a llegar a conclusiones. La de Berto era una historia íntima que había decidido compartir conmigo, por tanto dentro de mí se quedaba. Lo único que me tenía inquieto era que él pudiera estar un poco disgustado, no sé, que se hubiera quedado con la idea de que me parecía mal su decisión de abandonar la guerra. Y yo no quería eso, no tenía ningún derecho a juzgarlo, por tanto no quería que pensara que lo estaba haciendo, pero por mail prefería no hablar de esas cosas.

Un día colgué una entrada en el blog que despertó unos comentarios desfavorables. Alguien escribió que no estaba de acuerdo con lo que yo decía, porque las cosas no habían sido exactamente así y luego otro lo apoyó. Por los argumentos y el tono, que era muy amable, eso sí, supe que se trataba de hombres de la generación de Berto. Entonces aproveché esa coyuntura para llamarlo por teléfono. Necesitaba contarle algo, le dije. Aunque mi intención principal era medir qué tal andaban las cosas entre nosotros. Él se mostró contento de escucharme.

Aquella conversación fue larga. Empecé contándole lo sucedido con el blog y por ahí seguí, mis lectores me habían hecho reflexionar sobre lo complejo que era intentar poner orden en aquella guerra. La historia es muy complicada, le dije. Cuando están pasando las cosas, uno sólo puede alcanzar lo ínfimo que sucede a su alrededor y entonces no entiende nada. Cuando pasa el tiempo y alguien se pone a recopilar información para tratar de entender lo sucedido entonces, tampoco se entiende nada, porque hay más puntos de vista, fuentes que aseguran cosas que desmienten los otros y partes que no revelan la verdad. En fin, ¿dónde estará la verdad? Yo mientras más leía, menos entendía y mientras más escribía en mi blog, más voces distintas aparecían para decirme que estaba equivocado, que no había sido exactamente así o que estaban de acuerdo porque así mismo era. Me pareció que Berto sonreía del otro lado del teléfono al decirme que me iba a volver loco pero, antes de hacerlo, debía comprender que ése era el problema de las guerras: tenían siempre varias verdades juntas y ninguna era suficiente para merecer ir a la guerra. Pero yo debía seguir con mi investigación, era importante.

—¿Tú sabes por qué a los gobiernos le gustan los jóvenes? —me preguntó—, porque los jóvenes no tienen memoria, sus mentes están frescas y vacías, lo único que tienen es pasión y ésa no hay que ser un genio para saber manipularla. Por eso es importante la memoria, para no ser manipulados —concluyó.

Berto no parecía molesto conmigo y entonces aproveché, finalmente, para comentarle lo que más me preocupaba. Hace rato quería decirte una cosa, comencé como para tomar impulso. Él dijo dime y continué. Le agradecía enormemente su confianza hacía mí, él se había convertido en uno de mis mejores amigos y esperaba que no fuera a pensar que me parecía mal lo que me había contado la última vez que nos habíamos visto. Volví a sentir su sonrisa, él no pensaba nada, afirmó, la guerra estaba llena de historias y él tan sólo me había contado la suya. Yo era un buen muchacho y para él era como un hijo, no debía preocuparme. Sonreí aliviado. Antes de colgar anunció que volvería a Lisboa para el cumpleaños de su hija, que me avisaba para vernos. Dije que por supuesto y nos despedimos.

Berto me había devuelto la calma, no parecía disgustado y, como siempre, me había dejado pensando. Era importante lo que hacía. Los años que siguieron a lo de mi padre yo había vivido pendiente de lo que sucedía en la guerra, pero cuando esta terminó, casi sin darme cuenta, fui olvidando. A mi padre no, desde luego, a la guerra. Como en los noventa ya ni se hablaba de ella, también yo la fui dejando atrás. Era un susurro lejano, como una herida a la que has puesto encima un parche para que aguante y si no entendiste qué provocó la herida, no importa: aprieta duro el parche. Así pasé, ¿cuántos?, no sé, más de diez años, todos los noventa hasta que me fui a Berlín y un día… Chac: ya no estás. Chac: volviste.

Llevaba ya un tiempo en Berlín cuando, una tarde, pasé con Renata junto a una zapatería del centro y a ella se le antojó probarse unas botas. Entramos y, mientras se fue a hablar con el dependiente, yo me senté a leer. Cuando el tipo trajo las botas, Renata se las puso y dio unos pasos: ¿Cómo me quedan?, preguntó. Levanté la cabeza para mirarla: preciosas, respondí. ¿Ernesto?, dijo el dependiente. Entonces lo miré y, para mi sorpresa, ante mí había un mulato con una cara que yo conocía perfectamente. No me lo puedo creer, dije levantándome, y casi gritando agregué: ¿Baby Ranger? El mismo, asere, dijo él mientras abría los brazos.

Baby Ranger ya no es tan flaco como para merecer el “baby” ni se viste de militar como para merecer el “ranger”. Ahora es un tipo robusto, de cabeza medio rapada, que usa pulóveres ajustados para mostrar sus músculos definidos. Esa tarde quedamos en contacto y ya el sábado siguiente estábamos cenando en su casa. Mi amigo llevaba años viviendo en Berlín con su esposa

Anna, una alemana corpulenta y blanquísima, y sus dos hijos varones, que hablan español con un acento cubano simpatiquísimo. Aquella noche fue como una puesta al día donde cada uno resumió más o menos los años sin vernos. A principio de los noventa, todavía en La Habana, Baby Ranger se había metido a "pintor de paisajitos", así dijo. Un día llevó uno de sus dibujos a un amigo, que era artesano y tenía un puesto en la feria, y este le propuso que intentara vender algo. Baby Ranger estaba desesperado, la crisis lo estaba llevando muy mal, así que lo intentó y apenas vendió el primero se dijo que aquello era lo suyo. Él no quería ser Picasso ni exponer en los museos, lo que necesitaba era ganarse unos dólares y lo estaba consiguiendo. Así, un buen día apareció Anna que estaba de vacaciones y le compró un cuadrito en la feria, después volvió y le compró otro y él la invitó a una cerveza y ella aceptó y así, boberías van, boberías vienen, se empataron. Pero Anna tuvo que partir. Y llamaditas van, llamaditas vienen. Conclusión: que ella volvió a la isla, se casaron y se fueron juntos a Berlín.

Yo estaba feliz de haber encontrado un viejo amigo y Renata también porque de repente, decía, en Berlín había algo que me era familiar, que era parte de mi vida antes de que nos conociéramos. Antes de conocerte nada valió la pena, le decía yo y ella me llamaba mentiroso. Antes de ti todas fueron unas brujas malvadas que nunca amé de veras y ella me mandaba a callar mientras desabotonaba mi camisa. Nuestra relación andaba bien. Todavía bien. Maravillosamente bien.

Baby Ranger y yo empezamos a vernos de vez en cuando para tomar cervezas y seguir conversando. Para él también había sido importante encontrarme, porque en Berlín tenía amigos cubanos, pero yo pertenecía a una época especial, inolvidable, decía. El tiempo en que nada era más importante que hacer maromas para robarnos el carro del padre del Ranger e irnos a las discotecas a conocer muchachas. ¿Te acuerdas? Y yo: claro. Me acordaba de eso y de mis reticencias, de haber sido el serio del grupo, el "consiente" como me llamaba a veces Lagardere. Tú no podías ser de otro modo, me dijo Baby Ranger una tarde, porque tú llevabas sobre la espalda un peso que nosotros no teníamos y que yo entendí de verdad mucho después, afirmó, y entonces se quedó muy serio.

—¿Tú sabes que yo estuve en Angola, Ernesto?

No, yo no lo sabía. Él recorrió despacio con su mano esa especie de alfombrilla de un milímetro de pelo que cubría su cabeza como si con ese gesto pudiera hacer que le saliera melena. Dijo que yo no imaginaba lo mucho que había pensado en mí cuando estaba en Angola, porque se acordaba perfectamente de cuando les conté sobre mi padre, en la casa de tabaco en la escuela al campo. Y mi padre, eso iba a sorprenderme, dijo, pero mi padre había sido su ángel protector cuando él estaba en Angola, porque así lo sentía él, afirmó golpeándose con el puño encima del corazón.

Baby Ranger había dejado el Pre para ponerse a trabajar hasta que lo llamó el Servicio. En el Comité Militar asistió a una larga reunión donde les explicaron que eran tres años, pero de hacerlo en Angola se reducía a dos. Les hablaron del Che y de Máximo Gómez y de la solidaridad con los pueblos y del paso al frente. Y mi amigo que adoraba los uniformes de camuflaje, que disfrutaba vistiéndose de militar tan sólo para recoger tabaco en el campo, que había pasado años queriendo ser el bárbaro de la película, de repente salió de la fila. Dio el paso al frente. Yo me voy pa' Angola, dijo, y tres días después tuvo que presentarse con su cepillo de dientes para pasar un concentrado militar de cuarenta y cinco días en Pinar del Río. En la misma provincia donde habíamos estado en el campo, sólo que esa vez a él le tocaba recibir instrucción militar básica. Algún domingo tuvo visitas familiares, como en las escuelas al campo, y una vez terminado el entrenamiento pasó unos días en el monte, en lo que llamaban "supervivencia", caminando kilómetros y aprendiendo la vida de guerrilla. Una semana antes de viajar, les pusieron a todos varias vacunas y les dieron esos días de vacaciones que él aprovechó, según sus palabras: para comer y templar lo más que pudo.

Hasta ahí, todo lo que me contó me había sonado familiar. Increíblemente todo. Yo no hice el Servicio, como bien me hizo notar Berto aquella vez, pero eso no me excluyó de las preparaciones militares. En el último año de la universidad y ya con la tesis comenzada, muchachos y muchachas teníamos que interrumpir las actividades docentes para pasar casi dos meses en un concentrado militar. Era una asignatura más del curso y de allí salíamos creo que sargentos. Por algún rincón de mi antiguo cuarto deben estar mis charreteras. Mi concentrado lo pasé en una unidad en las afueras de La Habana donde teníamos que presentarnos cada mañana, vestidos de milicianos, para recibir clases de táctica, orientación en el terreno, tiro con Kalashnikov y otras materias. Sólo dormíamos en la unidad cuando teníamos guardia, pero estas eran nocturnas así que, entre el fin de las clases y la llamada a la formación, aprovechábamos para escaparnos a la playa que estaba cerca y a veces se nos hacía tan tarde que llegábamos con el culo de los uniformes medio mojado, pero allí estábamos, listos para recibir el fusil y pasar horas de puro aburrimiento cuidando el comedor, el polvorín o cualquier otra posta. Nuestro concentrado también terminaba con la "supervivencia" en el monte, preparando emboscadas para los otros pelotones, asaltando supuestos sitios estratégicos, cosas así. Me acuerdo que, en una de ésas, mi escuadra cayó en una emboscada de gente de Arquitectura y a varias muchachas las tomaron presas, pero cuando hablamos por radio para el canje de prisioneros, se negaron a volver porque, según dijeron, los de Arquitectura les habían brindado ron y eran más bonitos que nosotros.

Sé que mientras Baby Ranger me iba contando sus días en el concentrado militar, los míos me habían estado dando vueltas en la cabeza. Ambos habíamos recibido casi la misma preparación, pero Berto tuvo razón cuando dijo que no sé nada de la guerra. Yo simplemente jugué a hacer emboscadas en guerritas de mentira y después de pasar el concentrado, regresé a la universidad para terminar el último año. Baby Ranger, sin embargo, después del concentrado y de la semana de vacaciones volvió a su unidad militar. Era agosto de 1987, yo estaba a punto de empezar el primer año de ingeniería, él se montó en un avión y se fue para Angola.

Baby Ranger tenía dieciocho años cuando llegó y, por fortuna, todo el tiempo se lo pasó en Luanda, metido en una unidad, esperando que en cualquier momento los formaran para decirles que tenían que partir al frente. Si surgía una emergencia en el sur, me explicó un día, no había tiempo de trasladar a la gente desde Cuba, por eso tenían muchas tropas en Luanda, preparadas y esperando. Así vivió él, siguiendo los entrenamientos y dedicando su tiempo libre a pintar, fue ahí donde le dio por los paisajitos, y a masturbarse, que es una de las actividades principales del soldado. Y mientras escuchaba las historias que llegaban del frente, no dejaba de contar los días que faltaban para su regreso.

—Tuve que crecer, Ernesto, aprendí mucho, pero te digo una cosa, si uno de mis chamas viene y me dice que se quiere ir pa' una guerra, le parto la boca de un trompón. La guerra no puede ser una manera de aprender, qué cojones, eso es mierda. Mis hijos que aprendan en la universidad.

Además del recuerdo de los viejos tiempos, rencontrarme con él fue lo que me despertó nuevamente las ganas de tratar de entender cuál era el agujero por dónde mi padre había desaparecido. Porque Baby Ranger fue la primera persona que me habló de su experiencia directa pero luego, además, me presentó a sus dos mejores amigos, y con ellos la guerra se volvió un tema de conversación. Vladimir, el Coral negro hijo de Obatalá, como él se denomina, o el Vlado, como le decimos nosotros, también hizo el Servicio en Angola. Y Felipe, el mayor de todos nosotros que, aunque no estuvo, conserva un montón de recortes de periódico sobre el tema, porque le gusta la historia. Bueno, la historia y las mujeres, Renata lo llama el "Don Juan Canoso".

Al menos una vez al mes, Baby Ranger reunía en casa a las familias de sus amigos y Renata y yo pasamos a integrar el grupo. Aquellas noches Anna preparaba una gran mesa para niños y adultos. Luego venía una parte musical, donde el Vlado e incluso yo, a veces, acompañábamos a la guitarra las canciones que cantábamos a coro. Poco a poco los niños pequeños se iban quedando dormidos, venía la modorra colectiva, pero también las conversaciones que más me interesaban.

El Vlado me dijo una noche que cuando lo cogió el Servicio y le hablaron de Angola lo primero que pensó fue que ésa era una posibilidad de viajar al extranjero. Por eso dijo que sí y terminó en la guerra, en el sur. Y, aunque a él sí que le tocó tirar tiros porque allí estaba la cosa seria, no se arrepiente de haber ido, aunque no cree que volvería. Para extranjero prefiere Berlín sin guerra. Estuvo en Angola más o menos en el tiempo del Baby, finales de los ochenta.

Diez años antes fue el turno de Felipe que era rockero, tenía el pelo largo y escuchaba música en inglés de emisoras extranjeras, por lo cual siempre lo acusaban de "diversionismo ideológico". Felipe se negó a ir a Angola y cuando el oficial que lo estaba reclutando quiso saber por qué, mintió: su madre estaba muy enferma, prefería quedarse cerca de casa. El oficial no quedó muy convencido pero terminó mandándolo a una base aérea habanera como mecánico de radio de los aviones MIG, aunque sus tres años se prolongaron un poco más, eso sí. Fue el castigo que le aplicaron porque, como él dice, no tenían por dónde cogerlo, él no era de la Juventud. Lo suyo siempre ha sido el Peace and love y de adulto, esto lo jura, sólo ha tenido el pelo corto cuando estuvo en el verde, aunque ahora peina canas.

Hablando y hablando, Baby Ranger, el Vlado, Felipe y yo nos hicimos muy amigos y formamos nuestro "clan de Berlín". Sé que a Renata le caían bien, aunque una vez me dijo que encontrarlos había sido el principio de nuestro fin, el inicio de mi obsesión con el pasado, porque fue cuando empecé a buscar libros e información en todas partes. Quizá. Lo cierto es que para mí el clan fue un impulso que, evidentemente, necesitaba para arrancarme de una vez el parche y hurgar en la herida.

Una noche nuestra conversación se puso muy caliente. A veces discutíamos, sí, aunque no eran broncas serias, eran charlas que, endulzadas con ron, iban subiendo de tono. Aquella noche, el Vlado estaba exaltado. Él sí había tenido que tirar tiros, dijo, Felipe no fue y Baby Ranger la pasó en Luanda, pero a él le había tocado jugársela, todavía oía los cohetes, coño, y conoció gente que nunca regresó y sus caras todavía las veía aquí, dijo golpeándose la cabeza con las manos, y eso sólo podíamos entenderlo él y su consorte Ernesto que había visto la muerte. Ahí me miró con los ojos enrojecidos, yo preferí callar. Él sí que era hombre a todo, continuó, y no un friqui friqui de pelo largo que se esconde pa' no jugársela. Fue entonces cuando Felipe se puso de pie y, con la mirada un poco perdida pero apuntando el índice hacia el Vlado, gritó que no le faltara el respeto, había que ser muy hombre pa' negarse a ir a la guerra y como él tenía bien puestos los cojones se había negado arriesgándose a cualquier consecuencia, porque él no necesitaba un fusil pa' demostrar que era macho, prefería acostarse con una pila de mujeres. Fue el turno de Baby Ranger, que macho de qué, dijo levantándose, todos no fueron por demostrar eso, él no tenía que demostrar ná, había ido porque a aquella gente había que ayudarla y además, ahí gritó, porque le salió de sus cojones, ¡qué carajo!

En ese momento Anna volvió a la sala. Cuando el nivel de alcohol comenzaba a subir, las mujeres solían retirarse a acomodar a los niños y hablar de otras cosas. Esa noche Anna regresó y nos echó de casa. Si queríamos gritar, dijo, todos a la calle. Baby Ranger la miró pero aquella robusta alemana levantó un brazo señalando la puerta y él, haciendo un gesto de disculpa, agarró la botella. Los otros lo seguimos en silencio.

Anna tenía su razón pero nosotros teníamos la nuestra, porque ésa no era una noche cualquiera. Era febrero de 2002. Felipe había llegado a la cena con un recorte de periódico que anunciaba la muerte de Jonás Savimbi y con esta, el fin definitivo de la guerra civil angolana y, aunque hacía rato que Cuba había salido de allí, aquel nombre fue un fantasma para nosotros durante demasiados años: Savimbi, Savimbi, Savimbi…

Afuera hacía frío. Nada como el frío de una noche en Berlín para calmar pasiones caribeñas. Caminamos. Vlado pidió disculpas a Felipe, este a Baby Ranger y este a mí porque mi padre, bla, bla, bla. Le quité la botella de las manos y bebimos en nombre de lo más sagrado que conozco: la amistad. No sé qué vueltas dimos, pero terminamos en la Alexanderplatz. Era tardísimo. En un momento me pregunté en alta voz para cuánta gente en Berlín aquella noticia de la mañana, aquel nombre, Savimbi, significaba algo.

—Y sin embargo —dijo Felipe—, en esta ciudad Europa se repartió África en el siglo diecinueve.

—Y aquí tumbaron el muro de la guerra fría —agregó Baby Ranger.

—¿Y pa' qué los cubanos se metieron en esa guerra, a ver? —comentó el Vlado.

—¿Y por qué coño no nos retiramos antes? —dije yo, antes de pasar la botella para seguir bebiendo mientras contemplábamos el despertar de un Berlín calmado y frío.

Así en la paz como en la guerra

Mientras en Angola Baby Ranger comenzaba a habituarse a su vida en Luanda y el Vlado viajaba al sur, del otro lado del mundo Lagardere y yo estábamos empezando la universidad. Como siempre, a él le tocó lo más divertido. La facultad de Economía estaba enfrente a Coppelia, en el mismísimo centro del Vedado que, según él, era una zona peligrosa porque estaba infectada por una marea de ninfas universitarias que a lentos lengüetazos iban devorando los helados. Por mi parte, yo tenía que levantarme súper temprano para tomar la única guagua en mi zona que llegaba al Instituto Politécnico, la CUJAE, que estaba lejísimo y que, en lugar de la famosa heladería, lo que tenía al lado era un central azucarero.

El ambiente universitario me gustó. Casi todo el mundo llegaba en la mañana con el periódico bajo el brazo y en los entre turnos se armaban conversaciones interesantes. A esas edades se nos despierta una extraña pasión que, con frecuencia, va desapareciendo con los años pero, encima, alrededor nuestro estaban sucediendo muchas cosas, cosas distintas, que daban todavía más motivo para acaloradas discusiones.

Estábamos en plena rectificación. En el último Congreso del Partido, Fidel Castro había anunciado lo que se llamó «Proceso de rectificación de errores y tendencias negativas». En Cuba las cosas suelen tener nombre: los años, los períodos, todo. En su discurso, el entonces Primer Secretario del Comité Central del Partido y Presidente de los Consejos de Estado y de Ministros soltó una arenga contra el despilfarro, el robo, el cambalache y todo lo que llamó tendencias negativas que afectaban el desarrollo del país, y que había que rectificar. Y una vez más, a vivir todos disciplinadamente la experiencia colectiva de hacer algo individual. Un sonado titular del periódico Granma anunció en letras rojas: "Ahora sí vamos a construir el socialismo". En los pasillos de mi facultad la gente se preguntaba qué sería entonces lo que estábamos construyendo hasta ese momento. Y en la primera reunión de la Juventud nos informaron que en nuestro Instituto se graduaban: primero Revolucionarios y después Ingenieros.

Unos meses antes de entrar en la universidad sucedió algo que dejó a todos pasmados. El General de Brigada Rafael del Pino que había sido jefe de la Fuerza Aérea en Angola y subjefe de esta en Cuba, subió a una avioneta Cessna en una base habanera y no paró hasta llegar a Estados Unidos. Al día siguiente la prensa publicó la noticia de la deserción. Pero no sólo eso. El general había partido con su esposa y tres de sus hijos, entre los cuales había uno menor de edad, cuya madre, que permanecía en la isla, reclamaba su regreso. Durante días la prensa habló de la deserción del general y de los reclamos de la madre, hasta que, poco después, a esta noticia se superpuso la del arresto de Domínguez, exdirigente de la Juventud que en aquellos momentos presidía el Instituto de Aeronáutica Civil. Ya en mis primeros días de universitario fue enviado a la cárcel, condenado por corrupción. Y todos hablaban de eso. Pero no sólo de eso. Únicamente la distancia temporal me permite ver las cosas, porque allí todo sucedía rápido, como un vendaval, una noticia que caía encima de otra hasta sepultarla.

Poco después de la condena de Domínguez, en Angola un misil de la UNITA tumbó un MIG 21 piloteado por cubanos. El teniente coronel y el capitán que lo tripulaban lograron catapultarse pero cayeron prisioneros. Y, lógicamente, aquello fue recibido en Cuba como una bomba. Si en años anteriores una noticia de este tipo era un secreto, en aquel momento era todo lo contrario. La guerra formaba parte de nuestras vidas. Estaba en todas partes. Había, por ejemplo, una canción de ritmo pegajoso que un grupo cubano puso de moda por aquellos años: *De Cabinda hasta Cunene un solo pueblo*, así decía. Y la gente la tarareaba por la calle: *soy cubano y cómo admiro a mi hermano el angolano*. Y algunos la bailaban en fiestas populares: *um solo povo, uma sola nação*. Angola era la normalidad porque su guerra, a pesar de transcurrir a miles de kilómetros de distancia, se había convertido en nuestra guerra y aunque no sabíamos muchos detalles, algo teníamos claro: la UNITA de Savimbi, junto con los sudafricanos, cada vez nos ponían las cosas más difíciles.

Los medios hablaban de nuestros pilotos presos y yo seguía sus destinos. Hacía rato que en casa estos no eran temas de conversación. Mami no hacía comentarios, no los hizo cuando el gobierno dejó de enviarle las flores que recibió en sus primeros tiempos de viuda, ni después, cuando escuchaba las noticias. Nada. Era como si Angola no existiera. La cura del dolor por amnesia. Quizá eso. No lo sé. Yo, sin embargo, continuaba en mi afán de seguirlo todo. La columna que publicaba el Granma sobre la vida de nuestros combatientes y cada artículo que resumía batallas ocurridas en años anteriores, porque era como un pequeño rompecabezas que debía armar. La guerra en diferido: lo que sucedió cuando tú no te enteraste que estaba sucediendo. En el fondo, sé que tenía la secreta ilusión de encontrar a mi padre en alguna línea. No sé, era como soy ahora, como he vuelto a ser desde hace unos años. Reconstruir la Historia para hallar una pista. Por muy grande que sea la Historia, no puede absorber a todos los que la construyen. Siempre queda un rastro de cada individuo. La punta del iceberg.

Aunque la carrera universitaria que había empezado a estudiar no era mi sueño, mi nueva vida me tenía fascinado. Caras diferentes, gente que se preocupaba por lo que estaba sucediendo y se hacía preguntas. Además, en mi Instituto se organizaban actividades extraescolares que me parecían muy interesantes. Y fue en una de ésas donde empecé a enamorarme otra vez.

El teatro de la facultad de Arquitectura anunció una conferencia sobre cine. Cuando llegué, ya había empezado y por eso preferí sentarme rápidamente en donde pude. Delante de mí había una muchacha de pelo rizado y abundante que me impedía completamente ver la cara de la conferencista y hubiera podido escucharla de no ser porque, buscando dónde posar mis ojos, reparé en el cuello de la que estaba sentada junto a la pelúa y perdí toda concentración. Ella envolvía un mechón de pelo en un dedo, mientras dejaba al descubierto una parte del cuello. Y era la parte que yo miraba. Ella pasaba una mano por su cuello moviendo la cabeza de un lado a otro. Y yo la seguía con la vista. Cuando empezaron los aplausos supe que me había perdido la conferencia. Ella y la pelúa se levantaron y pasaron junto a mí camino hacia la puerta. Sin pensarlo dos veces, las seguí. De lejos, claro. Ella tenía una saya que le llegaba a los tobillos, era alta, delgada y de pelo muy negro. Atravesamos el Parque Ampere, la Facultad de Eléctrica y salimos a la calle. Después de despedirse, la pelúa se dirigió a mi parada de guagua, pero ella cruzó hacia la de enfrente, encendió un cigarro, sacó un libro y se puso a leer. Y como las guaguas demoraban un montón, tuve tiempo para observarla.

A partir de ese día la entreví por aquí o allá. Lagardere decía que yo debía dedicarme al espionaje ninfático, porque lo mío siempre era divisar de lejos a las ninfas que me gustaban. Quizá llevaba razón, pero yo era así. Y el caso es que la CUJAE me lo permitía, porque, a pesar de ser muy grande, los lugares de reunión eran pocos. La gente se sentaba en el corredor central, en el de Arquitectura o en el que llamaban Paso de los vientos. Había una sola cafetería, un comedor y una casa del estudiante. Con esas condiciones y mi persistencia empecé a descubrirla por todas partes.

En enero eran los exámenes y la Biblioteca Nacional se llenaba de universitarios. Yo iba a estudiar con mi grupo y un día choqué con ella. Así, literalmente, fue un encuentro rápido y torpe. De regreso del baño, subía las escaleras de prisa mirando los escalones y en eso tropecé con alguien. Un libro cayó al piso. Cuando lo recogí vi que era de Cabrera Infante. Alcé la vista. Era ella. Disculpa, le dije. No importa, dijo. Nunca he leído a Cabrera Infante. Pues deberías. Pero no es fácil encontrar sus libros. Basta conocer a alguien que los consiga. Yo estudio Civil. Yo Telecomunicaciones. Soy Ernesto. Yo Alejandra, respondió mientras nuestras caras comenzaban a acercarse para darnos un normal beso en la mejilla. ¿Me prestas el libro cuando termines, Alejandra?, le pregunté.

También un libro me había llevado a la primera conversación con Rosa. Un libro. Siempre un libro. Aquella tarde apenas pude concentrarme en los estudios porque en mi bolsillo tenía un papelito con el número de teléfono de Alejandra y mi mejilla ardía por el calor que había dejado su fugaz beso. Los exámenes pasaron, preferí esperar para no molestarla, pero apenas empezó el nuevo semestre, la llamé: sigo interesado en leer a Cabrera Infante, le dije. Quedamos en vernos en la CUJAE, en el parque Ampere, después de su clase de Preparación Militar.

Cuando yo entré a la universidad los programas de estudio habían cambiado, a mí me tocó hacer sólo el concentrado en el último año, pero los de tercero para arriba, además de dibujos técnicos, electrónicas, motores o computadoras tenían la asignatura de Preparación Militar. Gracias a ella uno podía saber, más o menos, en qué año estaba la gente y apenas Alejandra habló de su clase supe entonces que era, al menos, dos años mayor que yo.

Aquel día llegué antes de la hora prevista y me acerqué para poder observarla, sin que me viera, por supuesto. Un, dos, tres, cuatroyun, dos, tres, cuatro. Alejandra tenía tremenda cara de molesta mientras marchaba pero aun así se veía bonita, además, llevaba puesta una camiseta ajustada que le marcaba muy bien el pecho. Poco antes de que terminara me fui al parque Ampere. Al rato apareció ella y echamos a andar. Era evidente que la Preparación Militar no le gustaba porque enseguida empezó a quejarse. Aquello era una porquería, dijo, en lugar de estar estudiando para ser profesionales andábamos perdiendo el tiempo en la marchita y el enemigo. ¿Tú no crees?, preguntó. Yo estaba de acuerdo, pero como nunca supe si, entre otras cosas, Rosa me había dejado por ser menor que ella, no quise arriesgar, no quería que Alejandra me mirara de un modo distinto porque yo estaba sólo en primer año. Entonces mentí. Dije que, afortunadamente, yo no tenía esa asignatura porque estaba en segundo año, pero si estaba en segundo era porque había repetido uno de primaria por enfermedad. Suerte que tienes, afirmó, y siguió con que, si había cursos opcionales de cultura general, por qué no ponían opcional la bobería militar esa o que fuera obligatoria para los militantes de la Juventud, pero que dejaran tranquilos a los demás que nada tenían que ver con esa mierda. Tú no serás militante ¿no?, preguntó. Intenté poner el gesto más simpático que pude mientras movía la cabeza afirmativamente. Pero eres… ¿militante o muy militante?, insistió ella. No sé, tengo el carnet, respondí, es que siempre saco buenas notas. Alejandra soltó una risotada, también ella tenía buenas notas, afirmó, pero no era de la Juventud. ¿Y qué signo eres? Aquello parecía un interrogatorio, pero pensé que si preguntaba era porque tendría ganas de conversar conmigo. Dije mi fecha de nacimiento y ella se detuvo haciendo un gesto con la boca.

—Capricornio, no está mal… —metió la mano en su bolso, sacó una caja de cigarros, me brindó, pero negué con la cabeza. Entonces volvió a sonreír y sacó el libro—. Bueno, si quieres leer a Cabrera Infante, no todo está perdido. Invítame a un guarapo, anda, que tengo hambre.

Después del guarapo la acompañé a su parada pero como no quería despedirme, se me ocurrió decir que, casualmente, ese día tenía que tomar su misma guagua. Era mi tarde de mentiroso aunque al final valió la pena. Alejandra, además de linda, era muy interesante. Y hablaba muchísimo. Por el camino me contó que desde niña le gustaban las matemáticas y los aparatos, por eso estudiaba Telecomunicaciones; pero también le gustaban el arte y la literatura, por eso pertenecía a un grupo de danza contemporánea de su facultad, estudiaba en la Alianza Francesa y, muchas veces, cuando salía de la CUJAE se iba a leer a la Biblioteca Nacional hasta que cerraban. ¿Y tú?, preguntó. Yo sospechaba que la imagen del militante de buenas notas que ni siquiera fumaba no le había causado muy buena impresión, así que debía agregarle algo distinto. Primero otra mentira. También yo solía ir a leer en las noches a la Biblioteca Nacional, dije, era extraño no habernos cruzado antes. Luego seguí con verdades. Se entusiasmó cuando supo que me gustaban Kafka y Dostoievski, Cortázar y Camus, Yourcenar y Hemingway. Y como se entusiasmó tanto y los ojos le brillaron y su camiseta tenía un buen escote, entonces también yo me entusiasmé y confesé que escribía. Sí, no era algo que solía decir a la primera, pero lo dije y ella abrió los ojos. ¿Qué escribes?, quiso saber. Poemas y cosas, respondí. Ella me miró y enseguida supe que había recuperado varios puntos de los perdidos en su primera evaluación. Cuando llegó a su destino tuve ganas de seguir acompañándola, pero era mejor no exagerar. Nos despedimos, prometí leer rápido el libro de Cabrera Infante que de su bolso había pasado a mi mochila y la seguí con la vista, mientras la guagua me alejaba hacia no sé dónde. Días después, en la azotea de casa, le conté a Lagardere.

—A la verdad que a usté le gusta complicarse, bróder —me dijo—. A ver ¿por qué tú no te puedes buscar una jevita normal?

¿Normal?, pregunté y él confirmó que sí, a mí me gustaban mayores e intelectuales y ésas eran siempre complicadas. La Rosa Luxemburgo me había dado tres vueltas, afirmó, pero con Alejandra tenía que ser diferente. Me veía entusiasmado y eso quería decir que la cosa iba en serio, así que teníamos que desarrollar una estrategia, dijo tomando impulso. Lo de mentir con mi edad no le parecía mal aunque sólo funcionaría al inicio, para confundir, porque luego la verdad saldría a flote y era en ese momento cuando yo debía tener preparada una acción sorpresiva. Claro, continuó, yo le había dicho que escribía y eso estaba bien, porque así la colocaba a ella en una posición de confianza. Eres un cabroncito, afirmó sonriendo. Cuando el contrario se siente seguro es cuando hay que golpearlo con pequeñas acciones que lo vayan debilitando, dijo. No hay que dejarla respirar. Hay que sugerirle el material con que se cuenta, pero poco a poco. Un día le dices que escribes y la matas un poquito, otro que tocas guitarra y la matas más, pero no le enseñas nada. No, ella solita va a querer verlo por sus propios ojos. Tú llévala a tu terreno, bróder, haz que se sienta fuerte y vaya a buscarte. Acorrálala y cuando veas que empieza a tambalearse, ahí viene el ataque final, porque cuando el contrario se siente acorralado entonces pide tregua, se rinde y zas: ahí te la comes completica y sabrosa.

—¿Pero de qué tú estás hablando, mi hermano? —pregunté.

—Ernesto, bróder, esto es una batalla y usté tiene que ganarla, hay que usar el músculo del cerebro, acuérdate.

Seguramente Lagardere llevaba un poco de razón, pero no me creía capaz de poner en práctica una estrategia tan elaborada. No sé. Lo cierto es que para algunas cosas el músculo de mi cerebro siempre funcionó más despacio. Volví a ver a Alejandra para devolverle el libro y entonces empezamos a encontrarnos en la Biblioteca Nacional. Por aquellos días leí un montón. Nos sentábamos en mesas diferentes, uno frente a otro y, a ratos, yo levantaba la vista con disimulo para observarla. Tiempo después ella confesó que hacía lo mismo, pero nunca me di cuenta. Al salir, la acompañaba a su parada de guagua. Y hablábamos. Alejandra se moría de curiosidad por leer algún poema mío, yo por verla bailar. Ella tuvo que esperar un poco, porque en principio preferí decirle que estaba trabajando mis escritos, y si no quise enseñárselos no fue por la estrategia de Lagardere, es que me daba vergüenza. Yo, sin embargo, la vi bailar muy pronto porque su grupo de danza se presentó en el festival de aficionados de la universidad. Aquella noche, cuando las luces de escena se encendieron, había cuatro muchachas vestidas con unas mallas blancas, parecían iguales, pero enseguida la reconocí a ella. La música empezó a sonar: era Charly García. Las cuatro figuras delgadas salieron del letargo, danzaron, pero yo sólo pude verla a ella en todos sus detalles y, mientras el argentino cantaba *Buscando un símbolo de paz*, supe que ya estaba enamorado.

Esa noche regresé eufórico. Me acuerdo bien, porque al llegar a mi calle, iba tarareando aquella canción de Charly cuando escuché que alguien gritaba: ingeniero. Y me detuve. Tormenta estaba en su portal. Me acerqué a saludarla. Mi primer amor me recibió con una sonrisa.

Entre una cosa y otra hacía tiempo que no hablábamos. Ella había terminado el Pre pero no le había alcanzado el promedio para la universidad, más adelante quería estudiar secretaría y, mientras, estaba trabajando en el comedor de una empresa. No era gran cosa pero, al menos, trabajaba. Al fin y al cabo, afirmó, ella nunca se había destacado por su inteligencia. Sin embargo yo… hizo una pausa antes de agregar que le alegraba saber que sería ingeniero.

—Tú siempre fuiste el mejor, yo me equivoqué de amigo… —dijo mirándome con una sonrisa a la que respondí con otra, aunque enseguida escondí mi mirada bajando la cabeza —. Sé siempre el mejor, mi condesito.

Si ella hubiera seguido con aquella conversación, seguramente yo no hubiera podido evitar que mis orejas se pusieran rojas rojísimas, pero no fue así. Tormenta cambió de tema y estuvimos hablando un rato de cualquier bobería más, simples conversaciones de vecinos, hasta que me fui a casa. Una parte de mí sentía pena. Una gran pena. Y otra euforia. Total euforia. Tormenta era mi primer amor y siempre lo será. Será mi Capitán Tormenta para toda la vida pero no podía decírselo. Tanto menos en ese momento en que acababa de comprender que estaba enamorado nuevamente.

Ya en casa, encontré a Tania delante de la televisión pintándose las uñas de los pies. Mami salió de la cocina y, secándose las manos con un trapo, preguntó qué tal me había ido el día. Genial, respondí, antes de darle un beso y echar a andar hacia mi cuarto. Necesitaba estar solo. Tania levantó la vista. Dijeron por el noticiero que en el Cuito Cuanavale ese se está armando tremendo lío, me dijo y asentí sin prestarle mucha atención. Hacía poco que UNITA y los sudafricanos habían prácticamente obligado a las ya debilitadas tropas gubernamentales y sus aliados cubanos a retirarse hacia Cuito Cuanavale. Poco después Cuba decidió enviar un refuerzo de hombres, artillería y armamento pesado. En los mapas militares estaba marcado ese punto y hacia él convergían todas las flechas. Aquélla iba a ser la última batalla de la guerra fría, como me dijo Berto muchos años después, pero la verdad es que, en su momento, yo no tenía cabeza para otra cosa que no fuera la imagen de Alejandra mientras bailaba. Entré a mi cuarto y cerré la puerta con un golpe de talón.

Adiós a las armas

Quitar el cargador. Echar fuerte el carro hacia atrás para verificar que la recámara está vacía. Retirar la tapa del cajón de los mecanismos con el botón trasero. Quitar el mecanismo recuperador: hacia delante y arriba. Retirar la corredera con el cerrojo. Separar el cerrojo de la corredera. Retirar el tubo de gases. Listo. Armando: colocar el tubo de gases. Poner el cerrojo en la corredera. Colocar la corredera: meter la punta del pistón en el cilindro, alinear rieles y hacia delante. Poner el mecanismo recuperador: al frente, abajo, atrás. Colocar la tapa del cajón de los mecanismos. Mover el carro hacia atrás con fuerza. Poner seguro: hacia arriba. Colocar cargador.

Tiempo. Otra vez.

Quitar cargador. Carro hacia atrás con fuerza. Tapa del cajón de los mecanismos. Mecanismo. Corredera con cerrojo. Separar cerrojo. Retirar tubo de gases. Listo. Armando: tubo de gases. Cerrojo. Corredera. Mecanismo. Tapa del cajón. Carro hacia atrás con fuerza. Seguro. Cargador.

Tiempo. Otra vez.

¡Uf! Me quedé medio dormido. El tipo de al lado ronca. ¿Cuántas veces en mi vida habré armado y desarmado un Kalashnikov o AKM como le llamábamos nosotros? En el concentrado hacíamos competencias a ver quién lograba el mejor tiempo, aunque la primera vez que lo hice debió de ser en los "domingos de la defensa". Sí, porque a los diecisiete años uno tenía que inscribirse en las milicias y estar preparado para "la guerra de todo el pueblo", como se llamaba. El país estaba lleno de carteles con la frase: "cada cubano debe saber tirar y tirar bien". Renata se moría de la risa cuando le conté, decía que aquel eslogan era idea del Ministerio del Turismo porque "tirar" en otras latitudes tiene una connotación bien distinta. En Cuba, sin embargo, se refería única y exclusivamente a disparar, pum, pum, pum, con un fusil, pum, pum, para poder defendernos del enemigo. ¡Pum!

Mi amigo el Vlado tuvo que tirar muchos tiros en Cuito Cuanavale, aunque sólo hablaba de eso cuando había bebido un poco, pero solía repetir las mismas cosas, como si tuviera aprendido de memoria los versos que se quería recitar a sí mismo: que en la guerra las cosas huelen diferente, que ciertas noches todavía despierta con el ruido de los Mirages sudafricanos sobrevolando el cielo, y que algunos rostros no se le van de la cabeza, algunas expresiones. Una vez le pregunté si eran las expresiones de los muertos y dijo que sí, apenas eso: sí y se quedó callado. Cuando el alcohol comenzaba a hacer efecto y las discusiones del clan de Berlín se volvían calientes mi amigo se exaltaba, de lo contrario, contaba anécdotas divertidas de la tropa, apenas eso.

El Vlado estaba tirando tiros en Cuito mientras, en La Habana, yo sacaba la licencia de conducción. Antonio se había ocupado siempre del carro de casa, de repararlo y de llevar a mami a cualquier sitio lejos o al mercado los domingos. Cuando pasé el examen ella dijo que podía ayudar a Antonio pero dejó muy claro que no podría coger el carro cuando me diera la gana, porque ella no tenía gasolina para lujos. El carro es sólo para las urgencias, sentenció. Y, aunque Lagardere no se cansaba de proponerme que lo robáramos para salir, yo prefería dejarlo para las urgencias.

Un sábado tuve una. El día anterior me había quedado esperando por Alejandra en la CUJAE para que me prestara un libro y esa mañana llamó para disculparse. Se había partido un pie y tenía un yeso hasta la rodilla. Le molestaba andar con muletas, pero sobre todo, no poder ver esa noche la película con Marcelo Mastroianni que pasaban en la cinemateca. Yo nunca había invitado a salir a Alejandra, nos veíamos en la universidad o en la biblioteca, pero salir salir, nunca. Entonces se me ocurrió algo. Veré qué puede hacerse, le dije, luego te llamo y colgué. En el baño de casa, Antonio arreglaba la lavadora, mientras mami lo asistía. Me paré junto a la puerta abierta. Necesito que me prestes el carro. Mami me miró. Tengo una urgencia, agregué. Ella hizo un gesto interrogante y Antonio sonrió preguntando: ¿tiene nombre esa urgencia? Tiene un yeso en el pie, respondí, y en la cinemateca dan una película con Mastroianni.

Mami sonrió un poco triste antes de echar un profundo suspiro. Marcelo siempre me gustó tanto, dijo antes de concluir: pero maneja con cuidado, mijo.

Ésa fue una gran noche. No sé si la película que vimos fue la misma de aquella vieja historia de mis padres, pero me gustó pensar que lo era. ¿Y por qué sonreías si no era una comedia?, preguntó Alejandra cuando salimos del cine. Sonrío cuando me siento bien, respondí y ella dijo "ah". De regreso hablamos de cualquier cosa y cuando apagué el motor frente a su casa anuncié que tenía algo que decirle. Ella me prestó atención. Dirán que son tonterías, pero manejar con una mujer al lado da fuerzas, al menos a mí me las dio y entonces le confesé que ni tenía su edad, ni estaba en segundo año, era de primero con edad de primero. Ella soltó otro "ah" antes de preguntar por qué le había mentido. Pensé que no querrías ser amiga mía por ser menor que tú. Alejandra sonrió: que bobo tú eres, dijo abriendo la puerta. Me apresuré a salir para ayudarla y ya frente a su casa me miró a los ojos. Pero tienes razón, afirmó, yo no quiero ser tu amiga. Cuando sus labios rozaron los míos, mi lengua salió disparada en busca de la suya. Nos dimos un beso largo, larguísimo. ¿Sabes lo primero que me gustó de ti?, preguntó al separarnos, que tu nariz se parece a la de Charly García. Sonreí. Llámame mañana, susurró a mi oído antes de entrar. Yo me quedé con su aliento en mi oreja agradeciendo a Charly Mastroianni o a Marcelo García, daba igual.

Besé por primera vez a Alejandra a fines de junio. Lo sé porque estábamos al empezar los exámenes finales y porque ya había terminado Cuito Cuanavale. O sea que demoré en empatarme con ella lo mismo que duró la batalla, unos seis meses, porque cuando conocí a Alejandra, lo de Cuito estaba apenas comenzando, aunque ya se hablaba en secreto de una futura negociación. Estados Unidos estaba dispuesto a retirar su ayuda a UNITA y mediar con Sudáfrica, mientras que Cuba, si bien años antes había rechazado la propuesta de retirar sus tropas a cambio de que Sudáfrica diera la independencia a Namibia, entonces ya estaba dispuesta a hacerlo, aunque ponía como condición estar presente en la mesa de negociaciones. Mientras los mensajes cifrados viajaban de un lado a otro, yo empecé a enamorarme de Alejandra y mi amigo Vlado a tirar tiros en Cuito. Dice que era como si un día fuera igual al otro, la UNITA y los sudafricanos atacando arriba de ellos. En mi universidad la gente comentaba sobre los combates que salían en la prensa, pero con Alejandra nunca hablé de eso en aquel tiempo. Por fin Angola, Cuba y Sudáfrica se sentaron a conversar y, aunque Savimbi dijo estar dispuesto a tratar con el gobierno angolano, la UNITA había quedado fuera de las negociaciones. El Vlado tiaraba tiros, pum, pum, pum, se acostaba con el uniforme y las botas puestos, con los ojos cerrados pero sin dormir y, a veces, hasta creía que ya estaba muerto y que la muerte era ruidosa y sucia. Estados Unidos fue el mediador en las conversaciones, por otro lado Gorbachov y Reagan discutían sobre la reducción de las armas nucleares. Dice el Vlado que de un día igual al otro e igual al otro e igual al otro, sólo uno fue distinto. Sudáfrica empezó a retirarse, las explosiones a mermar, ya no estallaron más cosas en pedazos y, por fin, él sintió silencio. Ssshhh. Terminó la batalla y seguía estando vivo.

El 26 de julio, como cada año, Fidel Castro dio un discurso, y de ése tengo recuerdos especiales porque lo esperábamos ansiosos, pero también por lo que pasó después. Mis tíos Melquiades y Miguelito fueron a almorzar a casa y luego todos nos acomodamos ante la televisión. Como de costumbre el discurso fue largo: dificultades del país, baja del precio del azúcar y alza de otros productos en el mercado internacional, proceso de rectificación de errores, cambios que empezaban a producirse en los países socialistas y el valor de nuestro pueblo y nuestro partido. A veces la voz era interrumpida; en la televisión, por aplausos; en casa, por tío Miguelito que no estaba de acuerdo con lo dicho y tío Melquiades que lo mandaba callar. Hasta que llegó el momento de hablar de Angola y todos cerraron la boca. Fidel hizo un resumen de lo ocurrido antes y durante Cuito Cuanavale. Y habló de las negociaciones. Ya existía un primer acuerdo que establecía las bases para el Acuerdo final. Cuando se firmara este último comenzaría la retirada global de nuestras fuerzas en Angola. Una vez cumplidas las misiones, concluyó el orador, recibiríamos felices a nuestros combatientes y constructores para seguir la batalla por el desarrollo del país.

—Felices el coño'e tu madre ¿y pa' esta mierda mi hermano tuvo que morirse? —soltó tío Miguelito dando un puñetazo en el sofá.

De la televisión venían aplausos. Yo sentí una punzada en el pecho. Tío Melquiades alzó la voz para decirle a su hermano que dejara en paz a su otro hermano que era un héroe. Pero Miguelito se levantó furioso, héroe ni carajo, gritó, y siguió hablando entre malas palabras. Tania cruzó las piernas encima del sofá. Fidel Castro sostenía que nadie pensó jamás que un país como Cuba amenazado directamente por el imperialismo... Melquiades se puso de pie e intentó hablar por encima de Miguelito que no se callaba. Mami también se levantó y dijo algo muy molesta. Abuemama se llevó una mano a la boca. Miguelito le respondió a mi madre y que era tu marido, chica. ¿o a ti ya se te olvidó tu marido?, le dijo. Yo sentí un calor repentino. En la televisión: aplausos.

—Sal de aquí, Miguel —dije por fin levantándome y se hizo un silencio—. A mi madre nadie le grita y a mi padre no le faltan el respeto, que yo soy un hombre, coño, y tú tienes que respetarme, así que vete.

Todos me miraron. Tío Miguelito fue a decir algo, pero se detuvo. Melquiades le pasó un brazo por encima a mami que estaba con las lágrimas afuera. Tania cruzó los brazos. Por fin, Miguelito me dijo discúlpame moviendo la cabeza de un lado a otro como quien no sabe qué hacer, luego miró a los demás murmurando discúlpenme y se fue. Desde la televisión llegó la ovación final. El discurso había terminado.

Mi tío Miguel estaba rabioso, siempre lo estuvo, lo sé, nunca aceptó que su hermano ya no estuviera cerca y el único modo que encontraba para expulsar la impotencia eran los gritos. Ahora siento tanta pena por él. Por todos.

Hasta por mí. Siento una rabia parecida a la suya, aunque distinta. Muy distinta. Quizá él sea más sabio que yo porque eligió gritar y patear y golpear. Hay quien elige quedarse callado ¿Pero de veras es uno quien elige? ¿Se puede controlar la reacción ante algo que duele?

Mi amigo Vlado no quería hablar mucho de la guerra. Según Baby Ranger, por respeto hacia mí, para no hacerme daño, pero no creo que fuera eso. Creo que, simplemente, prefiere quedarse callado, porque hablando vuelve a revivir lo que quizá no quiere recordar. La palabra tiene ese mágico don de construir imágenes. Antonio tampoco quiso hablar al regreso de su segundo viaje y cuando le preguntaba por los últimos días de mi padre, siempre prefirió contarme anécdotas simpáticas. Nada más. Las palabras no dichas a veces tienen el poder de hacer desaparecer lo que no nombran. Con Berto ocurrió algo parecido, la guerra es una mierda fue lo primero que dijo y casi me manda al carajo.

Me pregunto qué imágenes pasarán por las cabezas de todas estas gentes, todos los que estuvieron en alguna guerra. ¿Qué imágenes guardan? ¿Podría el cerebro ser capaz de sepultar todo lo que no quiere volver a ver? Una vez quise ser escritor e inventar historias, ser capaz de construir con palabras imágenes en la cabeza de la gente. ¿Qué pasa cuando tienes las imágenes y quieres que se borren? ¿Qué haces: te tiras contra la pared o te golpeas la cabeza con las dos manos como hacía el Vlado cada vez que hablaba de los rostros que ya no quiere ver?

No sé. Yo las imágenes de lo que más me duele siempre tuve que inventármelas. Tío Miguelito también habrá tenido que hacerlo. Pero no debe ser lo mismo algo visto que inventado. No. No debe ser lo mismo. La imaginación es modificable. Ésa es su ventaja. La realidad es la puta realidad que no tiene botón de Rewind. No hay vuelta a atrás.

En agosto de 1988, la UNITA liberó a los pilotos cubanos que tenía prisioneros y Sudáfrica terminó la retirada de sus tropas de territorio angolano. En diciembre quedó firmado el Acuerdo Tripartito definitivo. Sudáfrica se comprometía a dar la independencia a Namibia y no apoyar más a UNITA. Cuba a comenzar la retirada gradual de sus tropas de Angola. A partir de ese instante nos quedaba el futuro. El maldito futuro.

Veinte años después, Berto me comentó que aquello sólo había terminado porque la guerra fría ya estaba acabándose, después en Angola continuaron los conflictos hasta que murió Savimbi, pero sin terceros países metidos, porque ya a nadie le interesaba, Cuito Cuanavale fue la última batalla de la guerra fría. Esto me lo dijo la primera vez que fuimos al B.leza.

Como había prometido, Berto regresó a Lisboa para el cumpleaños de su hija Beatriz y al teléfono me anunció que tocaba un músico angolano en la discoteca que estaba junto a mi Habana. Era una buena ocasión para vernos, agregó, su hija invitaría a unas amigas y él a mi señora y a mí. Berto solía referirse a Renata como "mi señora" y eso me causaba gracia, porque era como si hablara con palabras escritas en letras amarillentas por el tiempo. Aceptamos la invitación, aunque no somos amantes de las discotecas y, al final, resultó que el sitio nos gustó mucho. Tiene un gran salón con tres zonas, una de mesas, un espacio libre para el baile y un escenario donde tocan los músicos en vivo. Me recordó los cabarets de la Habana al viejo estilo, donde la gente se sentaba a beber y si quería bailar se iba a la pista. Nada que ver con las discotecas abarrotadas de personas en pie y con una música estridente que te obliga a gritar o a sonreír como un idiota. Encima parece todavía más espacioso, porque en uno de sus laterales la pared es un gran ventanal de cristal a través del cual pueden verse el río, el puente, el Cristo y las luces de la Lisboa nocturna.

Nosotros nos sentamos del lado del río y pedimos cervezas. De las amigas de Beatriz, una estaba recién divorciada y tenía muchas ganas de beber y divertirse por eso, apenas escuchó el saludo del músico angolano, dijo que había que bailar y prácticamente nos arrastró a todos a la pista. A pesar de que lo mío nunca ha sido el baile, la situación me gustó, de un lado veía Lisboa, afuera estaba mi Habana, a mi alrededor sonaba música angolana, Renata se movía cerca de mí, ésa iba a ser la última vez que bailáramos juntos, aunque yo no lo sabía, por eso ni siquiera me empeñé en acercarme, ella bailaba sola en medio de la gente y yo también. Yo intentaba mover mi cuerpo al compás de ese ritmo contagioso, sonriéndole a Berto que me miraba poniendo caras divertidas. Así estuvimos un rato hasta que él se justificó con un mal de espalda y fue a sentarse. Aproveché para acompañarlo. Pedimos más cervezas. Es lindo ver a las mujeres bailando, dijo y le di la razón. Brindamos. En la pista, la recién divorciada dirigía una especie de coreografía que Renata y Beatriz intentaban seguir.

Qué raro, ¿no?, le dije a Berto, dos cubanos aquí en Lisboa bailando con la música de un angolano que quién sabe si estaba allí cuando la guerra. Berto movió la cabeza comentando que no había nada de raro. Hacía tiempo que todo había terminado, tanto para ellos, como para nosotros y, por fortuna, ya fuera en paz o en guerra la gente seguía escuchando música y bailando. En eso tenía razón, aunque a mí, en realidad, no me interesaba hablar sobre música. La guerra había terminado sí, afirmé, pero había una pregunta que yo nunca lograba responderme, por qué Cuba no se había retirado antes. Él qué creía, quise saber. Berto sonrió y, sin mirarme, dijo de mala gana algo sobre la guerra fría antes de terminar con aquello de que Cuito había sido la última batalla. Entonces sí me miró, yo tenía que ser muy cuidadoso, dijo, era importante que trabajara sobre la memoria, sobre el pasado, pero a veces él temía que intentado hacerlo yo me fuera a perder algo del presente. Entender el pasado servía para comprender el presente, no para detenerlo, concluyó. Yo sonreí. Y después de cada cosa siempre nos queda el futuro, era una de las frases de mi padre, afirmé.

—Pues en eso tiene razón tu padre —dijo muy serio—. ¿Sabes? Creo que tú deberías ir a Angola, allí tal vez puedas encontrar respuestas a tus preguntas.

Le sostuve un momento la mirada y luego medio sonreí. ¿Ir a Angola?, mascullé, ¿a buscar qué? A mí no se me ha perdido nada en ese país, bueno, se me perdió algo, pero hace demasiado tiempo. Entonces dalo por perdido y continúa con tu vida, respondió él categórico, dirigiendo la mirada otra vez hacia la pista de baile. Su frase me sonó como si me hubiera echado encima un cubo de agua fría. Él continuó hablando. Renata era una mujer bonita, dijo, si él tuviera una mujer así no se quedaría sentado hablando de la guerra con un viejo, se iría a bailar con ella, la tomaría por la cintura, le daría besos en el cuello y le susurraría cositas lindas. Cuando las mujeres están enamoradas son capaces de perdonar cualquier cosa, cualquier descuido, cualquier error, pero los hombres se dan cuenta a veces demasiado tarde, te lo dice Berto Tejera Rodríguez, agregó, y en su voz noté un cierto tono de fastidio. Me sentí un poco mal, primero me cortaba la conversación sobre Angola y luego me echaba un regaño por Renata. Yo no le había contado de mis problemas con ella y tampoco imaginé que fueran evidentes, además, no entendía qué podía haberlo molestado. No dije nada y él terminó: pero tú no vas a perder a tu mujer, porque eres más inteligente que eso, ¿cierto? Ahí volvió a mirarme suavizando el rostro, dije que no con la cabeza y él sonrió dándome un codazo cariñoso.

—De todas formas, si un día quieres ir a Angola, tengo amigos que podrían ayudarte con los trámites, ¿ok?, mientras tanto vive, muchacho, que mientras haya vida, hay que vivirla. Y basta de guerra que es el cumpleaños de mi hija —dijo sonriendo antes de sacar su cigarrito del bolsillo. Una vez terminado su ritual de exfumador, volvió a mirar hacia la pista—. Qué lindas, me encanta ver a las mujeres bailando. ¿A ti no te gusta?

Claro que me gusta, susurré, me di un trago largo y volví mi mirada hacia ellas que seguían dando brincos, jugando a hacer coreografías. Renata reía y movía su cuerpo levantando los brazos, mientras yo bebía sentado a la mesa con el extraño hombrecito. Me faltaba poco para caer, pero aún no lo sabía. Había lucecitas encendidas por todos los frentes. Todos. Renata, Berto que cada vez se molestaba más, desde luego que sí, porque muy a pesar suyo se había metido en una partida de ajedrez. Pero yo no veía nada. Bebía mi cerveza. Miraba bailar a mi mujer. No moví un dedo, no dije más.

Renata siempre ha tenido razón, yo me quedé detenido en alguna parte, mientras los demás siguieron bailando. Ahora escucho a Jorge Palma cantar en mis oídos: *enquanto houver estrada pra andar, a gente vai continuar*... y me da rabia. Continuar es lo que estoy intentando hacer, no hace falta que me lo recuerden. Ni Renata, Ni Berto, ni Jorge Palma. Stop.

Sobre héroes y tumbas

Conozco a Berto hace casi seis años pero si cuento las veces que nos hemos visto personalmente, en realidad no son tantas. Hemos estado cerca por mail, por teléfono y por el blog, claro, todo empezó por ahí. Ahora hace meses que no escribo. No puedo. Es la segunda vez que me sucede, aunque ahora es peor, estoy completamente bloqueado. Sólo entro para leer, releer y volver a leer las conversaciones. Hace poco Felipe me mandó un artículo sobre un tema que, según él, debería tratar. No le dije que no pienso hacerlo, al menos no por el momento. El blog se ha convertido en una bola de algodón con pedazos de cristal molido dentro. Cuidado donde tocas, porque puedes hacerte daño. Mis amigos no están enterados de lo que me está sucediendo, saben que Renata me dejó, no saben cómo ni por qué ni nada más. Sólo Lagardere y Berto están enterados de todo. Y Renata, claro, también ella, que a estas alturas a saber si se ya se aburrió o si sigue sentada ante la computadora leyendo mi blog. ¿Encontraste lo que buscas, Renata? Tendrá lectura para rato, hay entradas que tienen varios comentarios y algunas en las que tuve que pedir decencia en el lenguaje, porque no acepto insultos ni ofensas ni malas palabras. En mi blog prefiero que la gente use el músculo del cerebro. Una vez hasta tuve que borrar a un comentarista porque no hacía más que escribir malas palabras y, encima, con faltas de ortografía. Fue en el texto sobre la Causa 1 de 1989. Una guerra no termina con los acuerdos de paz, así se llama la entrada y ésa tuvo varios comentarios.

Ese año los cubanos comenzaron a regresar de Angola. Yo estaba en segundo de la carrera y en el país crearon la consigna "31 y pa'lante", porque la Revolución iba por treinta y un años. A cada rato se organizaban conciertos al aire libre que movilizaban a cientos de jóvenes, mientras la ciudad se iba llenando de carteles: "somos felices aquí", "el que no salte es yanqui". Cosas así que eran como una especie de contraposición a lo que estaba sucediendo en los países del bloque comunista.

También ese año, Gorbachov visitó Cuba y, como de costumbre, fuimos a la avenida a agitar banderitas en saludo al cortejo y ver de cerca al hombre que con su perestroika estaba dando tanto de qué hablar. Todavía no habían prohibido las publicaciones soviéticas revisionistas, eso ocurrió después, así que yo las compraba y seguía con interés lo que iba sucediendo. Gorbachov nos tenía fascinados. Un tipo inteligente, decía yo; el que está virando la tortilla, decía Lagardere. Alejandra hasta lo veía sexy con su lunar en la cabeza. Ya por ese entonces lo nuestro se había convertido en una verdadera relación.

En nuestros primeros tiempos, Alejandra y yo hacíamos el amor donde podíamos. Puros malabares. Algunas noches tocaba esperar a que en casa se durmieran para entrar sigilosos a mi cuarto, otras aprovechábamos que yo tenía el carro para pasarla parqueados en una costa, a veces incluso con Lagardere y su novia de turno en el asiento trasero, total que había que inventar. Un domingo amanecí tarde y encontré a mami con Antonio en la cocina acomodando las cosas que acababan de traer del mercado. Ella me miró con mala cara, pero no le di importancia. Me serví un café que fui a beber al portal y allí estaba cuando Antonio apareció a mis espaldas. Campeón, me dijo, creo que vas a tener que hacer algo, anoche alguien se olvidó un arete en el carro y, además… coño, Ernestico, que tu mamá está molesta porque te ha oído entrando a casa de madrugada acompañado. Sentí que las orejas se me ponían calientes, pero él me dio una palmada en la espalda preguntando si era siempre la misma o eran varias. Respondí que la misma. Entonces deberías presentársela a tu madre, dijo, yo hablo con ella, la suavizo. Poco después, llevé a Alejandra a casa, esa vez de día y todos pudieron conocerla. Ahí mami me dijo en un aparte que, visto que ya andábamos en ésas, en lugar de hacer maromas en el carro, mi novia podía dormir en casa. Fue así como Alejandra empezó a quedarse conmigo los fines de semana. Encerrados en mi cuarto hacíamos el amor, leíamos, escuchábamos música, conversábamos, mientras afuera pasaba 1989, que fue un año complicado.

Un día el periódico Granma publicó una extraña nota. Estábamos en junio. "Información del Ministerio de las Fuerzas Armadas Revolucionarias: arrestado y sometido a investigación el general de división Arnaldo Ochoa." Ochoa era bastante popular. Había estado al mando de nuestras tropas en Etiopía y de la misión militar en Angola y era de los pocos condecorados como Héroe de la República. La noticia dejó a la gente boquiabierta. Tanto en la universidad como en la calle no se hablaba de otra cosa. Esa misma noche, el entonces Ministro de las Fuerzas Armadas, Raúl Castro, dio un discurso que pasaron en directo por televisión. En casa todos nos sentamos a verlo. Aquella intervención fue tremenda. El ministro comenzó a hablar de Ochoa y dijo que habían sucedido hechos muy graves, pero saltaba de una cosa a otra, se perdía. Parece que está borracho, dijo Tania, y mami la mandó callar con un ssshhh que retumbó en la sala. Según las primeras informaciones, Ochoa había sido arrestado por corrupción y manejos deshonestos de recursos económicos. Sería llevado a un Tribunal de Honor.

A veces la memoria sintetiza los recuerdos. Un enorme período puede ser revisto en pocos segundos y eso da la impresión de que ha pasado poco tiempo. Pero a veces, en realidad, el tiempo que pasó es muy corto. Cuando volví a esta historia para escribir la entrada del blog sentí un estremecimiento, el tiempo era como agua que se escurría entre mis dedos, porque todo pasó realmente muy deprisa. Dos días después de la noticia de Ochoa, Granma anunció la detención de dos oficiales del Ministerio del Interior: el antiguo jefe del estado mayor de dicho ministerio en Angola, general Patricio de la Guardia, y el coronel Antonio de la Guardia, hermanos gemelos, fundadores de las Tropas Especiales y con un montón de misiones cumplidas en diferentes sitios. Poco después se publicó un editorial que implicaba a los primeros detenidos y a un grupo de oficiales más, no sólo en delitos de corrupción, negocios ilícitos e inmoralidades, sino que se hablaba de tráfico de droga y de graves riesgos contra la seguridad nacional. El texto terminaba diciendo algo así como que habría que lavar de forma ejemplar ultrajes como ése y aquello fue una bomba.

Algunos sábados, Lagardere venía a casa con su novia de turno y pasábamos la noche en la azotea. Tania a veces nos acompañaba. Lagardere llevaba el ron, yo la guitarra, Alejandra una grabadora y música de los rockeros argentinos que tanto le gustaban. Uno de esos sábados no se me olvida porque empezamos a hablar de los arrestos y de repente Alejandra dijo: van a fusilarlos. ¿Fusilarlos?, preguntó Lagardere antes de continuar con que no, aquellos oficiales tenían demasiadas estrellas, los iban a meter en la cárcel. Pero tú sabes que en este país lo de la droga es candela y ellos son militares, los militares tienen otras leyes… intentó explicar Alejandra, pero la novia de Lagardere la interrumpió: qué leyes de qué, dijo, si fuera cualquier comemierda lo fusilaban, pero ellos son héroes, están muy arriba, los van a meter en la cárcel. Ahí empezó una discusión que no logré seguir en detalles, porque en ese momento miré a mi hermana y descubrí que me miraba. No sé qué estaría pensando ella, ni qué yo, sólo sé que nos miramos, hasta que Alejandra me tocó por el brazo preguntándome qué opinaba.

—No —dije—, a los héroes no se les fusila.

Cuando Ochoa compareció ante el Tribunal de Honor, la televisión pasó un resumen. Imagino en todo el país a la gente sentada ante la caja de imágenes. El general hablaba despacio, era una autocrítica, su mea culpa. Cuando afirmó que la traición se pagaba con la vida, abuemama se llevó una mano a la boca. Mami empezó a mover la cabeza de un lado para otro, como diciendo que no, aunque no sé qué estaría negando, no sé qué pensaba, si le parecía bien o mal, justo o injusto, no sé y nunca me atreví a preguntárselo. Tania cruzó las piernas encima del sofá, ni ella ni yo dijimos nada.

Días después comenzó el juicio sumarísimo del Tribunal Militar. Eran catorce exoficiales de las Fuerzas Armadas y del Ministerio del Interior, todos degradados, ya de civil. Se les acusaba de organizar operaciones de narcotráfico, de negocios sucios en Angola, de corrupción, deslealtad y, por ende, de alta traición a la patria. Durante la semana que sesionó el tribunal, vimos por televisión algunos fragmentos. En mi facultad se armaban grandes discusiones: No tienen perdón porque vivían como reyes y el pueblo vive diferente. ¿Y de verdad tú crees que el gobierno no sabía lo que estaba pasando? Son todos unos descarados. Son chivos expiatorios de un mecanismo más perverso. Miles de palabras se pronunciaron en aquellos días, a veces en voz alta, a veces en susurros. Yo estaba confundido. Si todas las acusaciones eran ciertas debían pagar por lo hecho, pero una frase me martillaba la cabeza: ¿pagar con la muerte? ¿La muerte? La muerte es irreversible, la muerte no tiene Rewind. Había, además, algo en los videos trasmitidos que me molestaba. El fiscal no paraba de hacer preguntas interrumpiendo a los acusados cuando intentaban responder, incluso hacía chistes poniéndolos en ridículo y el público de oficiales reía, como si aquello fuera otra cosa, no sé, un circo donde los vencedores no tienen límites sobre los vencidos. Cuando estás abajo te aplasto, te niego el derecho a la dignidad, te humillo, porque la humillación pública es una de las armas más viejas que existen. Todo aquello me resultaba tan extraño y pensaba en mi padre, por supuesto, aquellos días habré pensado muchísimo en él pero no sentía que mi dolor pudiera calmarse con el dolor de otros. Nada de eso. La muerte de un hombre no cura nada, no limpia una historia, no hace más que provocar un dolor que puede provocar más muerte y así el círculo no se cierra nunca. Matar a un hombre sólo sirve para dar muerte a un hombre.

Cuando el juicio terminó hubo una primera sentencia y luego otra que el Consejo de Estado debía aprobar. Habrían pasado unos ocho o nueve días desde su inicio. ¿Puede un juicio tan importante durar tan pocos días? El Consejo de Estado se reunió. Era domingo. Lo vimos por televisión. La sentencia fue aprobada por unanimidad: cuatro penas capitales y diez de prisión. Ese día Antonio estaba en casa. Cuando la transmisión acabó, todos nos quedamos en silencio, mami se levantó para apagar la televisión y se fue a su cuarto. Yo salí al portal. No se escuchaba ningún ruido en la calle, como si todos hubieran apagado al unísono. Antonio se recostó al muro junto a mí.

—Ya no sé ni de qué lado estamos —dijo en un tono amargo sin mirarme—, lo único evidente es que Roma no paga traidores —concluyó echando un gran suspiro.

A los emperadores romanos les bastaba alzar o bajar el pulgar para decidir la suerte de sus gladiadores, sí, pero ya no vivíamos en el Imperio Romano. ¿Puede en tan poco tiempo decidirse esta suerte? ¿Puede tener alguien derecho a decidirla? La muerte es irreversible. Un mes después de la primera detención, Granma publicó una nota: "En horas del amanecer de hoy fue aplicada la sentencia dictada por el Tribunal Militar Especial en la Causa número 1 de 1989 contra los sancionados Arnaldo Ochoa Sánchez, Jorge Martínez Valdés, Antonio de la Guardia Font y Amado Padrón Trujillo". Había pasado tan sólo un mes y ya eran Historia.

Historia.

Ese verano, nos tocó ir a trabajar unos días en la construcción de un hospital. Ya era costumbre, en la universidad nos pedían cien horas de trabajo voluntario, porque debíamos ser "integrales", así se llamaba. Y como en el país se estaban agrandando los hospitales, pues ahí teníamos que ir a cargar carretillas de cemento, poner ladrillos y que nos rellenaran los bonos con las horas de trabajo. Alejandra detestaba todo eso pero si no era integral, por muy buenas notas que tuviera, su puesto en el escalafón no sería el mismo. Allí estábamos una tarde descansando del cemento cuando nos enteramos de la detención de otro grupo de oficiales, entre ellos el mismísimo Ministro del Interior. Estaban cortando cabezas. De ese proceso no supimos mucho, fue a puertas cerradas y concluyó con varias condenas a prisión, incluida la del ministro, quien no llegaría a terminarla porque dos años más tarde fallecería en la cárcel.

Aquél fue un año de rupturas. Un torbellino. Se acababan los ochenta. Yo hacía el amor con Alejandra. En noviembre tumbaron el muro de Berlín. Lentamente un mundo iba terminando aunque nosotros apenas si lográbamos entenderlo. Alejandra susurraba a mi oído palabras en francés recién aprendidas en la Alianza y que yo no entendía, pero que me gustaban. En poco tiempo la guerra fría iba a convertirse en un capítulo de un libro de Historia, en una entrada de una enciclopedia, en apenas tres o cuatro líneas dentro de una novela, pero nosotros aún vivíamos con ella pegada al cuerpo, como una baba transparente cubriéndonos la piel.

Fue seguramente por aquel tiempo cuando mi hermana empezó a cambiar. La niña se nos ha hecho una mujercita, me dijo una vez Lagardere y lo miré muy serio. Ahí sí que no te metas, le gruñí. Él sonrió, Tanita era su hermana y él no cometía incesto, dijo, pero teníamos que reconocer que la niña nos había crecido. Entonces soltó una carcajada y yo preferí no hacer comentarios. Mi hermana es una criollita como mami y sí, ya entonces tenía el culo grande. Lagardere constataba un detalle más que evidente. Pero, al menos él, me dijo Tania tiempo después, me vio cambiar. Para mí, ella seguía siendo la hermanita que yo debía guiar. Su último año de Secundaria había sido complicado, porque andaba muy dispersa con su amiga Dayani que por llamar la atención hasta se había pintado el pelo de rojo y verde. En el Pre siguieron andando juntas, claro, pero parece que Tania empezó a interesarse también en otras cosas. A mí me encantaba que se llevara tan bien con Alejandra, creo que le atraían sus sayas por el tobillo, sus boticas cortas y sus mochilas de colores. Y me gustaba que subiera con nosotros a la azotea para conversar. Lo único malo era que allí Tania veía fumar a Alejandra y a Lagardere y, aunque ya me había acostumbrado al sabor del tabaco en los besos de mi novia, no quería que mi hermana la imitara.

Un día Alejandra y yo tuvimos un pequeño desencuentro. De regreso a casa, ella encendió un cigarro mientras conversábamos. Apaga esa mierda, le dije y me miró haciendo una mueca cómica. ¿Pero por qué tienes que fumar, a ver?, repliqué. Ella sonrió, porque me gusta y en tu casa sólo puedo hacerlo en la azotea, dijo y me lanzó un beso. Entonces me detuve y en un extraño arranque le quité el cigarrillo y lo tiré al piso. ¿Pero a ti qué te pasa? preguntó deteniéndose. Fumar hace daño, respondí. Me miró seria. Encendió otro cigarrillo, echó el humo directamente sobre mi cara y, antes de dar media vuelta, dijo que las actitudes estúpidas también hacían daño. Alejandra, la llamé mientras la veía alejarse. Sin darse la vuelta gritó: hablamos mañana. Yo retomé el camino. Molesto. En casa, mi abuela estaba en la sala zurciendo, saludé y me fui a tomar agua. Tenía que refrescarme. Desde la cocina se escuchaba la radio con música bailable. Cuando me paré junto a la puerta vi a mami y a Antonio. Una mano de él sobre la cintura de ella, una mano de ella sobre los hombros de él, las otras manos enlazadas y las bocas riendo y la música sonando y las caras felices como si aquello fuera una fiesta.

—Ahora mismo le sacas las manos de arriba a mi madre.

Me miraron apartándose uno del otro. ¿Qué pasa campeón? preguntó Antonio. Respondí que eso mismo quería saber yo, ¿qué pasaba? Es que ha sucedido algo bueno, mijo, dijo sonriendo. Sentí que un fuego me subía desde el estómago y entonces afirmé: yo no soy tu hijo. Ahí Antonio dejó de sonreír. Miró a mami que respondió a su mirada con un gesto. Luego te llamo, le dijo él y, al pasar junto a mí, murmuró, ya hablamos. Apenas se fue, mami me pidió que la acompañara a su cuarto y echó a andar. La seguí comentando que no entendía, no fuera a decirme a estas alturas que…

—Cállate y cierra la puerta —dijo cuando entramos a su cuarto y obedecí—. No seas estúpido, Ernestico.

Mami se había sentado en la cama y desde allí me miró moviendo la cabeza antes de echar un suspiro profundo. Dijo que no me pusiera como mis tíos que no perdían oportunidad de estarle cuidando el culo, así dijo "el culo", como si ella fuera la santa virgen viuda. Mi abuelo, su padre, también había sido un controlador y de él se había liberado yéndose a cortar caña, por tanto no iba a aguantarle escenitas a su propio hijo. No obstante, si lo que me preocupaba era Antonio, podía estar tranquilo. ¿Te acuerdas cuando tu padre y él contaban que una vez de jóvenes habían salido con la misma muchacha?, preguntó. Y yo me acordaba, claro, era de sus historias preferidas. Pues era yo, chico, concluyó ella.

Ahí supe que mami y Antonio habían estado saliendo juntos antes de que mi padre apareciera en escena, pero como Antonio era un mujeriego, ella prefirió dejar de verlo. Él se fue a la Unión Soviética. Ella conoció al que iba a ser mi padre. A su regreso Antonio supo que su mejor amigo se iba a casar con una muchacha que él ya conocía. Aquello les dio risa y los tres fueron amigos para siempre. Porque Antonio era su amigo, dijo mami, el mejor amigo de mi padre y el único que ella tenía. Y esa tarde su amigo y ella estaban bailando porque él había conocido a una mujer con quien estaba dispuesto a abandonar su vida de soltero invicto. Antonio estaba enamorado, dijo ella con la voz rajada, y eso era algo muy bueno. Y ahora mírame, Ernestico. A mami se le saltaron las lágrimas. Yo tragué en seco. ¿Tú no crees que yo también tengo derecho o debo pasar el resto de mis años guardándole formas a un difunto? Mi padre era y sería siempre su gran amor, agregó, pero tanto ella como su amigo Antonio, esperaban que un día ella encontrara otro hombre para rehacer su vida, porque la vida tenía que continuar, porque después de cada cosa siempre nos quedaba… el futuro, concluí yo. Mami bajó la cabeza. Yo me sentí el ser más imbécil de la tierra.

Ella se sonó los mocos y levantó la cabeza apartándose los pelos de la cara.

—De todas formas, yo sé lo que a ti te pasa, Ernestico, yo te parí. Tú estás nervioso, como lo estoy yo, pero esto lo vamos a afrontar juntos. ¿Ok? El regreso de… lo vamos a afrontar juntos…

El regreso de los muertos. A eso se refería mami, a que se acercaba el día en que los muertos regresarían. Hay recuerdos que siempre preferí dejar flotando en una nebulosa, lejos de mí para que no me toquen. En diciembre fue la Operación Tributo. Los restos de los cubanos caídos en distintas partes del mundo llegaron para ser enterrados en casa. Era duelo nacional. Funeral colectivo. Cada municipio tenía un lugar donde velar a los suyos. A nosotros nos tocó el teatro. Había una urna cubierta por una bandera cubana y estaba la foto de mi padre. No quiero este recuerdo. Había urnas y féretros. Y fotos. De muchachos de mi edad o de padres de familia. Gente que besaba las fotos. Caras descompuestas. Gente que pasaba y pasaba y pasaba. No quiero este recuerdo. El siete de diciembre a la misma hora partieron los cortejos fúnebres por todo el país. Hubo discursos. Y silencios. Y gente, mucha gente, tanta gente, demasiada gente, enormes cantidades de gente. ¿Y qué hago ahora yo con todo esto? ¿Dónde coño pongo estas imágenes? No quiero recordar más.

La insoportable levedad del ser

Respira y cálmate, Ernesto. Aspira despacio, como te enseñó Tania. Espira y escucha música. Aquí tengo la compilación que me copió la misma Tania el año pasado, que empieza con esa canción que tanto nos gusta a ambos. Ella quería que yo aprendiera a tocarla, pero nunca logré mover los dedos tan rápido. *Mejor es que se vayan aves negras, mejor me dejan solo...*

Renata decía que yo era el músico de los tres acordes, aunque le gustaba escucharme tocar. En mi cuarto, en La Habana, yo le cantaba canciones y cuando llegamos a Berlín, su padre me prestó una guitarra, vieja y maltratada, que tenía de cuando era un jovencito. Aquellos primeros inviernos los pasamos tomando vino, cantando canciones y haciendo el amor. Luego me encontré con el club de Berlín y en las cenas de Baby Ranger tocábamos, pero entonces yo ya no lo hacía tanto en casa. No sé. Poco a poco fui dejando a un lado la guitarra y cuando nos fuimos de Berlín se la devolví a mi suegro.

Ya en Lisboa, el día que cumplí cuarenta años, Renata me dijo que había pensado mucho en mi regalo y que dudó entre varias cosas, un Kindle, un teléfono, hasta que finalmente se había decidido por su tercera opción. Me pidió que cerrara los ojos y esperara sentado en el sofá. Cuando anunció que ya podía mirar, ante mí, en el piso, había un estuche negro abierto y, dentro, una guitarra que brillaba. Era hermosísima. La tomé entre mis manos y toqué despacio sus cuerdas, nunca había tenido ninguna que sonara tan bien. En realidad, nunca había tenido una que fuera totalmente mía, la de La Habana era originalmente de mi abuelo, la de Berlín de mi suegro. Realmente, aquélla era la primera guitarra que podía llamar mía, no heredada, sino mía desde el principio. ¿Te gusta?, preguntó Renata y la miré emocionado. Claro que me gusta, es el mejor regalo que podías hacerme.

Entonces volvimos a la vieja costumbre de pasar un rato en las noches cantando con mi guitarra, pero también en Lisboa fui dejando de hacerlo. Así, sin darme cuenta. La olvidé en su estuche. Hermosa como es. Yo ya había conocido a Berto. Ya escribía el blog. Mi guitarra se fue llenando de polvo mientras yo me perdía en otros mundos. Sólo volví a ella cuando ya estaba en el barranco y en estos últimos tiempos he tocado como un demente. Sólo en casa. Como un demente.

Creo que regalarme la guitarra fue otro intento de Renata de traer de vuelta a la persona que ella había conocido. Cantar juntos era señal de cosas buenas, porque para ella la guitarra era compañía. Para mí, sin embargo, era soledad. Y ella lo sabía. Cuando tocas a veces estás lejos, pero estás; cuando no tocas, desapareces, me dijo una vez. Si uno pudiera saber exactamente el momento en que las cosas están a punto de hacer clac y romperse, quizá podríamos evitar que esto suceda, pero casi nunca nos damos cuenta. Al menos yo no y, como me dijo Berto aquella vez en el B.leza, las mujeres enamoradas son capaces de perdonar cualquier cosa siempre que no sea demasiado tarde.

Renata iba a cumplir los cuarenta y seguía queriendo un hijo. Los niños siempre le gustaron y, en realidad, nunca descartamos la posibilidad de tenerlos, al contrario, en nuestros primeros años hablamos de hacer una familia, íbamos a ser normales, como todos. Cuando llegamos a Berlín ella dijo que primero debíamos estabilizarnos y luego pensar en la familia. A mí me pareció bien. Luego siguió la vida, nos estabilizarnos, las cosas andaban bien entre nosotros, hicimos lo normal y, aunque no pasó nada, tampoco teníamos tanta prisa. Al llegar a Lisboa fui yo quien dijo que debíamos estabilizarnos, pero teníamos tiempo, mucho tiempo. Hasta que empezaron las asperezas. El blog, mi obsesión con el pasado, mis horas perdidas delante de la computadora, mi dejadez. De todo eso Renata fue acusándome sutilmente. La noche que fuimos juntos al B.leza, de regreso a casa, algo le dije y ella me respondió en mala forma, no supe qué le sucedía y entonces explotó. Todas las mujeres con las que había estado bailando y conversando, Beatriz y sus amigas, eran madres, todas tenían hijos menos ella que lo que tenía era un marido que no hacía más que hablar de guerras y de muertes y se olvidaba de la vida. Fue el segundo cubo de agua fría que recibí aquella noche, el primero había sido de Berto, pero del de Renata sí supe lo que venía después: clac.

Pasamos unos meses infernales de broncas y malas caras. Una noche me pidió que conversáramos. Nos sentamos en la sala. Quiero divorciarme, Ernes. Dijo y a mí casi se me escapa una sonrisa por el cariñoso Ernes que hacía rato no escuchaba, aunque no sonreí. La miré serio. La última mujer que me había dejado había sido Alejandra, tantos años atrás y mi hermana siempre me recriminó el no haber hecho nada por intentar impedirlo, a pesar de quererla, porque yo la quería, pero no hice nada, me limité a aceptar. Con Renata tenía que ser diferente, ésa era la historia más importante de mi vida. Estamos pasando una crisis, le respondí, todas las parejas tienen crisis, pero nosotros nos queremos y vamos a salir de esta. Renata me miró y, poco a poco, su rostro fue tomando un gesto de una ternura casi maternal.

—No, Ernes, no —dijo—, yo te voy a seguir queriendo pero de un modo distinto. Ahora quiero divorciarme porque hace unos meses conocí a otro hombre y ya no es una aventura. Yo quiero construir algo y no puedo pasar la vida esperando a que el niño asustado siga corriendo por el bosque.

Hay una idea de Kundera que siempre me gustó. Dice que cualquier drama puede expresarse mediante una metáfora referida al peso, porque sobre las personas cae el peso de los acontecimientos; pero lo que cae sobre uno de los personajes de su novela no es una carga, sino la insoportable levedad del ser. Cuando leí ese libro, siendo un jovencito, nunca imaginé que algún día estaría sentado ante alguien que sintiera eso, pero imagino que eso fue lo que sintió Renata aquella noche: la insoportable levedad del ser.

Yo, por el contrario, ahí empecé mi descenso barranco abajo. Renata me dejó hecho mierda. Mis recuerdos de esos meses están en una bruma. Sé que no nos separamos inmediatamente, que ella lloró y me echó en cara lo mucho que mis obsesiones me había ido alejando, que yo traté de defenderme, que nos gritamos, que le eché en cara que si partí de Cuba fue por ella, que nos abrazamos, que me recordó la de veces que había tenido que irse a la cama sola mientras yo estaba en Internet, que no dejó que la besara, que pedí perdón por mis desatenciones y que me perdonó y que cuando pregunté si quería que buscara un apartamento dijo que no hacía falta. Y se mudó ella a casa de su nuevo amor y yo me quedé solo.

Aquellos meses oscuros abandoné por primera vez el blog. No sé. Se me quitaron las ganas de escribir, de tanto que sentía el peso de la culpa, porque yo sí sentía el peso. Por eso no quería hablar con nadie, a los colegas de trabajo no podía evitarlos, pero a los otros sí, ni al bar de João iba. Incluso, evité a Berto cuando estuvo en Lisboa. Me mandó mensajes y respondí cualquier cosa, que tenía mucho trabajo, que me iba de viaje, yo qué sé. Lo único que quería era estar solo. Llegaba del trabajo, comía cualquier cosa y me sentaba a ver televisión, una serie, un partido, daba igual. A veces me ponía el sombrero para andar en casa, así podía ser otro, porque yo quería ser otro y entonces amanecía durmiendo en el sofá con el sombrero tirado en el piso. Los fines de semana iba a correr junto al río con música en las orejas, y en las noches bebía y tocaba guitarra. La linda guitarra que me regaló Renata en mis cuarenta años salió de su estuche después de tanto tiempo para acompañar mis noches de sábado y cantarle canciones al sofá, a la ventana y a la botella que me llevaba al sueño.

¿Cuántos meses pasaron? No sé. Los recuerdos. Plof. Plof. Creí que había tocado el fondo y, sin embargo, aquí estoy, llevo horas aferrado a esos recuerdos que embotan el cerebro tratando de huir de otros.

Un día Berto me llamó. Estaba en Lisboa y tenía que saber qué me pasaba. Él me quería como a un hijo, afirmó, y sospechaba que algo me estaba sucediendo porque ni nos habíamos visto, ni había respondido a sus mensajes, ni estaba escribiendo en el blog, que no se me olvidara que él lo leía y por eso podía comprender que algo me estaba sucediendo, a Berto Tejera Rodríguez yo no podía engañarlo. Renata me dejó, le dije a secas. Él se quedó callado un segundo y luego me dio cita, sin excusas ni pretextos, dijo, nos vemos a las ocho para cenar en el bar de João.

Y nos vimos por fin. Yo al principio estaba reticente. Renata se había aburrido de mí, le dije, cosas que pasan, llevábamos muchos años juntos. Él me escuchó tranquilo y me fui soltando. Tenía que perdonarme el haberlo ignorado un poco, pero es que necesitaba pensar, él podría comprenderme, la vida después de los cuarenta se vuelve de un tono distinto, como si uno emprendiera el verdadero viaje para el cual se había estado preparando toda una vida y cuando de repente te das cuenta de que estás al principio del camino es un poco difícil de digerir, pero se digiere, afirmé, al final todo se digiere con un buen Alka-Seltzer. Berto entendía porque había vivido algo similar cuando la madre de su hija lo dejó, pero según él yo exageraba un poco, con cuarenta y tantos uno seguía siendo joven, lo que necesitaba era pasar con un amigo eso que llaman el "duelo" y luego a seguir palante. Habíamos terminado la cena y yo me había pedido media botella de vino más. Sentí que la compañía me estaba viniendo de maravilla y se lo dije. Berto sonrió afirmando que debía darle alegría a la vida, una buena música y unos bailes podían hacerme bien. Entonces se me ocurrió que volviéramos al B.leza, qué coño, le dije, al diablo con Renata. Él se empeñó en pagar todo y nos fuimos a la discoteca, sólo que esa noche Renata no bailaba en la pista con las otras mujeres. Había mujeres, sí, muchas, y música y como llegamos tarde no alcanzamos mesa, pero a mí no me importaba. Pedí una cerveza y nos fuimos a bailar. Ahora que lo pienso debería ser curiosa la escena, un cuarentón y un sesentón bailando en la pista, rodeados de personas, pero al fin y al cabo, solos.

De esa noche recuerdo bien las luces, había un cartel iluminado en la escena y los reflejos que llegaban desde afuera a través del cristal. Yo me movía. Bebía cervezas e intentaba moverme. Así estuvimos un rato. No sé cuánto. A veces, cuando la música suena es como si el mundo desapareciera o no, no es precisamente eso, no es que desaparezca, es que en el mundo que uno toca se abre una grieta que te permite meter primero una mano, luego la cabeza y luego ya todo el cuerpo y uno puede escapar y correr y estar en otra dimensión donde la música sigue sonando y hay gente que baila y sonríe y tú estás en el medio y tus problemas se han quedado atrapados en el otro lado porque la música, una vez que te deja atravesar la grieta, la cierra para que no vuelvas atrás, para que te quedes en esa otra dimensión. Yo estuve en esa dimensión, no sé por cuánto tiempo, hasta que los músicos dejaron de tocar y Berto me dijo que era mejor partir, había demasiada gente, mejor salíamos a coger fresco. Parece que tropecé con alguna mesa, eso él me lo dijo después, que casi me caigo y él, entre risas, logró agarrarme y convencerme para salir. Pero yo me empeñé en beber la última en el barrio alto y terminó aceptando.

La calle estaba llena de gente como todos los fines de semana y bebimos aquí y bebimos allá. Yo qué sé. Sé que en algún momento le dije que Renata era una hija de puta porque me había pegado los tarros y me había sacado una historia que no le podía perdonar, eso sí que no se lo podía perdonar, porque cuando era un niño había estado corriendo por el bosque de La Habana el día más jodido de mi vida y Renata lo sabía porque yo se lo conté, pero ese momento tan personal ella lo había usado luego tan sólo para decirme que quería dejarme, su hijaeputancia era imperdonable, un golpe bajo que yo no podía aceptar. Porque yo, dije seguramente cuando ya estaba más que tambaleándome, era un hombre y Renata una hijaeputa que a esa hora estaría revolcándose con su portugués mientras yo me emborrachaba, pero yo tenía un amigo, Berto era mi amigo y todas las Renatas del mundo se podían ir a casa del coñoe'sumadre, sí, porque lo que tenía era deseos de aplastarle la cara a ella y a su portugués, que yo era un hombre, cojones. Ahí Berto me agarró, estaba a punto de caerme, todo esto me lo contó después, no me acuerdo muy bien, pero mi cabeza de borracho registró una frase, sin mucha cronología o espacio temporal, mi cerebro tan sólo registró una frase. Berto, con un brazo sobre mi espalda y mirándome a los ojos, me dijo:

—Cálmate, muchacho, que la agresividad no lleva a ninguna parte, los verdaderos hombres tienen que saber usar el músculo del cerebro.

Berto se fue volviendo borroso, de eso me acuerdo. Se alejó como se iban alejando el rumor de la calle y las risas de los muchachos que pasaban. Me quedó la sensación de un movimiento, alguna palabra inentendible, un ruido sordo y aquella frase. Algo que hacía: clac. Y todo quedó oscuro.

Cuando volví a abrir los ojos, vi al niño de Beatriz que me miraba. Él estaba en horizontal, me moví un poco y gritó: mãeee, antes de echar a correr. Entonces miré a mi alrededor, el mundo estaba en horizontal, la televisión, la planta de la mesita del centro, todo. Incorporé mi cuerpo y las cosas y yo logramos estar en el mismo plano. Beatriz apareció en la sala de su casa sonriente, preguntándome cómo me sentía. Me llevé una mano a la cabeza y ella volvió a sonreír. Podía pasar al baño, dijo, me había dejado una toalla, debería darme una ducha en lo que ella me preparaba un café, su padre había ido a comprar pan y a su regreso podíamos comer todos. Agradecí con una sonrisa tonta y me fui al baño.

Todo me daba vueltas, hacía años que no me sentía así. Abrí la ducha y bajé la cabeza para que el chorro me golpeara el cuello pero tuve que levantarla, que va, lo único que sé es que después de una borrachera uno debe intentar que el cuerpo esté lo más vertical posible, nada de movimientos bruscos ni de giros. Fue ahí, bajo la ducha donde me empezaron a venir algunas imágenes. Berto y yo sentados a la mesa en el bar de João. Las luces del B.leza y los cuerpos en movimiento. Las risas de unos jovencitos en el barrio alto. Yo diciendo que Renata era una hija de puta. Algunas frases más, y aquélla: los hombres tienen que saber usar el músculo del cerebro. ¿Qué hacía una frase de mi padre en la boca de Berto?

Cuando salí del baño se sentía un olor riquísimo que venía de la cocina. Hacia allí me dirigí. Beatriz me sirvió un café bien cargado y, junto a él, puso una cajita de paracetamol. Le agradecí. Al rato apareció Berto con el pan y una sonrisa. Qué tal había dormido, cómo me sentía, yo ni imaginaba lo que le había costado arrastrarme porque él era más chiquito que yo, pero a cualquiera le pasaba lo de exagerar una noche y mejor para mí porque así iba a comer uno de los manjares que preparaba su hija.

Ese domingo Berto decidió que yo no debía estar solo. Después de comer, los cuatro o los cinco, porque también iba el perro, salimos a dar una vuelta junto al río. En realidad yo estaba loco por acostarme a dormir, pero Berto dijo que el viento en la cara podía hacerme bien y tenía razón. Además, aquella frase seguía dándome vueltas en la cabeza y quería que me aclarara de dónde la conocía. Pasadas las seis, Beatriz anunció que volvía a casa. Aproveché ese instante. ¿Y si caminamos un rato más tú y yo, Berto?, casi casi que estoy listo para una cerveza. Él me miró asombrado pero mi risa le hizo comprender que era una broma, mi cuerpo no soportaba una gota más de alcohol. Nos despedimos de Beatriz y del niño y seguimos andando.

Yo no me acordaba bien de todo lo que le había dicho, comencé diciendo y entonces me contó, pero de manera graciosa, porque en algunos momentos intentaba imitar mi voz de borracho mientras repetía que era un hombre. Aseguró que habré dicho unas veinte veces la palabra hombre y, aunque preferí reír de mí mismo, sentí un poco de vergüenza, porque la escena que acababa de contarme resultaba ridícula. La decadencia de un patético borracho. Fue entonces cuando decidí por fin preguntarle sobre lo que me interesaba. Sólo me acuerdo de una cosa, afirmé, de una frase que dijiste. Cuando repetí la frase, me pareció que Berto hacía un gesto de sorpresa, algo muy veloz e involuntario, luego arrugó la frente y me miró de un modo extraño: yo no dije eso, se apresuró a afirmar. Sí lo dijiste, repliqué, me acuerdo porque me sorprendió, eso es todo, es que conozco la frase y por eso me chocó escucharla, ¿tú de dónde la conoces?

—¿Pero qué frase ni qué frase? —soltó Berto abriendo los brazos, mientras se detenía, visiblemente incómodo—. Tú estabas borracho, yo no dije eso, dije cualquier cosa que se me ocurrió y a saber qué tú escuchaste.

Si Berto no hubiera reaccionado de ese modo, quizá yo me hubiera convencido de que en mi borrachera había creído escuchar lo que no se dijo, pero en su reacción había algo de inusual. No sé, un extraño fastidio cuyo motivo no supe distinguir. Como si sobre él cayera un peso enorme. Algo redondo y corpóreo. Quise imaginar que después de haber soportado mi descarga, comenzaba a cansarse con mi comportamiento, pero lo descarté, porque yo había presenciado esos breves segundos en que alguien se queda sin capacidad de reaccionar conscientemente, cuando no es el cerebro quien manda sino el instinto. Ese espacio que queda entre el ser descubierto haciendo algo indebido y encontrar una razón que lo justifique. Por eso en su forma de mirarme había desconcierto. Y el problema es que cuando me miró de aquel modo, yo ya no estaba borracho.

Era tan sólo una pregunta, Berto, no te preocupes, dije por fin. Él suspiró y, moviendo la cabeza de un lado a otro, agregó que Renata me había dejado muy mal, pero me curaría, porque de todo nos curamos.

—¿Me lo dice Berto Tejera Rodríguez? —pregunté.

—Te lo dice Berto Tejera Rodríguez —confirmó sonriendo antes de reanudar la marcha.

Nada hubiera sucedido si la noche de mi borrachera Berto me hubiera dicho, como suele decir la gente, que pensara o simplemente que usara la cabeza, pero no dijo eso. Dijo que el hombre tenía que usar el músculo del cerebro y luego reaccionó de aquel modo. Por eso yo empecé a dudar. Nunca había oído esas palabras en boca de otra persona que no fuera mi padre. O, en su defecto, en boca de alguien que lo hubiera conocido.

El tiro de gracia

Fue muy rara la sensación que me dejó el haber escuchado esa frase en boca de Berto. Sentía como un hueco en el pecho y un ruido sordo en los oídos. Como si una mano gigantesca hubiera entrado desde arriba mientras yo estaba soñando con mi padre, le hubiera arrebatado a él sus palabras y nos hubiéramos quedado los dos, solos en mi sueño, viendo cómo la mano se alejaba llevándose sus palabras y dejándonos a nosotros sin saber qué decirnos. Algo muy raro. Quise organizar mis pensamientos recordando todo lo que me había contado Berto sobre su vida, su viaje a Angola, los años que allí estuvo y sé que, poco a poco, mi preocupación fue transformándose en una inquietud muy incómoda por la chocante idea que se estaba formando en mi cabeza. ¿Y si Berto hubiera conocido a mi padre?

Lo primero que había dicho cuando João nos presentó fue que me le parecía a alguien, de eso me acordaba perfectamente aunque, bien mirado, podía ser una tontería, porque la gente suele encontrar mi nariz parecida con otras. A las gemelas Lagardere les recordaba a Albert

Hammond; a Rosa, Rod Stewart; a Alejandra, Charly García; a João, Jorge Palma. Todo un elenco de narices famosas que nada tienen que ver conmigo. Una vez recuerdo que mi madre se quedó mirándome durante largo rato y cuando le pregunté qué le pasaba, sonrió. Te pareces a tu padre, me dijo, tienes la misma nariz y el mismo tipo, además, eres bueno, la mujer que se case contigo va a ser muy feliz. La mujer que se casó conmigo terminó aburriéndose y dejándome por otro, pero mi nariz sigue siendo como la de mi padre y, tan sólo imaginar que era con él con quien Berto podía haberme encontrado el parecido, me asustaba mucho. Qué va, quise creer que Renata me había dejado tan destrozado que mi cerebro ya ni sabía qué inventarse y con aquello del extraño hombrecito pretendía hacer una película.

Una noche lo llamé a su casa en Porto para saber cuándo volvería a Lisboa. De esto ha pasado ¿cuánto? Un año. Sí, hace más o menos un año, porque era invierno, pero fue después de las fiestas. Berto estaba enfermo, con voz ronca me dijo que la gripe lo tenía en cama, le dolía todo el cuerpo, Beatriz y el niño irían a visitarlo. Conversamos un rato sobre varias cosas y en un momento le comenté que no recordaba algo que me había contado. En Angola él era chofer de una brigada de mantenimiento, comencé, pero quiénes formaban la brigada, ¿había constructores, ingenieros…? Berto quiso saber para qué me interesaba eso y mentí explicando que era para el blog, quería volver a escribir y estaba organizando apuntes para futuras entradas. Había de todo un poco, contestó por fin. ¿O sea, constructores, pero también ingenieros?, insistí. Había todo tipo de personas que pudiera dar mantenimiento, dijo él a secas y con un tono que dejaba entrever cierta molestia, pero inmediatamente después tuvo que callar porque le sobrevino un acceso de tos que duró unos instantes. Una vez alcanzada la calma me pidió disculpas, le costaba hablar, agregó, no era el mejor momento para él. En realidad era yo quien tenía que pedir disculpas por tanta conversadera, repliqué, mejor si reposaba, ya hablaríamos en otra ocasión. Le deseé que se recuperara rápido y él prometió llamarme en cuanto se sintiera bien. Colgamos.

Berto entonces se convirtió en mi blanco de tiro. Así, de la noche a la mañana, decidí que todo el desasosiego que me estaba provocando la situación con Renata debía pasar a un segundo plano. Sobre ella echaría fango, tierra, pedazos de ladrillos rotos, arena, cualquier cosa que pudiera sepultarla porque entonces había otra cosa que removía mi inquietud. Algo más fuerte. Más mío. Algo que yo debía descubrir, pero para hacerlo tenía que levantarme. Decidí volver al blog y, sobre todo, se me ocurrió crear un archivo para escribir la cronología de mi relación con Berto. Renata podría decir que estoy loco, que soy un maníaco obsesivo, cualquier cosa y hasta tendría un poco de razón. Sí, tengo tendencia a obsesionarme con ciertos asuntos pero, sobre todo, estudié ingeniería y eso estructuró de un modo preciso mi forma de pensar.

"Berto cronología", así se llama el archivo donde fui poniendo en orden los detalles que iba recordando, las frases que Berto me había dicho, sus reacciones, los comportamientos que no entendí, los agujeros negros de su historia. Él y mi padre estuvieron en Angola durante los mismos años y, aunque aquél fuera un territorio demasiado vasto, podían haber coincidido. Tomando esa posibilidad como cierta, quedaba saber si Berto recordaba a mi padre. Podía ser que no. Después de tantos años, rostros y nombres, no tenía por qué recordarlo, quizá le había escuchado decir aquella frase que se le quedó grabada y le salió así, como solemos repetir ciertas palabras que nuestra memoria ha registrado sin motivo aparente. Podía ser entonces que no lo recordara. O podía ser que sí. Ambos jugaban al ajedrez, quizá Berto lo recordaba y hasta se había dado cuenta de que yo era su hijo, pero no se atrevía a decírmelo porque, como ya me había contado, él vio morir a algunos compañeros suyos. Suposiciones y más suposiciones.

¿Cuántas horas habré dedicado a todo aquello? Días pensando, especulando, concluyendo, inventando, quemando mi maldito músculo del cerebro. Pero para algo sirvió este empecinamiento mío, porque ahora estoy montado en un avión rumbo a Luanda, aunque en realidad no sé qué puedo esperar de este viaje. Lo único claro es que tenía que hacerlo. Y ya va quedando poco y sigo inquieto y las canciones suenan cada vez más fuerte en mis oídos. Esta de ahora le encanta a Renata, a ella siempre le gustó U2. Una vez me dijo que sólo por Bono sería capaz de dejarme y aquello se convirtió en un chiste entre nosotros. Al final no fue por Bono, pero ya qué más da. Ya no es eso lo que importa. *With or without you*, Renata.

Del montón de porquerías que yo había intentado echar sobre su recuerdo después de nuestra separación, todas resultaron inservibles. Una noche ella me llamó a casa. Cuando se fue había insistido en que mantuviéramos el contacto, no sé con qué intención, primero me clavaba un cuchillo y luego quería ver cómo me desangraba. Pero yo no iba a permitirlo. Preferí pedirle un tiempo, "piotay", como se decía en mis juegos infantiles. Renata supo entender, pero habían pasado muchos meses, dijo al teléfono, necesitaba hablarme.

Acepté sin mucho entusiasmo y quedamos, por fin, en vernos en mi Habana. Y ahí llegó ella, lindísima, rozagante, luminosa. Me gustó. Tanto tiempo sin verla y me gustaba más todavía. Como yo ya había pasado el período más oscuro, quise presentarme lo mejor que pude, me afeité con cuidado y hasta me puse una camisa nueva para que no pensara que andaba sufriendo, aunque eso no pudo notarlo, lo de la camisa, digo, porque era uno de esos días de invierno lisboeta con sol y por eso nos sentamos fuera, pero no nos quitamos los abrigos.

Yo pedí una cerveza, ella un jugo de naranja. Quería saber cómo me iba. Según ella no podíamos alejarnos, teníamos que ser civilizados, porque tantos años juntos no se podían echar a la basura y yo era parte de su familia, casi como un hermano. Tuve ganas de recordarle que los hermanos no solían hacer las cosas que nosotros habíamos hecho en la cama, pero preferí no decirlo, no me fuera otra vez a recordar la ausencia de sexo en nuestros últimos tiempos; en su lugar, dije que estaba bien, tratando de recuperarme del golpe, pero ahí andaba, levantándome. Ella cogió impulso y continuó afirmando que no tenía dudas de que yo iba a rehacer mi vida porque era un hombre extraordinario y…

—No hace falta, Renata —la interrumpí—, si fuera tan extraordinario tú no me hubieras dejado, pero sucedió y ya está, soy un hombre normal y cualquier día me buscaré otra novia —concluí sonriendo.

Renata respondió con otra sonrisa, bebió de su jugo y entonces anunció que tenía algo que contarme. Cuando dijo que estaba embarazada, ya casi de cinco meses, me le quedé mirando. Dicen que a algunas mujeres el embarazo las pone todavía más bonitas de lo que son, a ella la verdad que con el abrigo que tenía puesto no se le notaba mucho la barriga, pero sí que estaba luminosa. Diecinueve años duró nuestra relación, con el nuevo no llevaba todavía ni uno.

—¿Y cómo le dicen a tu portugués, Speedy Gonzáles? —dije.

Ella sonrió antes de aclarar que se llama Paulo, le gusta andar en bicicleta, como a ella y también como ella es arquitecto, aunque trabajan en empresas distintas. Aparté la vista hacia el río haciendo otro comentario irónico, tipo que no me interesaba el *curriculum* del tipo o algo así, pero ella me dijo, mírame Ernesto. Y lo hice, la miré. Y ella comenzó a hablar. Sabía que era difícil, dijo, para ambos lo era pero teníamos que ser adultos, ella no estaba dispuesta a renunciar a mi persona, porque yo era parte de su vida y la vida no se echaba a la basura, había que conservar el pasado que tanto me obsesionaba. Nuestra historia de amor era nuestro pasado, ahora nos tocaba construir el futuro y yo estaría en el suyo aunque convertido en otra cosa, porque siempre nos quedaba el futuro. ¿Cierto? Dijo todo eso mientras yo la miraba. Cuando calló, seguí mirándola. Y ella a mí.

En nuestros primeros años a Renata no le molestaba que yo hablara poco, luego empezó a hacérmelo notar y se inventó aquello del hombre detenido, sin palabras ni reacciones. Así, poco a poco, mi forma de ser, que siempre había sido la misma, fue volviéndosele insoportable. Pero así soy yo, de pocas palabras. Ese día nos miramos, yo no sabía qué decirle y pasaron unos segundos o minutos, no sé, pasó un largo silencio hasta que, finalmente, suspiré y aparté la vista hacia el río. ¿Será niña o niño?, pregunté. Renata hizo un ruido con la nariz y con el rabillo del ojo noté que se llevaba las manos a la cara, mientras respondía que habían decidido no saberlo. Tomé una servilleta y giré el rostro para volver a mirarla. Tenía los ojos llorosos, claro, así que, apoyando un codo encima de la mesa, le extendí la servilleta.

—Pero vamos despacio —le dije—, yo marco el tiempo. ¿Ok?

Ella asintió antes de sonarse la nariz. Dicen que las embarazadas se vuelven tan sensibles que lloran todavía más que cualquier mujer. Según mi hermana, es cierto que el embarazo las vuelve más sensibles, pero lo del llanto de las mujeres es un cliché, las lágrimas pertenecen a los ojos, dice, hay personas de lágrima fácil y personas que no saben llorar, nada tiene que ver con el sexo. ¿Quién sabe? Lo único que yo sé es que Renata me había dejado por otro, iba a tener un hijo de él, estaba felicísima y era ella quien lloraba.

Cuando terminó de secarse las lágrimas, anuncié que tenía que irme. ¿Tan pronto?, preguntó y asentí moviendo la cabeza. Mientras yo le hacía señas al camarero para que trajera la cuenta, ella comenzó a hablar. Renata siempre encuentra cosas para decir. Comentó que alguna noche tendría que ir a cenar a su casa, quería que Paulo y yo nos conociéramos de una vez, ella le había hablado mucho de mí, me iba a caer bien, era un buen tipo. Puse el dinero en el platico que trajo el camarero y sonreí mirando a Renata. Yo marco el tiempo, acuérdate, yo decido cuándo, cómo y dónde ¿ok?, le dije. Ella asintió moviendo la cabeza y nos levantamos para marcharnos.

En realidad no tenía la más mínima intención de verla, al menos no mientras estuviera embarazada. Aquella noticia fue el tiro de gracia que me faltaba, como si no hubiera tenido suficiente y necesitara todavía un poquito más, porque sí, ver a Renata me hacía daño y no quería estar presente mientras le iba creciendo la barriga. De eso que se ocupara el tal Paulo que había llegado de último para robarse el protagonismo. Qué rabia me dio aquello, Renata, que rabia, pero with or without you como dice tu Bono. Nuestra relación pasó a una nueva fase: ella me mandaba mails y me llamaba de vez en cuando por teléfono. Yo siempre encontraba una justificación para no vernos.

Lo que no se ve es como si no existiera. Lo que no existe, la memoria no lo recuerda. Lo que no se recuerda, no hace daño. Es la memoria quien controla todo lo que somos, ella nos recompone o nos destruye. Preferí elegir la cura del dolor por amnesia.

Por algo parecido había optado mi madre tantos años atrás, aunque en su caso era distinto, mucho más doloroso. Pero yo no la entendí. Yo entonces tenía mi dolor y necesitaba rascar y rascar, por eso no quise o no pude entenderla. Ahora no sé qué voy a decirle. Siento tanta pena por mi madre. ¿Quién sabe hasta qué punto logró ella curarse? El dolor es un organismo parásito que se instala en nuestro cuerpo y cuyo desarrollo depende de quien lo hospeda. Por eso no hay uno que se parezca a otro. Todos son personales.

El tiro de gracia que me dio Renata tuvo un efecto circular. Es curioso. Mi obsesión con la guerra y el blog me alejaron de Renata pero luego, el querer alejarme de ella me llevó directamente de regreso a mis antiguas obsesiones. Sólo que entonces lo que me mortificaba era Berto. ¿Sería él quien escondía las últimas horas de mi padre? Era un poco descabellado pero no podía excluirlo. El problema era que yo no sabía nada de las últimas horas de mi padre. Varias veces le había preguntado a Antonio, ya de grande, pero él siempre fue esquivo. No estaba allí en aquel momento, no sabría decirme exactamente. El último recuerdo que Antonio quiso dejarnos a Tania y a mí fue la sonrisa, los chistes y la alegría de su amigo. Toda imagen dramática fue borrada a conciencia. Lo hizo por nuestro bien, lo sé.

El problema es que muchas veces el cerebro necesita llenar los espacios huecos que se encuentra. Al menos así funciona el mío, porque llenó esos espacios con fantasías varias. Y tal vez fue esa misma necesidad de llenar los vacíos la que me llevó a obsesionarme con Berto.

De todo esto en Lisboa no tenía con quien hablar. Berto no había regresado y, entre su enfermedad y otras justificaciones, se metió tiempo sin aparecer, aunque seguíamos en contacto, eso sí. Nunca dejamos de mandarnos mails, pero por ahí no hablábamos de cosas importantes. Lo delicado de mi hipótesis imponía una conversación personal, nada de teléfono ni mail, por tanto debía esperar por su regreso.

Renata pasó el invierno mandándome mensajes y cuando le faltaba poco para parir me llamó. Yo todavía no estaba preparado. Te prometo que conoceré a la criatura antes de que empiece a caminar, Renata, te lo prometo, pero no ahora, por favor. Te mandaré flores, pero ahora no puedo verte. Ella no se esperaba esa decisión, aunque dijo que podía entenderla, ya me avisaría del parto y esperaba verme pronto.

La niña nació en mayo del año pasado. Berto no había vuelto a Lisboa. Pedí vacaciones en el trabajo y en junio me fui a La Habana. Necesitaba tomar distancias, ver a mi familia, cuidar de mí, como dicen los de Legiao Urbana ahora en mis oídos: *já que você não está aquí, o que posso fazer é cuidar de mim*. Eso necesitaba y conversar con Lagardere de todo lo que me estaba sucediendo, reírme un poco, aclarar mis ideas.

Hacía cinco años que no iba a Cuba y Tania me organizó una fiesta de recibimiento que ni la de un presidente. La casa volvió a ser casi como la de nuestra infancia. Toda la familia estaba allí, faltaban los que viven fuera y mis abuelos que ya murieron. Nuevos estaban los niños. El resto eran los de siempre, con algunos años más: mis tíos y tías, mami, Antonio. Todos querían saber de mí y yo quería saber de todos. Por eso tuve que organizar bien los días sucesivos para dedicar tiempo a cada uno y, aunque la familia en pleno supo de mi divorcio, no les hablé de la hija de Renata. Eso preferí compartirlo solamente con Tania y con mami.

Y con Lagardere, por supuesto, que primero me soltó aquello de que si me había equivocado y todo lo demás. Pero después de su descarga, dijo que no debía tomármelo tan a pecho, el mundo estaba lleno de mujeres, ya encontraría otra de las buenas para mí. Lagardere lleva años con su esposa con quien tiene dos hijas, pero sigue con esa terrible debilidad por las ninfas tropicales, que dice padecer. Nunca ha dejado de hacerme reír. Ése es mi hermano y con él puedo hablar de todo. Sé que la primera vez que le conté de Berto y de mis suposiciones estas le parecieron un disparate. Angola es grande, dijo, sería demasiada coincidencia. Cuando le enseñé mi archivo "Berto cronología" y le expliqué las opciones que me parecían posibles, él continuaba incrédulo. Te estás volviendo loco, bróder, eso no me gusta, hay que buscarte una novia pa' que te entretengas. Creo que en algún momento llegó a preocuparse muy en serio, dijo que me veía obsesionado con el tal Berto, que relajara o me iba a volver loco de verdad.

Pero yo ni estaba loco, ni necesitaba una novia, y en eso ambos terminamos estando de acuerdo. Aunque ocurrió unos días después, luego de mi conversación con Antonio, porque yo no podía saber si Berto escondía las últimas horas de mi padre o si esa era una idea descabellada que la desesperación había instalado en mi cabeza. Pero de algo podía estar seguro: si Berto había coincidido con mi padre, entonces también había coincidido con Antonio. Y con él necesitaba conversar.

¿Acaso no matan a los caballos?

Aquel viaje fue intenso. Pasé días reorganizando mi cuarto. Mami solía llevarme un cafecito y quedarse un rato conmigo. Podría jurar que por su cabeza pasó la idea de que, ahora que estoy separado, debería volver a casa, pero nunca me lo dijo. Y es mejor. Ella se sentaba sobre mi cama para observarme mientras, tirado en el piso, yo revisaba cajas de papeles viejos. Cuando aparecía algo curioso, se lo mostraba y conversábamos, reíamos. Allí encontré documentos de la escuela y de la universidad, fotos y poemas viejos. También estaban los recortes de periódico sobre la guerra que estuve guardando durante un tiempo, pero ésos preferí no mostrárselos. Ésos me los traje.

En realidad sobre Angola yo sólo pensaba hablar con Lagardere y con Antonio. Sin embargo, una noche el tema salió en una conversación con Tania y hasta estuve a punto de mencionarle a Berto aunque, por fortuna, no llegué a hacerlo. Lo haré, Tania, pero todavía no puedo. Aquella noche estábamos en la azotea. Yo la había invitado a subir a mi oficina, como solía decirle, y ella llevó vasos y un poco de ron que quedaba. Nuestra conversación fue dando giros.

Empezó por nosotros. Tania está divorciada del padre de los niños y tiene un novio, pero no viven juntos. Después del divorcio tuvo un primer novio que vivió con ella un tiempo y fue complicado con los niños y con mami. Por eso ahora prefiere: calabaza calabaza cada uno pa' su casa. A lo que no está dispuesta es a quedarse rumiando en soledad como dice que hago yo. Aquella noche quiso saber cómo me sentía y cuando repetí lo que ya le había dicho, que me había adaptado a mi nueva situación, afirmó que con ella no tenía que hacerme el duro de la película. ¿Sabes lo que más me gusta de mi novio?, me dijo de pronto, que se le saltan las lágrimas viendo algunas películas. Como información podía resultar curiosa, pero no era algo que me interesara y seguramente la miré con una expresión extraña, porque enseguida dijo que yo podía estar a punto de morirme, pero no era capaz ni de una lágrima porque siempre quería demostrar que lo tenía todo bajo control, fue ahí cuando afirmó que las lágrimas eran de los ojos. Se llama sensibilidad ¿te suena?, preguntó y a mí aquello me dio risa. Si la sensibilidad es que se te salgan las lágrimas delante de una película, no, yo no soy sensible. Según Tania, alguna vez llegó a pensar que yo era de piedra, pero al final comprendió que era de papel, porque podía y podían arrugarme, sólo que cuando eso sucede yo visto mi coraza y miro para otro lado. Tania, Tanita. El problema es que para ella todo siempre fue más fácil, hizo más o menos lo que quiso, estudió lo que le gustaba, nunca tuvo que asumir las responsabilidades que a mí me tocaron.

—Que tú aceptaste, Ernestico, que tú aceptaste, recuerda que el padre era de los dos.

Dijo eso y me miró con ternura, como cada vez que dice una frase e inmediatamente después sospecha que, de algún modo, me ha herido y entonces me mira así, casi como gritando: tú eres mi hermano Karamazov, te quiero y quiero lo mejor para ti. Yo la miré de igual modo y ella estiró un brazo sobre mis hombros para atraerme hacia sí y besar mi cabeza.

Cuando me aparté, acabé por confesarle que estaba hecho mierda pero, por suerte, tenía una coraza protectora. Fue entonces cuando decidí darle la vuelta a la conversación. Del dolor cada cual se protege como puede, porque todos usamos corazas, ¿de veras tú no te acuerdas de papi?, le pregunté y ella hizo un ademán como de haber sido golpeada en el pecho. Le devolví la pelota y eso estuvo bien. Luego se quedó callada. Ha pasado la vida tratando de convencerme de que no tiene recuerdos, pero aquella noche se desmintió. Se acuerda del puentecito junto al río en el bosque, yo echo a correr con mis amigos y ella se queda con papi; se acuerda de un baile con la canción de Miriam Makeba; se acuerda de algunas cosas pero no le da la gana de acordarse, prefiere mirar a lo que viene, al futuro. Parece que soy el único a quien le interesa el pasado. Dice Tania que, como vivo en el extranjero tengo tiempo de reflexionar sobre ciertas cosas, pero ella no, porque vive en Cuba donde el día a día sigue siendo complicado y tiene dos hijos pequeños, ahora todo cuesta muchísimo, ella tiene que pagar profesores extras porque ya la escuela no es suficiente como cuando nosotros éramos niños y tiene que llevarle regalitos al médico de mami para tenerlo contento y tiene que fatigar mucho y, si no fuera por los euros que les mando, la situación sería bien distinta.

—Este país está roto, Ernestico, se rompió hace muchos años.

El novio de Tania también tiene un blog donde escribe sobre la vida cotidiana en Cuba aunque, contrario a mí, para él es difícil conectarse a Internet. Yo escribo sobre el pasado, él sobre el presente. Tania no ha leído mi blog, su disculpa siempre había sido que no tiene Internet pero esa noche confesó que no quiere hacerlo porque pensar en Angola le hace daño, por papi, por todo. A veces me pregunto, le dije, cómo hubiera sido si en lugar de invertir tantos recursos en esa guerra se hubieran invertido en este país. ¿Cuánto gastó Cuba en todas las guerras africanas? En Angola siguen gobernando los que nosotros ayudamos, pero he leído que la familia del presidente posee casi todo el país, que su hija es la mujer más rica de África y dueña de varias empresas portuguesas, que Luanda es una ciudad carísima donde hay gente que tiene que sobrevivir con muy poco. ¿Y pa' esta mierda nosotros fuimos a esa guerra? Tania medio sonrió sin mirarme. Prefiere no pensar en eso, dijo, ni Angola ni su gobierno le interesan, su único problema es el futuro de sus hijos, por eso con su novio habla del futuro, de cómo cambiar el país donde viven. Pero algún sentido tenía que existir en todo aquello, insistí, yo continuaba sin entender, sigo sin entender por qué nos quedamos tanto tiempo. ¿Qué ganamos con tantos años en Angola?

—Muertos, Ernesto —respondió Tania alzando la voz y mirándome—. El gobierno cubano habrá ganado las mil batallas, pero nosotros ganamos huérfanos, viudas y padres sin hijos… muertos —repitió.

Muertos, murmuré y permanecimos un rato sin decir nada.

Sé que, poco antes, había pensado que podría contarle de Berto, pero era evidente que Tania no quería seguir con el tema. Y yo tampoco, la verdad. No sé. De repente se me quitaron las ganas. Estábamos sentados uno junto al otro, ella encendió un cigarro y se acostó bocarriba mirando al cielo. Yo me tendí a su lado apoyando la cabeza sobre mis manos. Nunca me gustó que fumaras, murmuré por fin para cambiar de tema. Pues aquí mismo empecé y por culpa tuya, respondió girando la cabeza hacia mí. La miré extrañado. Yo era novio de Alejandra y Alejandra fumaba en la azotea, dijo sonriendo antes de volver la vista al cielo.

—¿Te acuerda del día de Mandela? —me preguntó.

Nelson Mandela visitó Cuba en 1991. Hacía más de un año que había salido de la cárcel y que Sudáfrica había concedido la independencia a Namibia. Poco antes de su llegada a La Habana, habían regresado al país nuestros últimos soldados provenientes de Angola. Más de trescientos cincuenta mil combatientes y unos cincuenta mil civiles cubanos participaron en aquella guerra. Más de dos mil regresaron muertos.

Me acuerdo del día que llegó Mandela. Fue el último recibimiento de un presidente al que asistí. Otra vez las banderitas cubanas de papel ondeando en el aire, el cortejo pasando por la avenida, los saludos. Tania, Lagardere, Alejandra y yo estábamos juntos. Cuando todo acabó, Lagardere dijo que tenía una botella de ron en su casa, podíamos irnos a la azotea. Pero yo quería caminar un rato solo, no sé por qué, necesitaba coger aire y por eso les pedí que fueran yendo, ya los alcanzaría luego. Alejandra me dio un beso, prometí no demorar y, mientras los tres se alejaban, vi que ella y Lagardere encendían cigarros.

Yo me fui a caminar. No recuerdo en qué pensaba. Sé que caminé y caminé y, ya casi de regreso, me detuve en el puente Almendares y me recosté sobre la baranda a contemplar el río. Abuemama contaba que en su juventud aquellas aguas eran transparentes y hasta tenían camarones. Ahora no sé si hayan vuelto a acoger seres vivos, pero están más o menos limpias. En el río de mi infancia, sin embargo, demasiadas fábricas habían dejado caer sus desechos y el agua era una masa verde y fétida, casi compacta. Aquel día ya le quedaba muy poco al mundo donde yo crecí. Alemania estaba unificada y, a fines de año, quedaría definitivamente disuelta la Unión Soviética, aunque yo aún no lo sabía. Tampoco sabía que, durante su visita, Mandela iba a agradecer a los cubanos por su contribución a la independencia en África y al fin del apartheid. Aquel día aquello aún no había sucedido. ¿En qué estaría yo pensando? No sé. No recuerdo. Recuerdo que el tiempo pasó mientras yo seguía recostado sobre la baranda y, en algún momento, noté un brazo pasar sobre mis hombros. Bróder, salí a buscarte, Alejandra y Tanita están medio borrachas en la azotea y tú aquí. Lagardere me tomó por sorpresa y del susto pegué un salto y la banderita cubana de papel que tenía en mi mano también saltó y fue cayendo, lentamente, como quien baila una danza, moviéndose hacia un lado y hacia el otro, mientras se dejaba acariciar por el viento, muy despacio, para terminar estrellándose y formando parte de aquella masa compacta de desechos pestilentes que el río de mi infancia intentaba arrastrar hacia ningún lugar.

Han pasado más de veinte años de aquel día. Dice Tania que cuando llegué a la azotea ya ella se había fumado como tres cigarros con Alejandra, pero yo no me di cuenta. Y es cierto, de aquel día mis recuerdos se detienen en el puente Almendares. Ante la danza de la banderita que caía.

Conversar con mi hermana fue muy importante para mí, pero aún tenía pendiente el encuentro con Antonio, porque no había conseguido verlo en privado. Cada vez que él iba a casa una parte de mi familia estaba presente. Antonio nunca ha dejado de ocuparse de mami y de mi hermana, incluso mis sobrinos le dicen tío Toni, pero con ellos delante es imposible cualquier intento de privacidad. Un día decidí llamarlo por teléfono para comunicarle que necesitaba hablarle a solas y quedamos en su casa. Echa pa'ca, campeón, y almuerzas con nosotros, me dijo.

Así, por fin, fui a visitarlo. Su mujer, además de ser muy cariñosa conmigo, es tremenda cocinera. Preparó una comida rica y, aunque yo no tenía mucha hambre, no me quedó otra que compartir ese momento con ellos hablando de cualquier bobería. Cuando por fin terminamos, ella se levantó diciendo que nos dejaba solos, porque iba a preparar el café, recogió los platos y, mientras se alejaba, él le tiró un beso. Antonio pensaba que yo quería darle los detalles de mi ruptura con Renata y seguramente imaginó que no sabría cómo empezar, por eso lo hizo él. Dijo que ya sabía, mi madre le había contado todo y le parecía una pena, pero eran cosas que pasaban, yo tenía que echar pa'lante. Quiso saber cómo me sentía y sonreí. Si mi madre me había ahorrado el tener que volver a hacer la historia, al final era mejor, pero de eso quizá conversábamos en otro momento, le dije, porque esa tarde yo había ido a verlo para hablar de mi padre.

Cuando le dije que quería que me contara el último día de mi padre, me miró extrañado. Continué diciendo que sabía que él no estaba allí, pero algún compañero estaría, algo le habrían contado y ese algo era lo que a mí me interesaba escuchar. Algo, porque nadie muere sin dejar una historia que contar. Antonio suspiró y, moviendo la cabeza, dijo que yo estaba pasando un mal momento. ¿Para qué pensar en cosas todavía más tristes, Ernestico?

—Ernesto, mi nombre es Ernesto.

No sé de dónde me salió esa aclaración, pero sé que la hice y proseguí con que él nunca me había contado nada, no era una recriminación, pero es que yo ya estaba muy viejo para no saber ciertas cosas. Antonio se quedó mirándome muy serio. Luego suspiró y, alzando la voz pidió a su mujer que nos llevara el café al cuarto porque Ernesto y él, así dijo mirándome, tenían que conversar.

Una vez en el cuarto dijo que me conocía como si fuera su hijo, algo había sucedido y yo tenía que decírselo, afirmó. Cierto que Antonio me conoce, pero el problema es que yo no quería hablarle de Berto desde el inicio, quería primero que me contara sobre mi padre y luego entonces le hablaría de Berto, se lo contaría todo y ataríamos cabos juntos. Le respondí que tenía razón, estaba pasando un mal momento y eso me había puesto a pensar en muchas cosas, a organizar las ideas. Sabía que él nunca había querido que yo pensara en cosas tristes pero, total, igual las pensaba y peor aún, las imaginaba, porque necesitaba poner imágenes en los espacios vacíos y mi imaginación podía ser tremenda. Antonio echó un largo suspiro antes de decir que jamás había pensado en los vacíos, aunque seguramente yo tenía razón. Su esposa dio un toque en la puerta y él fue abrir. Agarró la bandejita con las dos tazas, se dieron un corto beso en la boca y él cerró la puerta. Bebimos el café en silencio. Cuando Antonio terminó colocó su taza en la mesita y se sentó en el borde de la cama.

—Yo estaba allí, Ernesto, ese día yo sí estaba allí.

Después de oír aquella frase, mi mano empezó a moverse muy despacio hasta alcanzar un mueble, donde coloqué la taza vacía. Entonces respiré y miré a Antonio. Dijo que me debía una disculpa, hacía muchos años mi madre y él habían decidido que mi hermana y yo no debíamos conservar recuerdos tristes, ya teníamos bastante con la ausencia, por eso nunca nos contaron, ni él ni ella lo que él le contó, porque "ojos que no ven corazón que no siente" y lo que a uno le cuentan la cabeza lo registra como si lo hubiera visto. Pero yo tenía razón, él nunca había pensado en los espacios vacíos que podría tener. Perdóname, mijo, dijo antes de continuar con que yo era un hombre y él no tenía ningún derecho a ocultarme nada por muy triste que fuera. A Antonio no tengo nada que disculparle, lo único que tendré siempre es que agradecerle, eso dije y él suspiró antes de pedir que me sentara, pero preferí continuar de pie, aunque mirando hacia otro lado. Le di la espalda. A través de la ventana se veía la calle. Yo miraba la calle cuando Antonio empezó a hablar.

Iban en un camión. El primero de tres. Era una zona un poco complicada. Todos viajaban en silencio, incluso mi padre que solía hacer bromas para relajar, permanecía callado. En el terreno aparecieron algunas lomas y la carretera fue haciendo curvas. Al doblar una, sintieron el impacto en la cabina. El chofer perdió el control. Empezó la balacera. El camión dio un giro y fue a golpear con algo que lo detuvo dejándolo con la parte de atrás apuntando hacia la loma desde donde venía el fuego. Los cuatro que iban detrás saltaron afuera. De la cabina salía humo. Corrieron hacia la cuneta para intentar refugiarse, pero ese lado estaba cubierto de unos yerbajos de apenas un metro que los hacían visibles desde la montaña. Uno de ellos gritó que tenían que correr hacia atrás para parapetarse tras los árboles y poder defender sus posiciones. Cuando estás en una situación así, dijo Antonio, eres como un autómata. Los cuatro echaron a correr. Hubo una explosión, pero él logró seguir y, antes de alcanzar los árboles se encontró con una especie de hondonada. La salvación. Allí pudo refugiarse para disparar y vio a otro hacer lo mismo junto a él. Segundos después apareció mi padre en medio del humo y se les unió, pero entonces se dieron cuenta de que faltaba el cuarto que era, además, gran amigo de ellos. Si lo habían herido, tumbados como estaban no podían verlo por causa de los yerbajos. Mi padre dijo que se iba a buscarlo, Antonio le gritó que no fuera, pero él ya había echado a correr. Hubo otra explosión. Mucho humo, metralla, no se veía nada. Estaban tirándole con todo. Antonio siguió en su posición disparando. No sabe cuánto estuvo así, hasta que el que estaba a su lado le dijo que tenían que bajar la hondonada para alcanzar los árboles, bordear por dentro, llegar a los otros camiones y, con apoyo, ver cómo podían recuperar a mi padre y al otro compañero. Así hicieron. Lograron llegar a la altura del tercer camión junto al grueso de los suyos y allí siguió el combate hasta que se dieron cuenta de que aquello estaba perdido, sin refuerzos todos iban a morir. Cuando Antonio logró subir a un camión y este echó a andar, había varios heridos. A él le tocó apretar una gasa para detener una hemorragia, poner un torniquete. Todo olía a sangre y a pólvora y a humo. El camión se fue y él no vio más a mi padre. Después, una escuadra de rescate regresó con los cadáveres del teniente y del chofer que viajaban en el camión de ellos. Y después… Antonio se quedó callado y así permaneció unos segundos. Yo aspiré el aire y lo espiré, despacio. Después de unos días de búsqueda, la escuadra de rescate encontró, cerca del lugar de la emboscada, varios cuerpos calcinados… dos llevaban restos de los uniformes y los identificaron por las chapillas: eran mi padre y el otro compañero.

A mi espalda, Antonio suspiró haciendo una pausa. Yo sentí una punzada en el estómago. Iba a hacer una pregunta, pero él continuó diciendo que mi padre y él se habían hecho muy amigos de ese otro compañero, por eso mi padre había salido corriendo en su ayuda sin pensar, en medio de aquella locura, pero nunca iba a lograr salvarlo, nunca, era imposible, les estaban tirando con todo. En la guerra tienes dos opciones: o piensas muy rápido o no piensas. Ninguna de las dos garantiza nada. Mi padre echó a correr sin pensar, sin embargo Antonio pensó y se ha pasado la vida preguntándose si acaso no hubiera sido mejor morir también él con los otros. Estaban muy unidos, la gente les decía los tres mosqueteros y mi padre los tenía bautizados con nombres militares. Escuché un sonido e imaginé que Antonio medio sonreía, medio suspiraba.

—Él siempre tan ocurrente, éramos la "escuadra que no cuadra" —dijo— tu padre, un cazabombardero MIG, por Miguel Ángel, yo era un avioncito AN-26 y el otro un transporte blindado BTR…

De repente, sentí en mis oídos todavía más fuerte ese ruido sordo que me venía acompañado y en mi estómago como si la punzada de antes se estuviera convirtiendo en dos brazos que se abrían para cerrarse bruscamente en un nudo. ¿B-T-R?, pregunté mientras me daba la vuelta. Antonio estaba sentado con la espalda encorvada y la mirada clavada en el piso. ¿Quién es B-T-R?, pregunté y en la boca de Antonio apareció una sonrisa triste que enseguida se convirtió en mueca. El otro que murió, me dijo, éramos tres amigos, el MIG, el AN y el BTR porque se llamaba…

—¿Berto Tejera Rodríguez? —pregunté muy despacio antes de que él pudiera decir nada.

Mis oídos estaban casi a punto de estallar y en mi pecho el tun tun de mi corazón cada vez más agitado se había unido a ese gran ruido sordo que aprisionaba mi cabeza. Antonio levantó la vista y, mirándome desconcertado, balbuceó un: ¿y por qué tú sabes ese nombre? Lo miré. Algo parecido a la rabia me fue subiendo por el cuerpo. Rabia sí. Algo muy malo, muy feo, muy fuerte.

—Porque Berto está vivo, Antonio, y yo lo conozco —conseguí responder.

—¿Cómo que vivo? —preguntó él.

Y no sé cuánto tiempo nos miramos sin poder decir nada.

Las intermitencias de la muerte

Llevo horas evitando que esa palabra aparezca en mi cabeza: vivo. Ahora siento que me agito y hasta se me ha revuelto el estómago, pero prefiero pensar que es a causa del horrible café que bebí en el desayuno. Ya no puedo evitar las imágenes que quería esconder, se acabaron las cajitas de recuerdos agradables que taponan. Mis últimos días en La Habana fueron un torbellino, estaba desesperado. Por fortuna mami y Tania achacaron mi comportamiento a Renata, porque no podía contarles que en mi mente se estaba formando una idea todavía peor de la que tenía al llegar. No podía. Sólo Lagardere supo, además de Antonio, claro, que el pobre no hacía más que llevarse las manos a cabeza diciendo no puede ser.

A inicios de julio regresé a Lisboa y llamé a Berto para preguntarle cuando iría, porque necesitaba verlo. Él quiso saber qué me pasaba, estaba preocupadísimo, me había enviado unos mails y yo no le respondía. Estuve en Cuba, ¿cuándo te veo?, dije a secas y respondió que en quince días viajaba en Lisboa, me llamaba.

Aquélla debe haber sido la quincena más larga de mi existencia. A Renata le escribí para anunciarle mi llegaba y enseguida me llamó, qué cómo andaban todos, que qué les había contado, que si estaban molestos con ella, que cuándo iba a conocer a su hijita. Pronto Renata, dije, y no, nadie se molestó contigo, todos te mandan besos. Quince días de desesperación en los que no hice más que volver a mi archivo "Berto cronología" y encontrar lógica a nuestras conversaciones, a las cosas que me habían dejado pensando, de repente empezaba a ver el tablero donde Berto jugaba una partida de ajedrez, lo duro era tener que aceptar que yo era una de las piezas.

Un día por fin me llamó y quedamos en mi Habana, necesitaba verlo en un lugar abierto, el bar de João me parecía chiquito y lleno de gente. Nos citamos a las seis de la tarde, pero yo llegué antes, mucho antes, pedí una cerveza y me senté. Llevaba mi sombrero, no puesto porque hacía calor, pero conmigo, en mis manos donde le daba vueltas para liberar tensiones. En ésas estaba cuando llamó Renata y cometí el error de decirle dónde me encontraba y qué casualidad, me dijo, Paulo se había quedado con la niña para que ella diera un paseo, tenía que empezar a recuperarse físicamente, y justo andaba cerca de mi Habana, pasaría a saludarme. Iba a decirle que no, pero colgó antes de que yo hablara y al ratico ya estaba pidiendo un jugo de naranja junto a mí.

Sé que cuando me vio jugueteando nerviosamente con el sombrero pensó que seguía estando mal por causa de ella y que, también por eso, no presté mucha atención cuando me habló de la niña, ni paré de mirar a todas partes en lugar de a su rostro. Lo que Renata no imaginaba era que ese día, a esa hora, ella era completamente transparente para mí. Por eso, cuando me pareció ver a lo lejos que Berto caminaba por el carril de las bicis, incorporé la cabeza y cuando comprobé que se trataba de él, solté el sombrero para sacar un billete que puse sobre la mesa, paga tú, dije, y me levanté. Ahí se quedaron el sombrero, porque se me olvidó, y Renata, que estaba a mitad de una frase y algo me dijo, pero no pude ni mirarla ni escucharla porque ya había echado a andar.

Mientras me acercaba al extraño hombrecito por mi cabeza iban pasando montones de frases aunque no sabía cuál era la primera que tendría que decirle, no sabía y entonces, cuando ya estuve delante de él, sin siquiera darme cuenta moví las manos bruscamente y lo empujé por el pecho diciendo: tú eras amigo de mi padre. Él dio dos pasos hacia atrás impulsado por mi movimiento, pero logró mantener el equilibrio y estabilizarse, se acomodó los espejuelos y me miró, sin decir nada. Me miró. Yo me quedé quieto y, luego, casi involuntariamente di un paso atrás, como para alejarme de la escena, porque yo no había pensado empujarlo, me salió, fue así, como un impulso loco que no me gustó, no soy violento, entonces bajé los brazos y, lentamente, metí las manos en mis bolsillos. Junto a nosotros una pareja se había detenido. Disculpen, no pasa nada, dije mirándolos y, volviendo la vista a Berto, concluí: yo sé usar el músculo del cerebro. Los otros no entendieron lo que dije pero al verme más calmado reanudaron su marcha. Berto sí me entendió, claro. ¿De dónde sacaste lo de tu padre?, preguntó y a mí me dieron ganas de usar otra vez mis manos para agarrarlo por el cuello, pero en lugar de eso me acerqué nuevamente. Mis manos seguían en los bolsillos, sólo mi cuerpo se acercó y cuando mi cara estuvo cerca de la suya pregunté:

—¿Te acuerdas del MIG, el BTR y el AN? Pues el AN, Antonio, vive en Cuba y es como si fuera mi padre.

Berto me miró sorprendido. Hizo un gesto con la boca que no supe si era de fastidio, de tristeza o de cansancio y afirmó que mejor caminábamos un poco, alguna gente del bar nos estaba mirando. Pensé que Renata sería capaz de acercarse a ver qué estaba sucediendo y entonces dije: vamos y eché a andar. Iba acelerado. A mi lado Berto trataba de mantener mi ritmo. Él hubiera querido hablarme antes, dijo, pero no podía, simplemente no podía. Claro que se acordaba del MIG, el BTR y el AN, sabía que Miguel Ángel y Antonio eran amigos desde antes de la guerra, aunque no imaginaba que la amistad se extendiera a la familia después de tantos años. Le hubiera gustado que me enterara de otro modo, pero su error había sido que sí, la noche de mi borrachera se le había escapado aquella frase y es que era una frase que él ya tenía incorporada, también él, aclaró, porque era algo que decía siempre mi… su amigo Miguel Ángel. Muchas veces él había tenido casi que morderse la lengua para no dejar escapar ante mí una de aquellas frases porque Miguel Ángel repetía y repetía y la gente acababa por citar sus palabras porque es que…

—Yo no era su amigo, Ernesto, es que seguimos siendo amigos.

A veces el mundo se detiene. Uno está ahí y podría ser capaz de escuchar voces a su alrededor, hasta risas, o el rumor que hace el río cuando algún barco pasa y produce ondas, o el graznido de las gaviotas, incluso el sonido que produce una rueda de bicicleta al deslizarse sobre el pavimento y hasta sería capaz de escuchar el murmullo de una miga de pan que está siendo arrastrada por una hormiga y el suave deslizarse de un pez bajo el agua. Uno sería capaz de escuchar todo eso porque el mundo se ha detenido, pero no puede. Uno no puede escucharlo porque en sus oídos se ha instalado un ruido que ensordece todo y apenas deja percibir el leve temblor que ha empezado en la mandíbula y se está extendiendo por los brazos y alcanza las manos presas dentro de los bolsillos y de repente es como si una capa fría fuera creciéndonos sobre la piel y el mundo se tambaleara, pero el mundo no se tambalea porque está detenido. Es tu mundo. Fue mi mundo el que se tambaleó y cayó en esa mierda de instante.

Nos habíamos parado en medio de la vía de bicis, un poco antes de llegar al local nocturno que hay ahí y que a esa hora está cerrado. Berto dijo que era mejor sentarnos y, sin esperar mi respuesta, se dirigió al borde del río. Yo lo seguí como un autómata. Nos acomodamos en el piso, con los pies colgando, como si estuviéramos en el malecón de La Habana. Fijé mi vista en las aguas del río. Él se pasó una mano sobre el muslo izquierdo y entonces empezó a hablar, pero tuve la impresión de que contaba una historia que le sucedía a otro, a alguien que nada tenía que ver conmigo.

Dijo que su mejor amigo se llama Miguel Ángel y desde hace años vive en Luanda. Cuando te conocí me lo recordaste, luego te pusiste un poco pesado con tus preguntas sobre la guerra y no te hice mucho caso. Poco después Berto encontró el papelito que yo le había dado con la dirección del blog. Entré para verlo, sólo por curiosidad y en tu foto te me seguiste pareciendo a él. Una vez le comentó por mail a Miguel Ángel que había conocido a un cubano que escribía sobre la guerra y le dio la dirección del blog. Fue por eso que te dejé la nota aquella vez en el bar de João, quería verte porque él entró y vio tu foto y tus datos. Miguel Ángel le pidió que averiguara, que preguntara por la familia, dónde vivían, porque el nombre, la edad y el parecido lo inquietaron. Todo lo que me ibas diciendo coincidía, la casa, la gente, él. Berto pensó explicarme de hombre a hombre, pero es que la decisión no era suya, era de Miguel Ángel. Y Miguel Ángel no sabía qué hacer después de tantos años. Estaba paralizado ¿comprendes?, preguntó antes de seguir.

Su amistad con Miguel Ángel comenzó en Angola jugando al ajedrez en los tiempos libres. Con él sigo las partidas online de las que te hablé alguna vez. Y el juego que me enseñó en casa de Beatriz fue un regalo que Miguel Ángel le envió desde Angola cuando ya Berto estaba en Portugal. Pero últimamente, en lugar de jugar, él necesita que conversemos, está desesperado, por eso… Por eso Miguel Ángel tuvo la idea de comentar algunas entradas de mi blog, porque así yo le respondía, le respondía como hago con todos los seres anónimos que me visitan. Él quiere comunicarse contigo pero se muere de miedo, yo te estuve sondeando, te dije cositas para probar tus reacciones, pero es que tú eres muy severo.

—Está vivo… ha comentado en mi blog… yo hasta le he respondido —dije girando la cabeza, esta vez sí, para mirarlo— ¿Y cómo pretenden tú y tu amigo que yo reaccione, a ver? ¿Quién coño se piensa él que soy yo?

Bertó me dirigió una mirada triste. Mi amigo es tu padre, murmuró antes de echar un suspiro y sacar el cigarrito del bolsillo. Yo aparté la vista nuevamente, tomé unas piedritas y lancé una al río. Yo soy huérfano, le dije, y lancé otra piedrita. Mi hermana es huérfana, otra piedrita. Mi madre es viuda, piedrita. Y mi abuelo, piedrita, y mis tíos, varias piedritas y espero que me cuentes por qué todos terminamos así, dije lanzando con fuerza las últimas piedritas que tenía en la mano. Con el rabillo del ojo noté que él seguía mirándome, hasta que apartó la vista. A nuestras espaldas caminaban unos muchachos por el carril bici. Berto se levantó. Lo escuché pedir fuego e inmediatamente después ya estaba sentándose nuevamente a mi lado. Ahí lo miré, pero esa vez fue él quien no me miró, dio una profunda bocanada a su cigarrito de exfumador y soltó el humo despacio.

—Ya sabes que cuando me enamoré de la madre de mi hija, me castigaron y decidieron trasladarme de campamento, mis amigos tuvieron que escoltarme y caímos en una emboscada. Me hirieron… ¿te acuerdas?

Y te dije que no sabía de dónde saqué fuerzas para salir de ahí, pero es que no las saqué de ninguna parte, alguien tuvo que ayudarme…

Yo dirigí nuevamente la vista al río mientras escuchaba las palabras de Berto y era como volver a ver una película a la que le han incluido las escenas cortadas. Como si el agua fuera la pantalla donde se proyectaban y todo transcurriera allí, delante de mis ojos.

Son tres camiones y ellos van en el primero. Al entrar a una curva caen en una emboscada. Quedan bloqueados. Berto, Miguel Ángel, Antonio y otro más saltan afuera y echan a correr. Él se queda rezagado. Muy cerca explota una granada de mortero, él cae al piso, se retuerce, tiene una pierna medio destrozada y un oído sordo. Hay una humareda que no le deja ver más allá, pero tampoco piensa en ver, no piensa en nada, si no fuera por el dolor tan agudo que siente estuviera seguro de que ya está muerto. Pero ahí están el dolor y los ruidos que llegan como cuando se está bajo el agua, eso, es como estar bajo el agua sin poder moverse. De repente tiene la impresión de ver a alguien, es una imagen fugaz, porque enseguida hay otra explosión. Hay tierra que salta y mucho humo y un olor desagradable. Él sigue sin poder ver y escuchando apenas, hasta que siente una mano. Su amigo Miguel Ángel está ahí, tiene la cara sucia y mueve la boca y le está hablando. Le pone un brazo por encima y así se quedan. Morir acompañado siempre será mejor que hacerlo solo. Y siguen los ruidos y el humo y el tiempo que pasa y en un momento Miguel Ángel grita algo en su oído y él cree entender que deben marcharse. Miguel Ángel se medio incorpora, Berto le pone un brazo sobre los hombros y se deja conducir. El hombre es un animal de cinco sentidos, cuando pierdes uno, su lugar lo ocupa el instinto de supervivencia. Berto está medio atontado y no puede mover una pierna pero con la otra intenta empujar para ayudar a su amigo a desplazarlo hasta que llegan a una hondonada y allí se tiran. Han aprovechado que el ruido y las explosiones se han desviado hacia la retaguardia de la pequeña caravana en que venían. Hay que seguir, indica Miguel Ángel, hay que alcanzar los árboles y su protección, entonces vuelven a moverse y es cuando Berto ve que su amigo tiene la camisa manchada de sangre, pero hay que seguir, sólo el que sigue se salva. Y llegan a los árboles. Miguel Ángel toma aliento, dice que moviéndose por allí podrían llegar a la altura del último camión, donde seguramente están los otros, vuelve a sostener a Berto y se van desplazando lentamente. A Berto la pierna le duele mucho. Miguel Ángel respira agitado. Y lo logran. Consiguen llegar a un punto desde donde pueden ver cómo un camión de los suyos se aleja. Miguel Ángel suelta a su amigo y grita, grita muy fuerte en medio de las explosiones, pero no sale al descampado. El otro camión ha empezado a moverse y hay algunos compañeros que están cubriendo la retirada, nadie mira hacia atrás, pero ellos están ahí, en el monte. Miguel Ángel sigue gritando, grita fortísimo, mientras los otros se alejan. Él pensó, dijo Berto, que si salía al descampado nos iban a tirar un morterazo y tenía razón. Salir es un suicidio, aunque quedarse ahí también lo es, el enemigo puede ir a comprobar las bajas en el terreno y encontrarlos a ellos. Miguel Ángel mira a Berto con un expresión extraña y decide que hay que internarse en el monte. Caminan y se internan. De repente entrevén unas casitas. No se escuchan ruidos. Es peligroso, pero hay que arriesgarse, Berto está cada vez más atontado. Se aproximan y frente a las casitas hay unos cadáveres. Yo no logré distinguir mucho, estaba mal, pero él me dijo después que era cuerpos de niños y mujeres. Miguel Ángel recuesta a su amigo contra una casa y ahí mismo vomita hasta que vuelve a incorporarse, hay que salir de aquí, indica. Levanta a Berto y se van, llega la noche y amanece. Emprenden nuevamente la marcha y caminan hasta que Miguel Ángel ya no puede más con el peso de su amigo. Varias esquirlas de la explosión lo alcanzaron y ya no aguanta mucho más. Ambos se recuestan contra un árbol y el tiempo sigue pasando.

Berto hizo una pausa. Lo sentí expulsar el humo y el aire a la vez en un gran suspiro con olor a tabaco. El resto de la historia ya me lo había contado más o menos, continuó, sólo que en la primera versión él estaba solo. En realidad, dijo, parece que en algún momento ambos se desmayaron y tuvieron la suerte de que unos lugareños los encontraron y se los llevaron para curarlos. Cuando despertaron no sabían dónde estaban, no tenían ni sus uniformes ni sus chapillas y no entendían nada de lo que decían los del kimbo. A Miguel Ángel se le metió en la cabeza que sus compañeros los habían abandonado, eso empezó a martirizarlo, dijo Berto, aunque tenía razón, porque nadie salió a buscarlos nunca.

—Sí los buscaron, me lo contó Antonio —dije yo interrumpiendo.

Berto pareció sorprendido y todavía más cuando le dije que habían aparecido unos cadáveres quemados que llevaban sus chapillas. Ahí echó un gran suspiro cerrando los ojos y, al abrirlos nuevamente, dio la última bocanada al cigarro antes de apagarlo contra el piso. Entonces nos dieron por muertos, no por desaparecidos, dijo. Él y Miguel Ángel llegaron a pensar que los lugareños que los salvaron habían escondido sus uniformes y sus chapillas porque eran una prueba de que por allí habían pasado dos cubanos y quizá en algún momento podría serles útil, en la guerra nunca se sabe. Estaban, además, en territorio hostil para los cubanos. Lo que nunca se les ocurrió pensar, me dijo con un tono amargo, y que al parecer sucedió, es que aquellos campesinos no querían conservar nada que pudiera causarles problemas con alguno de los bandos. Les pusieron nuestros uniformes y chapillas a los primeros cadáveres que se encontraron, quién sabe si eran los hombres de las casitas que vimos, el caso es que a nosotros nos sacaron de allí, nos salvaron y así, sin querer, también nos mataron para todo el mundo. Miguel Ángel y él no entendieron por qué su gente no había ido a buscarlos. En algún momento él dejó de torturarse, sin embargo su amigo se sentía traicionado.

—¿Y por eso decidió abandonarnos a nosotros? —pregunté sin mirar a Berto —¿o me vas a decir que fue la mierda de vida quien decidió por él?

Enseguida percibí que me estaba mirando. En silencio, me miraba. Como quien espera ser correspondido y entonces no me quedó otra que mover la cabeza hacia él. Dijo que Miguel Ángel había estado muy mal, pasaron meses en aquella aldea perdida, y allí había gente buena, pero no médicos. A mí me quedó una cicatriz en la pierna y un oído que a veces falla. Miguel Ángel tenía varias marcas en el cuerpo, pero lo peor era que se había quedado medio trastornado. Primero la cogió con la traición de sus compañeros y luego con que todo era culpa suya, porque si él no hubiera decidido internarse en el monte, no hubiera tenido que ver a aquellos niños muertos, ni se hubieran perdido, ni hubiera sucedió nada. Es que la guerra enloquece a los hombres, Ernesto, tú te crees que uno está ahí pensando racionalmente, no, las guerras lo que hacen es bloquearte las entendederas. Sólo que de eso te dabas cuenta cuando estabas ahí, ellos no tenían entrenamiento profesional, no eran militares, querían ayudar y por eso habían ido a Angola, eran otros tiempos.

Cuando por fin salieron de la aldea y lograron llegar a un pueblo, Miguel Ángel parecía otra persona, no se reía, tenía una mirada extraña y muchas noches despertaba dando gritos. Tiempo después Berto consiguió volver a contactar con su mujer y ella fue a su encuentro. Por ella supieron que su unidad ya no estaba en el mismo pueblo de antes y les perdieron el rastro. Hubo un momento en que pensé, te juro, que quizá lo mejor era tratar de buscar a otros cubanos, pero mi mujer temía que nos separaran otra vez y Miguel Ángel la cogió entonces con que nadie iba a entender lo que había pasado porque a ellos los habían dejado solos, era mejor esperar a que la guerra terminara y así él podría regresar con su familia.

Entonces Berto decidió que tenían que salir de toda aquella mierda. Al carajo. Logró convencerlo y los tres se fueron a una población más segura donde vivía una amiga de su mujer. Miguel Ángel seguía oscuro, lleno de pesadillas y de miedos y esa amiga empezó a intentar ayudarlo. Cuando Berto supo que iba a ser padre, su mujer y él decidieron irse a Portugal, pero esta vez no hubo forma de convencerlo de que los acompañara. Tu padre me dijo que yo tenía que partir, pero él debía quedarse a esperar a que terminara la guerra, porque en algún momento tendría que terminar. Miguel Ángel pensó que sólo entonces las cosas iban a poder resolverse bien, él necesitaba limpiar su cabeza, olvidar lo que le había sucedido y lo que había visto para poder volver al lado de su familia. Pero ya para ese entonces estaba viviendo con aquella mujer y con ella sigue.

—No, Ernesto, tu padre no decidió abandonarlos. A ustedes los quería muchísimo, él simplemente no decidió, se quedó bloqueado. ¿Puedes entender eso? Pero a mí me salvó la vida. Yo estaría muerto si él no me hubiera salvado en la emboscada y cargado conmigo tanto tiempo. Miguel Ángel no me dejó solo, coño, me salvó la vida. ¿Tú puedes entenderlo?

Yo algo podía entender, claro: no era sólo en la nariz que nos parecíamos. De repente me vino a la cabeza el rescate de Profundo, aquel perrito de la escuela al campo al que mi padre salvó diciendo que no podíamos dejarlo solo. Casi me echo a reír, pero no tenía deseos. Berto me estaba mirando con un rostro como de súplica, pero yo no tenía nada que decir. Mi padre se quedó esperando que la vida lo viviera. El hombre detenido, pero bien que volvió a enamorarse. Mi madre nunca volvió a hacerlo. Mi hermana escondía sus recuerdos. Yo he tenido que ser todos estos años el hijo del héroe. ¿Acaso Berto o mi padre podrían entender eso? ¿Qué coño iba a decir yo si lo único que deseaba era esfumarme, desaparecer, volverme humo como el cigarrito de exfumador de Berto?

—Los que se van a la guerra nunca vuelven, Ernesto —me dijo él.

—Los que despiden a quienes se van, tampoco.

Berto fue a agregar algo, pero le hice un gesto con la mano mientras me levantaba. Necesitaba caminar, no me sentía bien y él podría comprenderlo, hablábamos luego, yo lo llamaba, le dije y eché a andar junto al río. Ya a esa hora no había ciclistas ni peatones. La nochecita había caído. Se sentían los ruidos de la ciudad y se veían los reflejos de las luces del otro lado, esa suerte de estrellitas que se van formando en el agua y que se mueven. Yo cada vez fui marchando más deprisa, pero necesitaba más, sé que necesitaba más porque casi sin darme cuenta empecé a correr, primero despacito, era para sentir la brisa que venía del río, luego con un trote más fuerte. Pasé de largo por mi Habana y seguí. Necesitaba más. Pasé Cais do Sodré, llegué a Plaza del Comercio, pero necesitaba más. Dejé el río a mis espaldas y seguí. Había gente por la calle. Turistas. Paseantes de la noche de verano. Yo corría. El sudor empapaba mi rostro y de repente empecé a ver las luces medio nubladas. Algo extraño. Parecía que las luces de las farolas se iban agrandando, como si no les bastara el espacio que ocupaban y debían expandirse. Casi me cegaban, pero yo seguía corriendo. Seguí corriendo, necesitaba más. Tenía un sabor salado en la boca y un leve temblor en mis mejillas, pero necesitaba correr. Correr. Corriendo subí la cuesta. Y continué, necesitaba más, un poco más. Sólo me detuve frente al edificio donde yo sabía que vivía Renata y apreté el botón, ella me había dicho cuál era, yo lo sabía. Una voz de hombre respondió y grité: Renata, dando un golpe contra la pared. Él dijo algo, yo repetí: Renata. Volvió a hablar y de repente escuché la voz de ella que preguntaba algo así como: ¿eres tú, Ernesto, pero estás loco, qué te pasa? Y entonces le dije: está vivo, mi padre está vivo y volví a golpear mi mano contra la pared. Y hubo un silencio hasta que escuché: sube y el cerrojo del portón se abrió.

Subí las escaleras corriendo y en la puerta de su apartamento Renata me estaba esperando, yo la abracé y lloré. Luego me condujo al sofá, nos sentamos y lloré. Ni siquiera me importó lo que pudiera pensar el tal Paulo, no me importaba nada. Porque los hombres sí lloran, coño, cuando le sale de los cojones. Y por eso yo lloré. Lloré lo que no pude a los doce años y lo que no pude después y lo que no voy a llorar más en toda mi vida. Hasta que empecé a calmarme. Así. Despacio, el tembleque que tenía mi cuerpo se fue apaciguando. Respiré. Ya apenas tenía lágrimas. Volví a respirar y, lentamente, logré apartarme del cuerpo de Renata. Ella me preguntó si quería un whisky, no tenía ron, aclaró. Asentí y fue a buscarlo. Levanté la vista, estaba solo. Encima de un mueble vi mi sombrero que evidentemente Renata había recogido, pero yo no necesitaba esconderme. Ella regresó con el whisky y con su marido. Nos presentó: Ernesto-Paulo, Paulo-Ernesto. Él dijo que ya hablaríamos en otro momento, nos dejaba conversando. Le agradecí con una sonrisa torpe y bebí un trago.

Cuando se termina un buen llanto uno se queda como cuando ha hecho el amor, medio desorientado, pero sereno. La única diferencia es que no hay placer en el llanto.

Viaje a la semilla

Si un hombre decide cambiar el curso de su historia, ¿puede otro hombre juzgarlo? No sé. Han pasado como seis meses desde el día en que Berto me contó la historia. Pero no he vuelto a llorar. Ya no me hace falta. Todo este tiempo Renata ha estado al tanto de mí, a veces incluso ha ido a cocinarme. A su manera, me quiere. Su hija es linda y casi la quiero. Paulo es un buen tipo, no lo quiero pero me cae bien. Yo me quedé, como siempre, detenido. Como mi padre: detenido. Los primeros días estuve releyendo los comentarios de mi blog a ver si descubría cuáles eran sus palabras. Pero no logré distinguirlas. Por eso esta noche Renata estaba leyendo, dice que va a encontrarlo, que las mujeres tienen un sexto sentido que a los hombres nos falta. Yo qué sé y la verdad es que ya tampoco importa. Pasé noches leyendo y en cada comentario creí escuchar su voz hasta que me di cuenta de algo: yo su voz no la recuerdo. Eso me dio terror. Cuando no recuerdas, entonces las cosas sí que dejan de existir. Volví a sentirme otra vez perdido en la selva oscura, como él hace tantos años. Perdidos ambos y asustados y sin saber qué hacer.

Un domingo me desperté muy tarde. Estaba cansadísimo. Abrí los ojos y me quedé mirando al techo. Pero estaba pintadito, parejo, allí no había formas donde inventarme territorios como aquella vez, cuando yo tenía doce años y mi padre estaba muerto. En el techo no había nada que encontrar. Berto y mi padre se habían bajado del carro de la Historia y a mí me dejaron dando vueltas, interpretando como pude el papelito que me impusieron, pero yo no soy el hijo del héroe ni un carajo. O sí, seré el hijo del héroe que le salvó la vida a Berto y a nosotros nos la viró al revés. Ya qué más da. Respiré profundo. Entonces me levanté y llamé a Berto. Él se alegró de escucharme y tuvo la delicadeza de no comentar mi ausencia de respuestas a sus últimos mails. Le dije que quería conocer a su amigo. ¿Mi amigo?, preguntó y dije: a mi padre. Quiero conocer a mi padre. Las condiciones las pongo yo, agregué. Tú me ayudas con los conocidos que dices que tienes para los trámites del viaje y todas esas cosas. Y hablas con él, con tu amigo, no quiero que nos comuniquemos por mail y mucho menos tener que responderle a un desconocido que comenta en mi blog. Quiero ir y verlo y hablarle. Tú le dices que es ahora o nunca. Que si le interesa, lo hacemos, y que yo me llamo Ernesto, no Ernestico, ni mijo, ni campeón, ni muchacho, ni nada de eso. Soy Ernesto y quiero conocer a mi padre. ¿Puede ser? Berto respondió que tenía ganas de abrazarme y que en dos días iría a Lisboa para verme.

Me cansé de correr. Eso hice. Una tarde de diciembre Renata me llamó muy contenta. ¿Lo viste, Ernes? Ahora sí que se acabó la guerra fría, Cuba y Estados Unidos van a reanudar sus relaciones diplomáticas. Esto es Historia, me dijo, estamos viviendo un momento histórico. Sonreí. Por supuesto que yo también había asistido por televisión, casi incrédulo, a las declaraciones de los presidentes Raúl Castro y Obama. Desde hacía meses ambos gobiernos venían conversando, pero todo era secreto, ssshhh, como siempre, sssshhhh, otro momento histórico, ssssshhhhh. Qué cansado me tiene la puta Historia. Sentí como si una especie de baba antigua empezara a correrme por la piel, algo transparente, frío y pegajoso que caía al piso y seguía produciéndose, saliéndome por todas partes. Renata esperaba mi respuesta pero, por una vez, mi vida era más importante que la Historia.

—Ya tengo todo listo —dije finalmente—, me voy a Angola.

Y aquí estoy. Acaban de anunciar que abrochemos los cinturones, incorporemos nuestros asientos y apaguemos los equipos electrónicos. Paro la música y me quito el sombrero. Mi vecino de asiento se aproxima un poco para alcanzar a ver algo por mi ventanilla. Por primera vez le sonrío. Desde aquí se ven luces. Yo canto bajito: *Angola era para mí sólo un nombre extraño en la geografía de mis primeros años...* Abajo me espera mi padre. En todos estos meses me he estado preguntando qué habrá sido lo que pasó por su cabeza aquellos días, si enloqueció, si se cansó de nosotros. ¿Quién sabe? A mi padre en realidad lo mataron y no sé cómo será el que voy a encontrar allá abajo, lo único que espero, al menos, es que su nariz se parezca a la mía. Lo demás son recuerdos, esa mole invisible de imágenes que te aplasta y que, al final, son la vida que pasó. Pero después de cada cosa siempre nos queda el futuro. Así que allí vamos. Al futuro.

Esta edición de *El hijo del héroe*
se acabó de imprimir en Capellades
en septiembre de 2017

Editorial Comba

1. Tomás Browne
   Las semillas de Urano
2. S. Serrano Poncela
   La raya oscura
3. Enrique Lynch
   Nubarrones
4. Juan Bautista Durán
   Convivir con el genio
5. Andrea Jeftanovic
   No aceptes caramelos de extraños
6. Rosa Chacel, Ana María Moix
   De mar a mar
7. Matías Correa
   Geografía de lo inútil
8. Rosa Chacel
   La sinrazón
9. Ernesto Escobar Ulloa
   Salvo el poder
10. Alfonso Reyes
    Memorias de cocina y bodega
11. Esmeralda Berbel
    Detrás y delante de los puentes
12. Ignacio Viladevall
    Luz de las mariposas
13. Tatiana Goransky
    Los impecables
14. Andrea Jeftanovic
    Destinos errantes

15. Federico Valenciano
Frontera con la nada
16. Constanza Ternicier
La trayectoria de los aviones en el aire
17. Rodrigo Díaz Cortez
Metales rojos
18. Rosa Chacel
Memorias de Leticia Valle
19. Jordi Dalmau y Lidia Górriz
Un nido de agujas en el colchón
20. Tomás Browne
Silbar los viajes
21. Tatiana Goransky
Fade out
22. Karla Suárez
El hijo del héroe